Судьба всегда дает шанс!
Не верите? Читайте романы Олега Роя:

ОЛЕГ РОЙ

$$S = \frac{v^2}{R\,m}$$

$$\sum_{i=1}^{} a_{t}\, x_{i}^{\delta_1}\, x_{j}^{\delta_1}$$

Код личного счастья

Москва

2017

УДК 821.121.1-3
ББК 84(2Рос-Рус)6-4
Р58

Оформление серии *С. Груздева*

Рой, Олег.

Р58   Код личного счастья / Олег Рой. — Москва : Издательство «Э», 2017. — 352 с.

ISBN 978-5-04-088566-4

Одним предновогодним вечером три подруги – Лариса, Алена и Даша – загадали по желанию. Каждая из них была несчастлива по-своему, и каждой хотелось бы отыскать код собственного счастья. Лариса мечтала о муже и детях. Алена, растившая сына одна, никак не могла забыть бывшего мужа, а удачливая в семейной жизни Даша желала самореализации. Всем известно, что Новый год — это время настоящих чудес, особенно если собственными руками строить чудо для себя и своих близких.

УДК 821.121.1-3
ББК 84(2Рос-Рус)6-4

ISBN 978-5-04-088566-4

■ 27 декабря

Пролог

О непредсказуемости петербуржской погоды сказано уже, наверное, все, что только можно. С чем ее только не сравнивают, как только не ругают… А ей до того и дела нет, как красавице с глянцевой обложки нет дела до сплетен и слухов, витающих вокруг ее имени. Что бы о ней ни говорили, красавица уверена и в своей привлекательности, и в преданности поклонников, которые простят ей любые капризы. Точно так же петербуржцы прощают любимому городу все прихоти и крайности его климата — ради его неповторимого очарования. Они знают: города, прекраснее Санкт-Петербурга, нет в целом свете. Даже в туман, в дождь и в слякоть. Что уж говорить о погожих днях…

Сейчас день подходил к концу, наступал вечер, зато какой! Настоящая рождественская сказка. Медленно кружась, снег падал крупными хлопьями и легко, с каким-то особенным, истинно петербуржским достоинством оседал на крышах, на проводах, на узорных оградах, ложился пышными сугробами, сверкая в свете фонарей и по-новогоднему украшенных витрин. Казалось, даже автомобили, полноводной рекой лившиеся в этот час по центральным улицам, сбавили скорость и притихли, чтобы не нарушить очарование вечера.

Один из автомобилей, ярко-красная «Киа», отделился от потока и затормозил около входа в метро. Сидевшая за рулем молодая женщина с короткими темно-русыми волосами чуть наклонилась, рассматривая толпящихся на тротуаре прохожих, нашла кого-то взглядом, улыбнулась, дважды нажала на клаксон и помахала рукой. Через некоторое время задняя дверь машины распахнулась, и теплый салон наполнился ароматом зимней свежести, смехом и веселыми голосами.

— Ну, Ларка, ты, как всегда, точна, минута в минуту! — воскликнула одна из пассажирок, высокая красивая девушка в красной спортивной куртке, которая очень шла к ее темным, почти черным, волосам.

— Ну так она же у нас бизнес-леди, ей положено, — со смехом откликнулась вторая, миловидная блондинка с явной склонностью к полноте.

— Мне тоже положено, — вздохнула брюнетка. — Но никак не получается не опаздывать... Не понимаю, как от меня еще клиенты не разбежались.

— Не говори ерунды, Аленка, никуда они от тебя не денутся! — заверила блондинка, пристраивая на коленях торт, а рядом, на сиденье, пузатую сумку.

— Это точно, где они еще найдут такого мастера? — согласилась Лара, наблюдавшая в зеркало возню на заднем сиденье. — Дашка, может, отправим твою сумку в багажник? Она ж вам мешает!

— Не! — Даша энергично затрясла выбившимися из-под шапки золотистыми кудряшками. — Багажникам я не доверяю. У меня банки!

— Неужели свои фирменные маринованные опята везешь? — обрадовалась Лара, трогаясь с места.

— А как же! — весело подтвердила Даша. — И грибочки, и огурцы, и лечо твое, Аленка, любимое... Надо ж побаловать дорогих подруженек! Тем более что так редко видеться стали.

— Да уж, Лара, если бы не твое новоселье, я бы в этом году точно к вам не вырвалась, — поделилась Алена. — Вы же знаете, какая у меня сейчас горячая пора. Всем хочется к Новому году быть красивыми. Так что дни расписаны не просто по часам, а даже по минутам.

— Да уж, хорошо, что я постриглась заранее, на той неделе, — Лара снова бросила взгляд в зеркало и слегка поправила асимметричную челку.

— Ну а я и так красивая! — хохотнула Даша.

— Оно конечно, — повернулась к ней Алена, — но все-таки выкроила бы время да заехала ко мне. Ты ж знаешь, ради тебя я всех клиенток подвину. Сделали бы тебе такую прическу, что ах! Ренат увидит и заново влюбится, вот увидишь.

Даша снова хихикнула, но на этот раз уже как-то не слишком весело.

— Аленка, ну что ты говоришь… Какое там «выкроить время»! Это перед Новым-то годом!.. У меня сейчас дурдом творится, не хуже, чем у тебя. Майке нужно перешить карнавальный костюм для утренника, у Руськи только позавчера температура спала, а что Тимур на днях учудил, ты и сама знаешь…

— А что такое? — заинтересовалась Лара, сворачивая с оживленного шоссе в тихий заснеженный переулок. — Я не в теме.

— Да башку побрил, — возмущенно сообщила Даша.

— Налысо? — удивилась Лара.

— Если б налысо, еще ничего… А то взял и выбрил себе половину волос. Придурок! Так и ходил два дня — половина головы лохматая, половина лысая. Красота! Еле загнала его к Аленке, та его, как смогла, в порядок привела, хоть какое-то подобие прически сделала.

— Это что ж, Ален, у них теперь, у молодежи, мода такая? — недоумевала Лариса.

— Ну, сейчас действительно в тренде экстравагантные стрижки... — признала Алена. — Но мне Тимур сказал, что выбрил часть волос, потому что держал пари и проиграл.

— И о чем только думал... — ворчала Даша. — Здоровый лоб, тринадцать лет, ростом почти с отца, а ума меньше, чем у Майки. А ведь уже влюблен...

— Правда, он с тобой и такими вещами делится? — заинтересовалась Алена. — И ты знаешь, кто ему нравится?

— Конечно, знаю, как же иначе. Из параллельного класса, хорошая девочка, из интеллигентной семьи. Мы с ее бабушкой знакомы, она тоже в родительском комитете.

— Не устаю тебе поражаться, Дашка! — покачала головой Алена. — И как ты с ними тремя управляешься? Я и с однимто скоро с ума сойду. Совершенно неуправляемый стал. Дома ничего делать не хочет, дерзит, слово скажешь — обижается... Раньше все сидел, как пришитый, у компьютера, зависал в играх да в соцсетях, спать не загонишь. А теперь дома почти и не бывает. Пропадать стал подолгу, куда ходит, с кем — не рассказывает. Когда по телефону говорит, закрывается в своей комнате. Сплошные тайны.

— А ты давно с ним разговаривала? — поинтересовалась Даша. — Не в смысле «Когда придешь? Хлеба купи! Посуду помой!», а так, чтобы по душам, спокойно, не торопясь?

— Да когда же мне? — Алена только вздохнула. — Целыми днями как белка в колесе, с раннего утра до поздней ночи, без выходных и проходных. Либо сама к клиентам, либо они ко мне... А их ведь не просто стричь, красить и укладывать надо, с каждой же поговорить требуется! Каждая норовит что-то рассказать, чем-то поделиться, что-то обсудить... За день так наболтаешься, столько жалоб и негативной энергии наберешь, что после работы и рот открывать не хочется. Лечь бы да уткнуться в телевизор...

— Ну вот видишь! — мягко укорила Даша. — А Никита, конечно же, страдает, что тебе все время не до него. Вспомни себя в этом возрасте.

— Отлично помню! — с чувством воскликнула Алена. — На мне в пятнадцать лет уже весь дом был. И продукты покупала, и убирала, и стирала, и готовила. Да еще газеты по утрам, до школы, разносила, чтобы купить ткань и сшить себе что-нибудь — иначе ходить было бы вообще не в чем. Да что я вам рассказываю, вы моих расчудесных маменьку с папенькой прекрасно знали... А у Ника все есть, чего душа пожелает — и смартфон хороший, и ноутбук, вот даже гироскутер купила ему на день рождения... И вообще — можно подумать, я ради своего удовольствия гроблюсь на работе с утра до ночи!.. Для него же стараюсь! Чтоб не чувствовал себя хуже других!..

— Аленка, ну это понятно... Тебе тяжело, кто же спорит, — Даша положила руку на плечо подруги. — Ты одна растишь сына, снимаешь квартиру и все такое... Но тебе все равно легче, чем Никите. Ты взрослая, сильная. И умная. А он — пока еще нет. Ему ж всего пятнадцать. И если ты сейчас потеряешь с ним контакт, он может натворить глупостей...

— Вот этого-то я и боюсь! — мрачно кивнула Алена. — Так все время ему и говорю: если узнаю, что он выпивает, наркотой балуется или еще что-то в этом духе, три шкуры с него спущу!

Даша хотела что-то ответить, но не успела. Автомобиль сбавил скорость, и Лара громко возвестила:

— Приехали.

— А ничего себе домик, — заметила Алена, окидывая взглядом современную многоэтажку.

— И не говори! — довольно улыбнулась Лара, ведя машину во двор через автоматически раскрывшиеся ворота. — В кои веки мне по всем статьям повезло с квартирой. Вы же помните мою эпопею: что ни снимала, все было с каким-то изъяном. То хозяйка не в меру любопытная, могла нагрянуть без предупреждения даже среди ночи, то соседи шумные, то батарею постоянно прорывало... В последней квартире, на Савушкина, все было хорошо, но очень уж от работы далеко, пока доберешься через все мосты... А тут — и дом новый, и хозяева вменяемые, и район хороший, до офиса за двадцать минут долетаю, если больших пробок нет. Не жилье, а счастье!

Припарковав машину на закрепленном за Лариной квартирой месте, подруги подхватили торт, сумки и сумочки и направились через запорошенный свежим снегом двор к парадному.

— И на каком же оно этаже, твое счастье? — осведомилась Даша, поднимаясь на крыльцо.

— На тринадцатом, разумеется, — Лара набрала код, но входная дверь не открылась, раздался звуковой сигнал об ошибке.

— Что за фигня? — возмутилась новоселка. — Я ж все правильно нажала! Восемь-два-три-шесть... Хотя, может, не три-шесть, а шесть-три?

— Эх ты! — усмехнулась Алена. — Забыла код от собственного счастья.

— Ничего я не забыла! — обиженно возразила Лара, но на всякий случай сверилась с айфоном. — Ну да, все правильно, три-шесть... Видимо, просто глюк.

И снова набрала комбинацию цифр. На этот раз электроника повела себя как надо. Дверь отворилась, впуская подруг в ярко освещенное теплое парадное.

— А ты хорошо сказала, Аленка, — «код от счастья», — мечтательно проговорила Даша, прислоняясь к стенке зеркального лифта. — Вот если бы у каждого человека был такой код...

— В каком смысле? — не поняли подруги.

— Ну, в таком... — пустилась в объяснения Даша. — Если бы человек мог просто отгадать некое число или слово, и это давало бы ему ключи от его счастья. Каждый получил бы то, что ему больше всего нужно, о чем он мечтает...

— Тогда бы Лара оказалась самой счастливой на свете! — засмеялась Алена. — Она же у нас математик, коды и цифры как орешки щелкает.

— Ради счастья и я напряглась бы, — заверила Даша. — Хотя всегда ненавидела математику.

— Но разве ты не счастлива, Дашка? — удивилась Лара. — Ты? У тебя же чудесная семья, любящий муж и целых трое детей. Чего тебе еще желать?

Даша смущенно потупилась и ничего не ответила.

Двери лифта с тихим шумом раскрылись, выпуская подруг на лестничную площадку, заставленную комнатными цветами. Алена и Даша понимающе переглянулись.

— Что, вся твоя оранжерея не вместилась в квартиру? — с улыбкой спросила Дашка.

— Здесь южная сторона, — объяснила Лара, открывая дверь квартиры. — А у меня окна на запад, и некоторым цветам мало света. Алоказия, вот, вообще не может без солнца. А драцена…

— Хватит, хватит, только не садись на своего любимого конька! — со смехом перебила Алена. — Лучше похвастайся, как ты устроилась, я умираю от любопытства.

Похвастаться действительно было чем — такой изящной и со вкусом обставленной оказалась квартира, вся выдержанная в мягких бежевых и коричневых тонах. Высокие потолки и минимум мебели создавали ощущение простора, а детали интерьера, каждая из которых чудесным образом расположилась именно на своем месте, придавали новому жилью Ларисы неповторимый уют. Завершала картину стоявшая у одной из стен живая канадская сосна, украшенная матовыми белыми шарами, натуральными шишками и золотисто-коричневыми лентами.

— Как красиво! А елка! Так и просится на фотку в глянцевый журнал, — оценила Алена. А Даша всплеснула руками:

— Ларка, как же у тебя свободно, сколько места! Хоть на велике гоняй!

— На самом деле квартира не такая уж большая, всего пятьдесят четыре метра, — Лариса с удовольствием стащила сапоги и переобулась в изящные домашние туфельки на низком каблуке. — Но мне вполне хватает… Давайте, девочки, мойте руки и перекусим. Есть хочу — просто умираю! Пообедать не успела…

— Не дрейфь, сейчас все будет! — Даша уже поднялась на небольшое возвышение, отделявшее кухонную зону от гостиной, и разбирала пузатую сумку, вынимая из нее банки с соленьями, разнокалиберные пластиковые контейнеры с цветными крышками, какие-то аппетитно промасленные свертки...

— Ларка, доставай тарелки и бокалы, — командовала она, повязывая на ходу фартук. — Аленка, ты вот это все раскладывай, а я пока курицу с грибами разогрею. И пирожки... Ларка, где тут у тебя сковородки? Мне бы самую глубокую...

Вскоре комната наполнилась головокружительными ароматами домашней еды.

— Дашка, ну куда ж ты столько натащила! — ахала Лариса, открывая бутылку вина, которое привезла летом из Италии и специально берегла для встречи с подругами. — Тут на целую роту голодных студентов хватит!

— Ну так мы же праздновать твое новоселье приехали! — смеялась Даша, склонившись над плитой и орудуя лопаткой. — А то я тебя знаю, у тебя небось в холодильнике только сыр и фрукты.

— И хлеб, — напомнила Алена. — Ларка же у нас все с хлебом ест, даже макароны.

— Вот мне бы так, как Лара, — есть булки и не толстеть... — мечтательно закатила глаза Даша. — А то такое чувство, что последнее время меня разносит от одной только мысли о еде. Аленка, ты салат заправишь? Вон там в баночке майонез домашний...

Когда Лариса наконец положила вилку и откинулась на спинку стула, она только и могла охнуть.

— И не говори! — поддакнула Алена. — Уж не помню, когда последний раз так наедалась. Наверное, на твоем, Дашка, дне рождения...

— Ну что ж вы даже салат не доели? — огорчилась Даша. — Не понравился, что ли?

— Ну что ты, очень вкусно! — возразила Алена. — Просто его так много...

— Уже не лезет! — поддержала ее Лара. — Я, наверное, теперь дня три есть не смогу.

— Тогда давайте выпьем! — предложила Даша. — Не оставлять же такое классное вино...

— А за что будем пить? — уточнила Алена, пока хозяйка дома разливала остатки уже второй бутылки по бокалам. — За новоселье пили, старый год проводили, а за новый пить еще рано.

— Уже можно! — радостно воскликнула Даша. Она заметно раскраснелась, глаза ее сияли. — У меня предложение — давайте выпьем за то, чтобы в новом году исполнились наши заветные желания! Вот что прямо сейчас попросим у судьбы, то пусть и сбудется. Пусть судьба подарит каждой из нас именно то, чего ей не хватает для счастья.

— И чего же тебе не хватает для счастья? — Лара протянула подруге наполненный бокал.

— Мне-е-е... — Даша мечтательно уставилась в потолок. — Вы, девочки, наверное, будете смеяться, но я хочу работать. Со стороны, наверное, может показаться, что у меня все есть — счастливая семья, надежный муж, чудесные дети... Но я устала быть домохозяйкой. Я ведь способна на что-то большее, понимаете! Не просто быть женой хорошего мужа и матерью прекрасных детей, а самой что-то делать... Быть личностью! Хочу, чтобы меня ценили, чтоб мной дорожили. Не только за пирожки и борщ, а как тебя, Лара, ценят на работе, как тобой, Аленка, дорожат твои клиенты...

— Ну так найди работу, — пожала плечами Алена. — Сейчас это не такая уж большая проблема.

Даша погрустнела и покачала головой.

— Слишком много «но»... Ренат, скорее всего, будет против. Он привык приходить домой, где убрано, постирано и готов ужин. Если я стану пропадать на работе, кто же домом займется? Дети еще маленькие, Майке только пять... И потом, самое главное, кто меня возьмет-то на работу — без образования, практически без опыта? Официанткой разве что или продавщицей куда-нибудь в супермаркет. Но там график насыщенный, буду домой еле живая приползать... В общем, тупик, девочки.

— Значит, надо выпить за выход из тупика, — Лара потянулась к бокалу, но Даша ее остановила.

— Нет, погоди. Это только мое желание, а как же ваши? Вот ты, Лара, хочешь ребенка, я знаю. Ты об этом не говоришь, но ведь и так ясно...

— Дашка! — Алена строго посмотрела на подругу, которая, по ее мнению, проявила бестактность. — Тебе, похоже, сегодня больше не наливаем!

— Нет, почему же, — пожала плечами Лара. — Даша права. Я действительно больше всего на свете хочу ребенка. Да, я сделала хорошую карьеру, я востребованный специалист и прилично зарабатываю... Может быть, даже через некоторое время смогу купить свою квартиру, а не мотаться по съемным. Но мне этого мало. Признаюсь, девочки, я вам обеим немного завидую... По-хорошему, конечно, — торопливо уточнила она. — Но ведь дети — это такое счастье...

— Да уж, счастье! — фыркнула Алена. — Ну, раз уж на то пошло, я загадаю, чтобы у моего «счастья» поскорее закончился переходный возраст. А то сил с ним больше никаких нет!

Из прихожей донеслась электронная музыка, и Лара вопросительно взглянула на подруг:

— Девочки, чей телефон звонит?

— Мой, — со вздохом ответила Даша. — Только это не телефон, а будильник. Поставила его на девять. Пора домой, детей спать укладывать. Так что хочешь не хочешь — а надо выдвигаться.

— И я с тобой, — поддержала Алена. — Никиты, конечно, наверняка дома нет... Но все равно поеду, мне завтра вставать в половине шестого. Первая клиентка записалась на восемь, а она живет у черта на рогах...

Лара тоже вздохнула. Как же ей хотелось посидеть подольше, поболтать о том о сем с подругами детства, а не оставаться снова одной в квартире, где из домочадцев только телевизор, а собеседники исключительно виртуальные. Пытаясь компенсировать нехватку реального общения, Лариса много времени проводила в Интернете, регулярно вела дневник и часто зависала в соцсетях, но это, конечно, не шло ни в какое сравнение с такими вот посиделками. Увы, Лара понимала, что уговаривать девчонок остаться подольше бесполезно — они и сами хотели бы, да не могут... И поэтому не сказала ни слова, только вызвала подругам такси. После чего снова протянула им бокалы и подняла свой:

— Ну что, девчонки, на посошок! За то, чтобы в будущем году каждая из нас наконец подобрала бы свой код счастья!

Глава 1.
Лариса.
Хмурое утро

Выглянув на следующее утро в окно, Лара с грустью убедилась, что от вчерашней рождественской сказки не осталось и следа. Еще не рассвело, но и в рассеянном свете фонарей было прекрасно видно, что роскошный снегопад превратился в мелкий противный дождь. Пышные сугробы сдулись и заметно просели, ветви деревьев, вчера так красиво одетые инеем, оголились и промокли, а градусник сообщил, что температура поднялась на несколько делений выше нуля. В такую погоду остаться бы дома, налить свежезаваренного чаю в любимую большую кружку с Эйфелевой башней, забраться с ногами на диван, завернуться в теплый плед и смотреть целый день какой-нибудь уютный сериал про красивую любовь… Но работающий человек не может позволить себе подобной роскоши в будний день. Хочешь не хочешь, — а нужно одеваться, причесываться, накладывать макияж и выдвигаться в офис. И лучше бы пораньше, потому что на дорогах наверняка будут пробки.

Лара лениво поплелась в ванную, чувствуя себя усталой, разбитой и несчастной. Отчего это так бывает — чем лучше проведешь время накануне, тем паршивее становится на другой день? И дело совсем не в похмелье, нет у нее никакого похмелья, они и выпили-то вчера с девчонками всего ничего, пару бутылок легкого сухого вина на троих. А вот муторно на душе, тошно, и отчего-то так жаль себя...

Насчет пробок Лариса как в воду глядела. Сегодня всемогущий Невский проспект оказался бессилен перед сотнями, а может, и тысячами машин, которые словно затеяли игру «в паровозик» и замерли в бесконечно длинном хвосте. Вереница автомобилей тянулась от Гостиного Двора до самой Невы.

Стоять в пробке — удовольствие ниже среднего. Тем более в такую погоду, когда не покидает чувство, что на дворе не конец декабря, а ноябрь. На фоне дождя и слякоти новогоднее убранство улиц и витрин казалось какой-то насмешкой — не то что вчера...

Утро уже вступило в свои права, но на улице все еще было темно. Ветер усиливался, свинцовые тучи опустились до самых крыш, а стилизованные под старину фонари склонили матово-золотистые головы над тротуарами, словно понимая, что все равно бессильны перед туманом и непогодой. Наступавший день явно не сулил ничего хорошего...

«Ладно, что это я расклеилась?» — отчитала сама себя Лариса. В конце концов, ей не хуже, а даже во многом лучше, чем другим. По крайней мере, она не должна топать по лужам, кутаясь в пальто и пытаясь хоть как-то спрятаться от мокрого снега и ветра, а может сидеть в сухой и теплой машине. Она молода и здорова, она едет на работу, и не просто на работу, а на работу любимую, интересную и хорошо оплачиваемую. У нее есть чудесные подруги, с которыми она вчера все-таки сумела повидаться, несмотря на то что все они очень заняты. К тому же скоро Новый год и длинные каникулы, которые она проведет не где-нибудь, а в Доминикане. Обычно Лара ездила на зимние праздники в Европу, но в этом году ее посетила идея встретить Новый год на пляже под пальмами. Это наверняка будет здорово, даже несмотря на то, что компанию для поездки найти так и не удалось. Ну ничего, компания наверняка отыщется на месте, за этим дело не станет. Путешествие уже не за горами, самолет вылетает послезавтра, тридцатого декабря, в восемь вечера. Завтра последний рабочий день, а вечером корпоратив в шикарном ресторане на Большой Морской. Правда, Лара еще не решила, пойдет туда или нет. Последнее время тусовки и вечеринки, которые она раньше так любила, стали казаться однообразными и все более унылыми. Праздники чудесны в детстве и радостны в юности, но когда становишься взрослым, они только добавляют забот, которых и в будни более чем хватает.

Плотный поток машин по-прежнему едва-едва двигался. От скуки Лара включила радио и тут же пожалела об этом: на трех волнах подряд ведущие бодрыми голосами вещали, что Новый год — семейный праздник, и встречать его надо в кругу родных и близких. Ларисе на это оставалось только горько вздохнуть. Что греха таить, она просто мечтала бы провести рождественские каникулы в кругу семьи. Вот только семьи, увы, никакой не имелось...

Родилась и выросла Лариса в Луге, маленьком городе Ленинградской области, в семье, как это называется, «матери-одиночки» — хотя это словосочетание и звучит до крайности нелепо. Какое же это одиночество, когда у тебя есть ребенок? Отца своего Лара знала только по единственной фотографии — выцветшему от времени групповому черно-белому снимку, запечатлевшему большую компанию у костра на лесной поляне. Мама говорила, что Ларисин отец был инженером на местном заводе и еще до рождения дочери они развелись, и муж навсегда уехал из города, не оставив адреса, и больше не появлялся в ее жизни, так что даже не знал, что у него есть ребенок. И как, наверное, все дети, волею судьбы оказавшиеся в подобной ситуации, маленькая Лара мечтала, что однажды папа все-таки вернется к ним, они станут жить втроем и будут очень счастливы. Но годы шли, а отец все не возвращался. И у Ларисы появилась другая мечта — разыскать его. Начиная осваивать Интернет, она первым делом вбивала в строки поисковиков и соцсетей отцовские имя и фамилию — но безрезультатно. Только после маминой смерти, разбирая семейные архивы, Лара узнала, что ее родители не были женаты. Никаких свидетельств, ни о браке, ни о разводе в документах не обнаружилось. И фамилия, которую Лара носила и всю жизнь считала отцовской, оказалась маминой девичьей. Так что никакого Дьяконова Вячеслава Михайловича и не существовало на свете. Того, кто стал ее отцом, скорее всего, даже звали по-другому. Но как — Ларисе уже не узнать. Эту тайну, как выражались в старинных романах, ее мама унесла с собой в могилу.

Зато мама у Ларисы была чудесная. Как ни странно это может прозвучать, но детство выросшей в неполной семье Лары было гораздо счастливее, чем детство многих ее сверстников, у которых имелись и мама, и папа. Никаких ссор, скандалов, ругани. И все время вместе, либо вдвоем, либо с мамиными учениками — та была учительницей физики в средней школе. Лариса росла послушным и спокойным ребенком, она с раннего детства могла подолгу сидеть молча, не требуя внимания, тихонько рисуя или играя где-нибудь в уголке или на последней парте, пока у мамы шел педсовет или классный час. А уж когда девочка выучилась читать (на тот момент Ларе было всего четыре года), Елена Владимировна навсегда забыла о вопросе, чем бы занять дочку. Читала Лариса запоем и практически все подряд, не деля книги по принципу «это мне интересно, а это нет». Были, конечно, и фавориты, но и то, что не попадало в их число, все равно дочитывалось до последней страницы, и только после этого девочка решала, понравилась ей книга или нет.

Вся жизнь маленькой семьи вращалась вокруг школы, и первые пятнадцать лет своей жизни Лара не сомневалась, что тоже станет учительницей, как мама. Лишь в десятом классе она осмелилась признаться самой себе, что математика и физика ей действительно нравятся, а вот работать с детьми не тянет. Детей Лариса любила, но не настолько, чтобы посвятить им жизнь. Во всяком случае, чужим. Своим-то другое дело…

Лара боялась, что выбор ею другой профессии огорчит маму, но тревоги оказались совершенно напрасны, Елена Владимировна только одобрила решение дочери.

«И правильно, — сказала она. — Быть учителем, сама знаешь, непросто. Без истинного призвания в нашей профессии делать нечего. А с математическим или физическим образованием ты всегда сможешь найти хорошую работу. Да и зарплату повыше учительской».

То, что Лариса обязательно будет учиться в Питере, мама с дочкой решили еще давным-давно, оставалось только выбрать вуз. И пока старшеклассница Лариса грезила о Санкт-Петербургском университете, Елена Владимировна рассуждала более практично и искала способы обеспечить дочке платное обучение. Увы, таких способов не нашлось, Ларе пришлось рассчитывать только на собственные силы. И она несколько лет, что называется, рыла носом землю, готовясь к вступительным экзаменам. И мама, и дочка понимали — то, что Лариса лучшая в классе по точным наукам, то, что она уверенно идет на медаль и побеждает на олимпиадах, все равно мало что значит. Это играет роль здесь, в школе маленького города Луги. А в Петербурге будет по-другому, там таких «лучших» может оказаться до десятка человек на место.

Вообще-то Питер от Луги не так уж далеко, всего два часа на электричке или автобусе. Лара много раз бывала в Северной столице, привыкла к дороге и собиралась каждый день ездить на занятия в институт из дома, но мама решительно воспротивилась.

«Нет, дочка, это не вариант, — заявила Елена Владимировна. — Два часа до Петербурга, да потом еще по городу... Получится как минимум пять, а то и шесть часов на дорогу. Раз в неделю это еще куда ни шло, но каждый день выдержать невозможно. Тебе потребуется общежитие».

После этих слов шестнадцатилетняя Лариса всерьез испугалась. Бесшабашная жизнь в общаге, где, как ей представлялось, царят исключительно свободные нравы, где круглые сутки дым коромыслом и «веселье» с громкой музыкой и выпивкой, а то и что похуже, казалась скромной девочке если не кошмаром, то, во всяком случае, чем-то чуждым и для нее неприемлемым. В подростковом возрасте Лара была застенчивой, не слишком общительной и очень домашней девочкой, даже в летний лагерь одна никогда не ездила, всегда только с мамой. Как же она покинет родной дом, где все так привычно, где вокруг ее любимые книги и любимые комнатные цветы? Как будет жить сама, без мамы, в чужом городе, под одной крышей с толпой незнакомой молодежи? Однако Лариса прекрасно понимала, что Елена Владимировна права. Из Луги в петербургский институт не наездишься. И дала себе слово, что справится. Чего бы ей это ни стоило.

В Питер они отправились втроем — Лара, Даша и Алена. С жизнерадостной хохотушкой Дашкой Федотчевой Лариса дружила еще с детского сада, Алена Рябова примкнула к ним уже гораздо позже, в старших классах. У нее, как и у Ларисы, имелась заветная мечта — Алена отлично шила и хотела стать дизайнером одежды. У Дашки с заветной мечтой было не так однозначно, и ехала она не столько за ней, сколько за компанию с подругами — манили огни большого города. Зато у Даши нашлась в Питере родственница, которая жила одна в двух комнатах коммуналки и пустила к себе девочек за чисто символическую плату. Так что, во всяком случае на первое время, обошлось без общежития, и Лариса вздохнула с облегчением.

Будучи медалисткой и победительницей олимпиад, Лара по правилам тех лет могла подать документы в несколько вузов сразу, и это оказалось очень кстати. Потому что на математический факультет СПбУ она не попала, но зато поступила в Технический университет точной механики и оптики. И считала, что ей очень повезло — хотя и Дашка, и Алена наперебой уверяли, что дело тут не в везении. То, что Лариса хорошо прошла вступительные испытания, по их мнению, было лишь только ее собственной заслугой. Им обеим удача в то лето не улыбнулась. Алене для поступления не хватило баллов, а Дашка вообще вылетела после первого экзамена, но зато тут же нашла работу — официанткой в близлежащем кафе, куда потом пристроила и Алену.

К удивлению Лары, учиться в университете оказалось не так трудно, как она опасалась. И в общем и целом еще интереснее, чем ей представлялось. Встречались, разумеется, и нелюбимые предметы, и неприятные преподаватели, но от курса к курсу неинтересных дисциплин становилось все меньше, а преподы, даже те, о которых ходила слава злых, вредных и лютых, в большинстве своем благоволили к умной, старательной и искренне увлеченной учебой студентке.

В студенческие годы почти все «приезжие» думают о том, как бы попрочнее закрепиться в городе, где они учатся. Конечно, думала о будущем и Лариса, понимавшая, что работу по специальности она в родной Луге не найдет. И не только думала, но и двигалась в нужном направлении, однако искала при этом не жениха с питерской пропиской, а хорошую работу — желательно интересную и обязательно с достаточной зарплатой, чтобы хватало на съемное жилье. Тогда со временем можно будет перевезти в Питер и маму, без которой она все еще очень скучала и вместе с которой проводила все праздники и бо́льшую часть выходных.

Поиски были нелегкими, но в конце концов все-таки увенчались успехом. В середине пятого курса Лара сумела устроиться секретарем в одну из самых крупных питерских фирм, занимающихся охранными системами. Писать диплом приходилось вечерами и ночами, а защищать его во время отпуска, взятого за свой счет, — но зато к окончанию университета Лара уже была неплохо трудоустроена, а не вышла из дверей вуза в неизвестность, как это часто бывает с молодыми специалистами.

К этому времени с подругами они уже разъехались, поскольку сначала Алена, а потом Даша вышли замуж. Первая, правда, неудачно, зато вторая — вполне себе счастливо. Вот только питерского жилья у Рената, Дашкиного мужа, не имелось, поэтому Ларисе пришлось освободить молодоженам комнату и сначала переехать в общагу (которая к тому времени уже, к счастью, не вызывала ужаса), а потом, когда ее повысили на работе, начать самой снимать жилье. Карьеру Лариса делала упорно и планомерно и потому за одиннадцать лет сумела дорасти от простого секретаря до руководителя отдела по работе с клиентами.

За это время многое изменилось и в ней самой. Из долговязой застенчивой девочки, которая то и дело краснела, хихикала по поводу и без повода и вечно не знала, куда деть длинные руки и ноги, Лара превратилась в интересную, уверенную в себе молодую женщину. С возрастом она поняла — то, что мама постоянно твердила ей «внешность в человеке не главное», вовсе не означало «ты некрасивая, зато хорошая и умная», как тогда казалось. Это значило лишь то, что ее мама действительно ценит в людях не внешний облик, а внутреннее содержание. К сожалению, в юности мы слишком часто придумываем себе проблемы на пустом месте, даже там, где на них нет и намека. И накручиваем себя, переживаем, тратим душевные силы на то, что на деле оказывается нестоящим пустяком, а то и вовсе нашими фантазиями. А когда разбираемся что к чему, обычно бывает уже поздно.

Когда Лариса стала зарабатывать достаточно, чтобы снимать уже не комнату в коммуналке в стиле «бабушкин вариант» и с окнами во двор-колодец, а отдельную квартиру с хорошим ремонтом, она начала уговаривать маму выйти на пенсию и перебраться к ней в Питер.

— Ты сорок три года проработала в своей школе, пора и отдохнуть, — убеждала дочь.

Сначала Елена Владимировна отказывалась, уверяя, что не хочет срываться с насиженного места, что не сможет без работы, без своих любимых учеников.

— Тут я иду по городу, так не проходит и пяти минут, чтобы со мной кто-нибудь не поздоровался, — говорила она. — Либо нынешний ученик, либо бывший, либо кто-то из родителей… А в Питере такого не будет.

— Зато в Питере театры, концерты и музеи, — выдвигала аргументы Лара. — И еще здесь я, твоя дочь.

Лариса догадывалась, что дело совсем не в маминой работе и привычке к месту жительства. Просто Елена Владимировна не хочет ей мешать. Мама искренне надеется, что в ближайшее время, ну максимум через несколько лет, дочка выйдет замуж, и тогда Елена Владимировна окажется лишней. Думая об этом, Лариса только горько улыбалась. Сама она уже почти не сомневалась в том, что в итоге повторит мамину судьбу — так и останется на всю жизнь одна. Время бежало с неумолимой быстротой, а Лара еще ни разу и не примерила на себя роль жены — ни официальной, ни даже гражданской. Хотя влюбляться начала рано, с третьего класса, когда вдруг прониклась нежными чувствами к руководителю шахматного кружка в городском доме детского творчества. То, что объекту ее ранней страсти было хорошо за пятьдесят, девочку не смущало. Зато он казался необыкновенно умным и носил пышные усы, что делало его похожим на мушкетера из любимой книги.

С тех пор объекты влюбленности неоднократно менялись, но неизменно были взрослее Лары — десятиклассники, вожатые в лагере, куда они ездили с мамой каждое лето, старшие братья и даже отцы подруг. Естественно, шансы на взаимность в подобных романах невелики, но Лариса на нее и не претендовала. Ее собственные переживания были настолько яркими, что девочке хватало их с лихвой. Она берегла их, как невероятную ценность, не делилась ими ни с кем, ни с подругами, ни даже с мамой, и никогда не стремилась сократить дистанцию между собой и своим избранником, который, как правило, даже и не догадывался о ее пылких чувствах. И пока ее одноклассницы вовсю набирались опыта любовных отношений со сверстниками, Лара лишь вздыхала по новому соседу из квартиры напротив, накачанному тридцатишестилетнему шатену, обладателю серебристой «Тойоты», единственной тогда в их дворе машины с правым рулем.

Со временем объекты нежных чувств Ларисы сделались более досягаемыми — но все равно все они были намного старше нее. Почти все время учебы в университете Лара была влюблена в доцента своей кафедры. Тому льстило внимание столь юной особы, и он с удовольствием закрутил с ней роман, длившийся три с половиной года. Но когда перед последним курсом Лара осмелилась задать робкий вопрос о будущем, то узнала, что ее избранник и в мыслях не имеет разводиться с женой, бросать детей и создавать новую семью с влюбленной провинциалочкой, пусть даже такой симпатичной, неглупой и начитанной. Вскоре после этого Лара неудачно упала, учась кататься на роликах, и сломала ногу. Обошлось без последствий, но травма и лечение оказались столь мучительными, что Лариса решила — это наказание свыше. И впредь навсегда зареклась иметь дело с женатыми мужчинами.

Но и после этого, когда Лариса уже перестала быть, как она сама выражалась, «молоденькой дурочкой» и сделалась деловой женщиной, востребованным специалистом, в ее личной жизни так ничего и не изменилось. Она по-прежнему обращала внимание на солидных мужчин, многие из которых не прочь были завести с ней интрижку, но дальше дело никогда не продвигалось. В тот момент, когда Лара начала уговаривать маму переехать к ней, она как раз переживала разрыв с Виктором, сорокатрехлетним другом ее босса. После бурного и по-своему счастливого двухгодичного романа тот все-таки решил вернуться к бывшей жене и детям. А Лара в который уж раз осталась у разбитого корыта.

— Это ведь так несправедливо! — рыдала она на плече у верной подруги Дашки. — За что мне это все? Поняла бы, если б за разрушенные семьи... Но я ведь никакой семьи не разрушила! Виктор уже расстался с женой, когда мы с ним сошлись. У нас все было так хорошо — и вдруг...

— А так ли хорошо все было? — осторожно возражала Даша. — Вы с ним находились в отношениях два года, но виделись раз в неделю, не чаще. Да, он приносил тебе подарки и водил по ресторанам, но даже с друзьями не познакомил, не говоря о том, чтобы предложить жить вместе. И в отпуск ты все это время ездила с мамой, а не с ним. Все это плохие знаки, Ларка, ты просто не желала их замечать. А я, увы, давно поняла, что у вас с Виктором ничего не выйдет. Намекала тебе, но ты меня не слушала...

— Ну что ж мне так не везет-то, Даш? — шмыгала носом Лариса.

— Видишь ли, я, конечно, не психолог... — смущенно отвечала подруга. — Но мне кажется, ты выбираешь не тех мужчин. Ты выросла без отца и теперь всю жизнь ищешь себе не любимого мужчину, а любимого папу. Хотя сама этого и не осознаешь.

— Но что я могу поделать, если мне нравятся только те мужчины, которые старше меня? — возражала Лара. — Не могу же я себя переделать!

Впрочем, она тогда все-таки вняла советам подруги и обратила внимание на ровесника, менеджера из фирмы-партнера. С ним все было хорошо целых три месяца — пока Ларису не угораздило предложить Антону жить вместе. Тот вдруг засуетился, забормотал, что не готов еще к такому решительному шагу, и как-то очень быстро исчез из Лариной жизни.

— Видимо, ты поторопилась, — заключила Даша. — А этот твой Антон оказался из тех мужчин, которые как огня боятся любого намека на развитие отношений.

— То есть тоже «не тот мужчина», — вздохнула Лариса. — Пусть и ровесник, а все равно не тот. Но где ж взять «того»?

— Жди, — пожимала плечами Дашка. — Жди и надейся. Однажды взойдет и твоя звезда.

Но Дашке легко говорить, на тот момент она уже больше десяти лет была замужем за Ренатом. А Лара... Лара решила просто махнуть рукой на пресловутую «личную жизнь». В конце концов, ее мама никогда не выходила замуж, но была вполне счастлива. Когда-нибудь Лара, как мама, родит ребенка «для себя». А пока... Пока Лариса, как тысячи, а может быть, и миллионы ее сестер по несчастью, утешала себя тем, что *не это главное в жизни*. Именно от такой безысходности женщины современного мира переросли мужчин, научились быть успешными, вне зависимости от того, есть рядом сильное плечо или нет. Они делают карьеру, зарабатывают большие деньги, пробиваются во власть, рожают детей и в одиночку их воспитывают — и все это лишь затем, чтобы доказать тому единственному, который даже и не встретился, сомнительную истину, что для счастья мужчина не нужен. А то, что больно до слез, точно занозу в сердце вонзили, видеть вот такую парочку, которая бредет по туманному утреннему Невскому, держась за руки, влюбленно переглядываясь и не замечая ни снега с дождем, ни грязи, вообще ничего вокруг — так это не страшно. Можно просто отвернуться и не смотреть на них…

Мама в итоге все-таки поддалась на уговоры. Но не сразу, а лишь после того, как у нее случился инфаркт. Лара тогда, несмотря на завал на работе, спешно взяла отпуск и помчалась ухаживать за Еленой Владимировной. К счастью, мама относительно быстро выкарабкалась, и когда немного окрепла, Лариса решительно заявила, что забирает ее к себе. И Елена Владимировна не стала больше спорить.

Тогда им обеим казалось, что это отличное решение. Если бы Лара знала, к чему оно приведет… Хотя первое время все было просто замечательно. За год мама практически полностью восстановилась и уже могла исполнить свою давнюю мечту — регулярно ходить по театрам и музеям. Но однажды (это случилось в високосный год, 29 февраля, с тех пор Лара навсегда возненавидела эту дату), Елена Владимировна отправилась на выставку старинной фотографии, поскользнулась, переходя дорогу, и попала под машину. Водитель был не виноват, он не мог ничего поделать, и к тому же сам вызвал «Скорую».

Елену Владимировну отвезли в больницу, и врачи боролись за ее жизнь, но спасти так и не смогли.

Когда Лара узнала об этом, ей вдруг показалось, что у нее выбили почву из-под ног, и она так и осталась висеть в воздухе без поддержки и опоры. Зачем, зачем она уговорила маму переехать в Питер? Если бы та осталась в Луге, то была бы еще жива... Похороны и первые месяцы после них прошли в каком-то горько-соленом тумане с вечным привкусом слез и боли, не затихающей и во сне. Не помогали даже сочувствие и поддержка подруг, которые, конечно же, не оставили Ларису одну в трудную минуту и все время находились рядом. Но жизнь продолжалась и ставила новые задачи. С тех пор Лара с головой ушла в работу, и теперь, к тридцати четырем годам, искренне верила, что научилась не только жить одна, но даже чувствовать себя при этом если не счастливой, то, по крайней мере, вполне благополучной.

Именно в этом месте Ларины размышления прервал раздавшийся сбоку настойчивый сигнал клаксона. Лариса недовольно посмотрела влево — посмотреть на того идиота, который думает, что от его гудка пробка сразу рассосется, — и встретила знакомую приветливую улыбку. За рулем застывшего в соседнем ряду черного «Вольво» скучал ее коллега, новый начальник отдела маркетинга. Иван устроился в их фирму недавно, около месяца назад, и сразу вызвал интерес женской части коллектива благодаря симпатичной внешности, обаянию и приятной манере держаться. Арина, всеведущая секретарь шефа, тут же разболтала всем, что Ивану сорок один год, он родился в Петербурге, разведен и не имеет детей — одним словом, просто идеальный кандидат в женихи. Лара была с Иваном едва знакома, так, встречались несколько раз на совещаниях у начальства, но сейчас он улыбался ей как хорошей подруге и даже открыл правое окно и наклонился к пассажирскому сиденью, явно чтоб что-то сказать. Ларисе ничего не оставалось, как последовать его примеру и тоже опустить стекло, сразу ощутив влажную прохладу проникшего в салон воздуха.

— Привет товарищу по несчастью! — улыбнулся Иван.

— И не говорите! — Лариса выразительно вздохнула. — Уж застряли так застряли. Неизвестно, сколько еще тут проторчим.

— Ничего, к корпоративу точно поспеем! — жизнерадостно откликнулся собеседник. — Вы ведь будете на корпоративе, Лариса?

То, что он не просто помнил, как ее зовут, но и назвал просто по имени, без отчества, было приятно.

— Еще не решила, — ответила она и поймала себя на том, что в голосе, неожиданно для нее самой, появилась кокетливая интонация.

— Так решай и приходи.

Снова послышался гудок клаксона, на этот раз сзади. Лариса осмотрелась и только сейчас заметила, что движение на Невском вдруг, точно по мановению волшебной палочки, сделалось активнее. Машины впереди нее уже сдвинулись с места, и, болтая с Иваном, она перегородила дорогу всему ряду. Пришлось торопливо извиниться и рвануть вперед. Закрывая окно, она услышала, как Иван повторил:

— Приходи! Я буду тебя ждать.

Лара ехала по Невскому, и погода уже не казалась такой отвратительной. Вот уже и Дворцовый мост, перегороженный строительным забором, остался позади, и стрелка Васильевского острова с панорамой Петропавловки. Свернув направо, Лара миновала Биржевой мост и оказалась на Петроградской стороне. Ехала, а сама ловила себя на том, что то и дело бросает взгляды в зеркало. Где-то там черный «Вольво» Ивана, не отстал ли?

Глава 2.
Алена.
Переходный возраст

Некоторые психологи утверждают, что отношение человека к праздникам — это лакмусовая бумажка, показывающая, насколько гармонична его жизнь. Счастливые и организованные люди любят праздники. Они с удовольствием отключаются от работы и будничных забот, развлекаются, наслаждаются отдыхом и общением с близкими, а когда настает момент, возвращаются к трудам праведным без особых сожалений и чувства, что выходные пролетели слишком быстро. Те же, кто не любит праздников, чаще всего несчастливы. Может быть, они одиноки, или не умеют радоваться жизни и видят в ней только плохое, или они превратились в работоголиков, чтобы подсознательно сбежать от своих психологических проблем... В общем, в любом случае с ними наверняка что-то не так. Эту теорию Алена однажды услышала от Дашки и тут же дополнила классификацию психологов третьей категорией: теми, для кого праздники означают не отдых, а самую что ни на есть горячую рабочую пору. Это артисты, играющие Дедов Морозов и Снегурочек в новогоднюю ночь, всевозможные аниматоры, ведущие праздников, работники телевидения и радио, а также многие другие, кто на протяжении всех каникул обслуживают отдыхающих. Это сбивающиеся с ног продавцы в продуктовых магазинах и магазинах, где покупаются подарки. Это врачи, полицейские, пожарные, для которых чей-то «отрыв» оборачивается многократным увеличением вызовов. И наконец, это парикмахеры, работающие в салонах красоты, и такие, как она, Алена, «свободные художники», которые принимают клиентов у себя дома или сами ездят к ним.

Начиная с двадцатых чисел декабря каждый день Алены с раннего утра и до поздней ночи был расписан по минутам. В это время удавалось неплохо заработать, но давалась «новогодняя страда», как в шутку называла этот период Алена, очень нелегко. Порой за целый день не находилось и пары минут, чтобы выпить чашку кофе. Бывало, она еле-еле успевала выкурить сигарету в перерывах между работой и снова бежала кого-то стричь, красить, причесывать и накладывать макияж. То, что Алене удалось в предпраздничную пору освободить вечер для Ларкиного новоселья, было, по меньшей мере, чудом. И, увы, ударом по карману — пришлось сильно перекроить свой график и отказать как минимум трем клиенткам. Не то чтобы Алена об этом жалела, нет, конечно, встреча с подругами — это святое! Но на другой день, чтобы все успеть, пришлось подняться ни свет ни заря и собираться впопыхах — вчера, когда она вернулась с новоселья, на это не осталось ни времени, ни сил. Торопливо кидая в сумку инструменты, краску, пеньюары и все остальное, Алена вспомнила, что у нее сломалась зарядка к смартфону, а купить новую она, разумеется, забыла. Пришлось на цыпочках красться в комнату сына и, тихонько подсвечивая себе телефоном, как фонариком, искать его зарядку среди царившего здесь невообразимого бардака. Ох, Никита, Никита!.. Оно, конечно, никто из подростков не любит делать уборку, Дашка это много раз повторяла, — но у Алены было такое чувство, что ее сын не просто неряшлив, а нарочно захламляет свою комнату назло матери, зная, насколько ее это раздражает. Мелькнуло желание немедленно разбудить сына и устроить ему хорошенькую взбучку, но Алена справилась с собой. Ладно уж, пусть поспит... К счастью, зарядка отыскалась быстро. Прихватив ее, Алена все так же на цыпочках вышла из комнаты, а Ник даже не пошевелился во сне.

Ранним утром автомобилей на улицах еще не так много, как в час пик. Старенький «Опель», выгодно купленный по случаю, домчал Алену к первой на сегодня клиентке почти без опозданий. Вернее, к клиенткам — это были две молоденькие сестры со смешной фамилией Печиборщ, приехавшие из Ростова-на-Дону «покорять Питер». И надо сказать, это им неплохо удавалось. Еще летом сестры торговали овощами на рынке — а сейчас одна из них уже работала продавщицей в бутике на Невском, а вторая недавно устроилась личным помощником директора страховой компании. Как они этого достигли, Алена из вежливости не спрашивала. Да и какое ее дело? Для нее важно, что обеим сестрам нужно хорошо выглядеть, и поэтому они вызывали ее к себе никак не реже раза, а то и двух в месяц. Алена уже отладила процесс работы с сестрами до автоматизма — успевала постричь одну за то время, пока другая сидела в краске.

Сестры были неплохими девчонками, и Алена с удовольствием общалась с ними — чего никак нельзя было сказать о клиентке, записанной в ее ежедневнике следующей. Девятнадцатилетняя Милена, то ли пятая, то ли шестая по счету жена какого-то крупного бизнесмена (какого именно, Алена не знала и вдаваться в подробности не собиралась), жила в Репино и являлась на редкость неприятной особой. На поездки в ее роскошный коттедж с бассейном и зимним садом под стеклянной крышей уходило минимум полдня, но хуже всего было даже не это, а то, что Милена никогда не могла точно распределить свое время. Сколько уже раз она выдергивала Алену к себе, а та, приехав, обнаруживала, что хозяйки нет дома. В конце концов, Алена взяла себе за правило всегда предварительно звонить — иногда это помогало, но, увы, не всегда. Кроме необязательности богатой клиентки, Алена страдала и от ее необычайно капризного характера. За время стрижки и покраски Милена могла несколько раз передумать, чего же именно ей сегодня хочется, и приходилось перестраиваться уже на ходу. Словом, иметь дело с Миленой было нелегко, но Алена мужественно терпела — деньги ей требовались. К тому же Милена иногда рекомендовала ее своим знакомым. Правда, они в клиентках у Алены обычно не задерживались, но Милена почему-то предпочитала именно ее всем другим мастерам. Однажды Алена, не выдержав капризов, поинтересовалась, почему бы клиентке не сменить мастера на кого-то более известного и престижного, — и услышала в ответ, что богатую фифу, видите ли, очень устраивает ее высокое качество работы по такой низкой цене. Модные раскрученные мастера сдерут с нее, Милены, кучу денег — а Алена берет за свою работу в разы меньше, а стрижет не хуже. Оказалось, что, даже живя в трехэтажном коттедже площадью пятьсот квадратных метров, некоторые продолжают экономить копейки — и при этом за счет обслуги. Хотя, как подозревала Алена, дело тут было не только в экономии. Возможно, раскрученные мастера просто не стали бы терпеть выходок капризной клиентки и прекратили бы ее обслуживать. Но вот Алене выбирать не приходится...

Сев в свою машину, Алена с удовольствием закурила, набрала номер Милены и долго слушала длинные гудки, пока механический голос наконец не сообщил, что «абонент не отвечает». Дозвониться удалось только с четвертой попытки.

— А? Кто там еще в такую рань? — сонным голосом проворчала клиентка.

— Это Алена. Мы с вами договорились на сегодня, на полдень.

— Алена? Какая Алена? Ах да... А сколько время?

— Четверть двенадцатого. Так мне приезжать к вам сейчас?

— Ой, нет... Я сплю... Вчера так клево оттянулись на пати...

— Понятно, — Алена изо всех сил старалась не выдать своего раздражения. — Когда мне позвонить?

— Ну-у... Давай попозже.

— Попозже — это во сколько?

— Ну-у... Давай часика в два. Или в три.

— Так в два или в три?

— Ну, давай в три.

— Хорошо, — от злости, что все планы летят к чертям, Алена отключилась, не попрощавшись. Но ничего страшного. Милена даже не заметит ее невежливости, так как сама не обладает хорошим воспитанием.

Впрочем, тут же заключила Алена, нет худа без добра. Зато можно поехать домой и позвать к себе Лизу, которая позавчера пришлось отказать. Лизка работает неподалеку и сможет заскочить в любое время. И что бы ни пришлось делать, до трех они точно успеют.

По возрасту Лиза была примерно ровесницей Милены, может, немного помладше, а по внешности и характеру — полной ее противоположностью. Полноватая, с плохой кожей и невыразительными чертами лица, она относилась к тому типу девушек, которым нужно сильно постараться, чтобы стать привлекательными и понравиться кому-нибудь. Дело тут даже не столько во внешности, сколько во внутреннем огне и уверенности в себе — а бедняжке Лизе сильно не хватало и того и другого. Лизу однажды привела подруга, постоянная клиентка Алены, и с тех пор девушка так и ходила к ней стричься, поскольку работала неподалеку, в маленькой семейной пекарне, принадлежащей Лизиной тете. Лиза исправно угощала Алену свежими пирожками и булочками собственного изготовления, и та никогда не отказывалась — готовили в их пекарне вкусно. Работая с Лизой, Алена каждый раз уговаривала клиентку покраситься и старалась соорудить из ее жидких волос мышиного цвета хоть что-то привлекательное. Хотя Лиза всего лишь просила обновить стрижку, Алена старалась и делала еще и укладку — просто так, бесплатно. Однажды она порекомендовала девушке знакомого косметолога, но, насколько Алена знала, Лиза до него так и не дошла.

Девушка всего смущалась. Когда она позвонила Алене первый раз, чтобы записаться на стрижку, то робко уточнила:

— А вы одна дома будете?

— Я живу с сыном, — сообщила Алена, — но он, даже когда дома, в мой рабочий кабинет не заходит.

— Хорошо, тогда я приеду! — обрадовалась Лиза и тут же поправилась: — То есть я и так приеду... Но...

И Алена заверила:

— Да, конечно, нас никто не побеспокоит!

С тех пор, когда приходила Лиза, Алена попросила Никиту не сталкиваться с ней в коридоре. Ник, к слову, уважительно относился к работе матери и никогда не мешал. Вежливо здоровался с клиентками, если случайно встречал их, и тут же уходил в свою комнату. С недавних пор Алена заметила, что некоторые из них уже называют Ника «молодым человеком» и общаются с ним как с мужчиной, а не как с ребенком. Однажды он чуть ли не целый час развлекал клиентку, пока Алена ехала из «Ашана» и застряла в пробке. Волновалась она тогда сильно, потому что Марина Сергеевна, молодящаяся дама неопределенного возраста, была постоянным и прибыльным клиентом, но с характером, — из тех, кому нелегко угодить. Однако дома, к своему большому изумлению, Алена обнаружила клиентку весело болтающей и даже кокетничающей с Ником. Более того, он даже сварил кофе — Алена и не подозревала, что Ник умеет это делать.

Алена приехала домой около полудня — время, в которое Ник обычно всегда был в школе, поэтому не стала заглядывать в комнату сына. Она уже много лет снимала изолированную двушку. Комната поменьше принадлежала Никите, а свою Алене пришлось разделить на рабочую и спальную зоны, разграничив их ширмой. В рабочей зоне поместились комод с зеркалом и профессиональное парикмахерское кресло, на которое пришлось раскошелиться, но дело того стоило.

Оглядев знакомую комнату, Алена пожалела, что не купила елку. Глядишь, появилось бы и праздничное настроение, которого у нее который год нет и в помине. Но старая искусственная елка давно потеряла вид, и пару лет назад ее пришлось выбросить. А обзавестись новой Алена так и не удосужилась. Ну ладно, Никита уже взрослый, ему елка не нужна. И Алена как-нибудь обойдется, у нее других забот хватает.

Лиза, как обычно, была точна, даже пришла на пять минут раньше, Алена едва успела переодеться и выкурить сигарету. Усадив клиентку в кресло, накинула на нее пеньюар для стрижки, привычно заправила его под ворот знакомого невзрачного свитера.

— Как сегодня, Лизунь? — спросила она, готовя инструменты. — Как обычно или хочешь что-то новое?

Обычно Лиза носила самую прямую стрижку и просто подравнивала кончики волос. Но сегодня, наверное, в честь праздника, пожелания изменились.

— А можно... — неуверенно проговорила девушка. — Можно мне лесенку?

— Можно и лесенку, — дружелюбно согласилась Алена, разглаживая волосы Лизы.

— И... чуть-чуть покрасить, — выдала та вдруг.

— Потемнее или посветлее? — скрывая свое удивление, спросила Алена.

— А как лучше?

— Потемнее, — не задумываясь, посоветовала Алена. — Тебе пойдет. Еще можно мелирование добавить. Хочешь?

— Хорошо… — нерешительно согласилась клиентка.

— И вместо лесенки давай, наоборот, немного поднимем затылок?

Лиза кивнула, соглашаясь с мнением мастера. Алена разводила краску, сгорая от любопытства. Что же такого произошло у Лизы, что она решила сменить имидж? Неужели влюбилась? Но лезть с расспросами показалось неприлично, да Алена и не хотела лишний раз смущать девушку. Поэтому она занялась делом.

Свою работу Алена любила. Насколько вообще можно любить занятие, в котором ты сам себе хозяин, и, как говорится, как потопаешь — так и полопаешь. При всех плюсах такой работы времени на себя и свою жизнь практически не остается. Но Алена являлась творческим человеком. И хотя ее нынешняя профессия была далека от юношеской мечты, она все равно позволяла реализовать себя, в том числе как художнику. Алена любила красоту.

С самого детства, сама того не замечая, Алена старалась сделать все как можно лучше и красивее. У нее были самые ровные в песочнице кулачи, за которые ее часто хвалили чужие родители, и никогда — ее собственные. Ее немногочисленные детские книжки, а позже учебники всегда находились в идеальном порядке, всегда одеты в обложку или обернуты в бумагу и подписаны круглым разборчивым почерком. Игрушки чинно лежали и сидели на своих местах, а едва их хозяйка научилась держать в руках нитку и иголку (а это произошло довольно рано), еще и обзавелись красивыми нарядами. В младшей школе тетради Алены были самыми аккуратными, и учительница ставила ее в пример всему классу. Правда, это продолжалось недолго, отличницей Алена никогда не являлась, а на одном хорошем почерке далеко не уедешь. Но зато ее контурные карты и другие творческие работы, особенно по труду и рисованию, всегда признавались лучшими. Рисовала Аленка хорошо, но никакого желания писать портреты или пейзажи не испытывала. Зато часами могла просиживать над альбомом с изображениями моделей одежды. Сначала просто копировала наряды звезд из журналов или воспроизводила по памяти одежду, увиденную в кино и по телевизору, а потом и сама стала придумывать новые модели и набрасывать эскизы. К тринадцати годам уже бо́льшая часть ее гардероба оказалась сшита собственноручно, а в пятнадцать Алена уже брала заказы. Когда они с Дашкой и Ларой явились на выпускной в сшитых ею платьях, то произвели фурор. Это был звездный час Алены. Идея, разработанная, исходя из особенностей фигур подружек, эскиз, выкройка, сочетание цветов, дизайн, выбор ткани и пошив — все было делом ее рук. И увидев, как высоко оценили ее работу даже завистницы, Алена окончательно поверила в свои силы...

— Алена... — робко позвала Лиза.

— Да? — вынырнула Алена из своих мыслей. Лиза стеснялась называть ее по имени и на «ты», но Алена так и не призналась, какое у нее отчество. Обращение «Алена Константиновна» казалось вопиюще старческим. А ей ведь всего тридцать четыре...

Лиза вздохнула, собираясь с духом.

— Алена, а ты не могла бы мне подсказать... Какой-нибудь хороший магазин одежды? Я плохо разбираюсь...

Что правда, то правда, Лиза постоянно ходила в джинсах и растянутых свитерах, что делало ее невзрачную внешность еще более серой.

— Лизка, колись, что случилось? — не выдержала Алена, накладывая краску на прядки волос, выглядывавших из прорезей специальной шапочки для мелирования. — Я, конечно, знаю уйму магазинов, но будет проще, если я пойму, что именно нужно.

Лиза задумчиво почесала нос, высунув руку из-под пеньюара.

— К нам в пекарню стал ходить один мальчик... — смущенно призналась она.

— Вот как... И что же? Он тебе понравился?

— Да... — Лиза вся залилась краской. — Он очень вежливый... Всегда говорит «спасибо» и что очень вкусно. И еще улыбается. Приходит каждое утро, берет чай, булочку с корицей и улитку с творогом. И знаешь что?.. Тетя считает, что он ходит из-за меня. — После этих слов лицо Лизы из просто красного сделалось пунцовым.

«Или просто любит пожрать мучного», — заключила про себя Алена, предпочитающая не обольщаться насчет мужчин. Однако расстраивать Лизу она не стала, только спросила осторожно:

— И из чего тетя сделала такой вывод?

— Он... — от волнения девушка даже стала заикаться. — Он спросил, работаем ли мы тридцать первого декабря. И когда я сказала, что будем работать, как обычно, до десяти, спросил, как в остальные праздничные дни. Вот тетя и решила, что он, наверное, хочет меня куда-нибудь пригласить.

«Или просто боится остаться в каникулы без плюшек», — цинично подумала Алена, но вслух, конечно же, сказала совсем другое:

43

— Что ж, поняла. Дам тебе адреса нескольких магазинов, которые, думаю, тебе подойдут. Сейчас, перед Новым годом, там как раз должны быть распродажи и скидки...

— Спасибо, — поблагодарила Лиза. — Я просто... не знаю всего этого. У меня и подруг-то нет, посоветоваться не с кем... — вздохнула она. И надолго задумалась.

Только когда с покраской, со стрижкой и с укладкой было уже покончено и Алена выключила фен, Лиза снова вздохнула, но уже по-другому, точно на что-то решалась, и вдруг попросила:

— А можно... Можно вы... ты со мной вместе сходишь? Поможешь что-нибудь подобрать?

— Ох... — только и могла выдохнуть Алена. Перед Новым годом времени на поход с Лизой у нее не было совсем. Все расписано, ну просто ни одной минутки свободной. Но и обижать девушку совсем не хотелось... Что бы такое придумать?

— Попробую, но не могу ничего обещать, — неопределенно проговорила она. — Давай созвонимся через пару дней. Ну, скажем, тридцатого утром. И я тебе точно...

Закончить фразу Алена не успела. Дверь распахнулась, и в комнату вошел Никита с таким недовольным видом, что, взглянув на сына, мать невольно встревожилась.

— Ник... Ты уже дома? Почему так рано? Случилось что-нибудь?

Увидев его, Лиза ужасно смутилась, но парень словно и заметил, что у его мамы сидит клиентка. Даже не поздоровался.

— Какого хрена ты взяла мою зарядку? — грубо спросил он. Бесцеремонно отодвинул ширму, подошел к кровати и забрал с тумбочки зарядное устройство.

— Как ты себя ведешь? — возмутилась Алена. — Хотя бы постучал.

— Да я уже целый час стучусь, а тебе по фигу! — рявкнул сын. — Трещишь тут, ля-ля-ля, да ля-ля-ля... А у меня смартфон совсем сдох, зарядка срочно нужна.

— Никита!.. — От негодования Алена не могла найти слов. Она и правда могла не услышать стука в дверь из-за шума фена — но это же не повод так разговаривать с матерью! Последнее время сына как подменили, он постоянно ей дерзил, но еще ни разу не случалось, чтобы он позволил себе что-то подобное при клиентах. Лиза от испуга вжалась в кресло и с ужасом глядела на мать и сына. — Сейчас же иди к себе в комнату! Я поговорю с тобой позже.

— Уже испугался... — проворчал парень. И вышел, хлопнув дверью, унося с собой зарядку. Алена с большим трудом сумела взять себя в руки.

— Извини, Лиз, — сказала она клиентке. — У него переходный возраст... Сама понимаешь.

— Да-да, конечно, — пробормотала девушка. — Мы ведь уже закончили, да?

Ей явно не терпелось поскорее уйти.

— Сейчас я поищу тебе адреса магазинов, — предложила Алена, но Лиза уже успела сбросить пеньюар и рылась в рюкзачке в поисках кошелька.

— Как-нибудь в другой раз, хорошо? А то ты сказала, что свободна только до трех, а уже почти три... И мне надо бежать... Большое спасибо.

Лиза умчалась, даже не дав толком рассмотреть, хорошо ли получилась прическа. Алена, вместо того чтобы идти разговаривать с сыном, взяла телефон и набрала номер Милены. В этот раз клиентка ответила сразу же, но, судя по разочарованному тону, ждала она совсем другого звонка.

— А, это ты... — недовольно протянула она.

— Я. Вы сказали позвонить в три часа, — напомнила Алена. — Хотелось бы знать, встречаемся мы сегодня или нет, чтобы скорректировать свои планы.

— Да-да, мне срочняк постричься надо! — защебетала трубка. — К празднику хочу быть такой офигенной, чтобы все попадали! Приезжай вечерком, часиков в шесть... Или лучше в семь. Или в восемь...

— Давайте сделаем так: я позвоню в шесть, и вы скажете точно, во сколько мне прие... — начала было Алена, но Милена ее перебила.

— Все, чмоки-чмоки, мне звонят! — выкрикнула она и отключилась.

Алена тихонько выругалась себе под нос, но потом решила — все что ни делается, то к лучшему. По крайней мере, она сможет постричь Антонину Николаевну, которая вот-вот должна подойти. А если поспешит, то даже успеет еще выпить кофе. Однако разговор с Никитой придется отложить. Но это и хорошо, сейчас она явно к нему не готова.

Пройдя мимо комнаты сына, из-за двери которой доносился шум компьютерной «стрелялки», Алена отправилась на кухню, открыла форточку, закурила и наполнила электрический чайник. Против ее воли мысли все время возвращались к Никите.

Что с ним такое творится? Дашка говорит, что это нормально, мол, переходный возраст и со временем пройдет... Но

Тимур на два года младше Ника. И пока невозможно представить, чтобы он так вел себя с родителями. Ренат, Дашкин муж, конечно, никогда не позволил бы подобного. Может, все дело в том, что Ник растет без отца? Или этот проклятый переходный возраст бывает не у всех? У нее, Алены, точно не наблюдалось подобного.

Ее переходный возраст пришелся на период, когда уже стало ясно — родители окончательно спились, пути назад нет. Сколько Алена себя помнила, мать и отец всегда имели с этим проблемы, но раньше она все еще надеялась, что как-нибудь обойдется... Отец уходил в запои то на несколько дней, то на несколько месяцев. Алена прекрасно изучила, как это происходило. Сначала он начинал выпивать с друзьями, возвращаясь с работы позднее обычного и навеселе. Тогда он мог принести дочке какой-нибудь внезапный и несуразный подарок. Порой это было что-то хорошее, вроде новой куклы или шоколадки, а порой что-то странное, типа гаечного ключа. Один раз пьяный отец выдал шестилетней Алене пачку презервативов. Они так и валялись несколько лет в ящике письменного стола, пока она их не выкинула.

В следующий этап запоев отец возвращался поздней ночью и ругался с матерью. Алена уже спала и каждый раз в испуге просыпалась от громких криков и грохота. До драк у родителей тогда, к счастью, дело доходило еще редко, но швыряться чем-нибудь друг в друга и ломать вещи было вполне обычным явлением. Потом папа начинал пропадать на несколько дней, потом на недели. Эту стадию Алена скорее даже любила, поскольку отец выпивал где-то далеко, а дома не появлялся. Это был относительно тихий период в их жизни, и мама в это время уделяла больше внимания дочери. Потом отец возвращался, похудевший, с заплывшим лицом, и уверял, что закодировался и теперь все пойдет на лад. В детстве Алена не понимала, что значит «закодироваться», но каждый раз всей душой хотела верить, что жизнь и впрямь наконец-то наладится. Часто после возвращения отец и впрямь не пил какое-то время, но его хватало ненадолго, на несколько месяцев, максимум на полгода, а потом запои возобновлялись.

А мама спилась постепенно. Алена еще помнила то время, когда мать была красивой женщиной, следила за собой, стыдила отца за склонность к выпивке, а сама если и прикладывалась к рюмке, то лишь изредка, по праздникам. Но потом алкоголь в доме стал появляться все чаще и чаще. Сначала для этого придумывались какие-то поводы, потом мама стала обходиться без них. К тому моменту когда Алене исполнилось тринадцать, ее мать выпивала уже каждый день. Отец тоже не отставал от нее, и в доме начался ад. Они то напивались вместе, то ругались до хрипоты, то расходились, то мирились. Ор стоял в квартире круглыми сутками, то от ругани, то от большой компании друзей, которую родители «приглашали в гости». Как-то раз один такой «друг» ввалился к Алене в комнату и попытался ее изнасиловать. На счастье, он был сильно пьян, и девочке удалось отбиться, но никто из родителей даже не чухнулся. Тогда она психанула и на две недели ушла жить к Ларисе. Вернулась, когда обременять Ларисину маму стало уже совсем неловко. Аленины мать и отец даже не заметили ее отсутствия. На глазах у дочери они постепенно деградировали, превращаясь из неплохих людей и сносных родителей в полнейших дегенератов, которых, кроме спиртного, не интересовало уже ничего.

За некоторое время до той истории сначала мать, а потом отец бросили работу. Как ни странно, деньги на выпивку у них как-то находились, а вот на еду — уже нет. Четырнадцатилетней Алене пришлось самой заботиться о себе. Она устроилась на почту и стала брать заказы на шитье, с которыми очень помогали Дашкины родители и Ларкина мама. Денег старалась домой не приносить, получив их, сразу покупала продукты или материалы для шитья — иначе родители отобрали бы заработок силой, такое несколько раз случалось. Один из Алениных поклонников, в которых у нее никогда не было недостатка, врезал в дверь ее комнаты замок, который девушка, уходя из дома, каждый раз запирала, чтобы родителям не пришло в голову продать ее единственное сокровище — оставшуюся от бабушки швейную машину. Все остальное в доме, имевшее хоть малейшую ценность, уже было продано.

И Алена со всем справилась. Сжав зубы, девушка считала дни до окончания школы. Еще немного — и она уедет в Питер вместе с Ларой и Дашей, поступит в институт и со временем станет успешным дизайнером одежды. А пока надо еще немного потерпеть...

С тех пор прошло немало лет, но у Алены до сих пор все сжималось внутри, когда она видела на улице или в транспорте пьяного человека. Сама она почти не употребляла алкоголь, максимум выпивала пару бокалов легкого вина. И отчаянно боялась, что дурная наследственность деда и бабки отразится на Никите. Где-то она читала, что подобные вещи часто передаются через поколение...

Звонок домофона оторвал от горьких воспоминаний — пришла очередная клиентка. Очнувшись, Алена сообразила, что так и стоит над давно вскипевшим чайником. Что ж, сама виновата, что осталась без кофе...

Глава 3.
Даша.
Восемь и трое

— Сегодня рано не жди, — предупредил Ренат, щедро намазывая хлеб маслом. — Буду поздно. Работы по горло.

Даша только вздохнула и выключила газ под кастрюлькой, в которой разогревала мужу вчерашние щи. Была у Рената такая привычка: уходя на работу, завтракать супом. Некоторые знакомые... да что там знакомые, собственные дети! — иногда подшучивали над этим, но Даша относилась к привычке мужа с пониманием. Когда сама растешь в большой семье, рано начинаешь осознавать, что все люди разные и что чужая индивидуальность точно так же заслуживает уважения, как твоя собственная. По возможности, конечно. Но разогреть утром заранее сваренный суп совсем не сложно. Даже проще, чем каждый раз выдумывать, какой завтрак приготовить. И обычно это Дашу нисколько не напрягало. Но сегодня утро как-то не задалось, все валилось из рук, а от одной мысли, сколько всего ей предстоит сделать в ближайшее время, хотелось схватиться за голову и взвыть.

И почему последние недели декабря — всегда самая горячая пора года? Дело даже не в подарках и подготовке к праздникам. Просто такое чувство, что люди специально весь год откладывали дела, чтобы наконец-то в двадцатых числах схватиться за все разом. Результат очевиден: везде очереди, пробки, все суетятся, никто ничего не успевает. Взять хотя бы Ларино новоселье. Даша всей душой была привязана к подругам и повидалась с ними вчера с огромным удовольствием... Но, положа руку на сердце, ей (да и Алене наверняка тоже) гораздо удобнее встречаться не в загруженные предпраздничные дни, а в какое-нибудь другое, более спокойное, время. Тогда бы, глядишь, Даша не чувствовала себя на следующее утро такой раздраженной.

— А уж машины-то чего? — недовольно поинтересовалась Даша, ставя перед мужем полную тарелку щей. — С ними-то что под конец декабря случиться могло? Или, хочешь сказать, твои клиенты весь год на разваливающихся тачках ездили, а тут прорвало?

Ренат бухнул в суп полную ложку сметаны, минутку подумал, добавил вторую, после чего недоуменно взглянул на жену.

— Да по-всякому бывает. Есть лентяи, дотянули до последнего с шинами, до сих пор не переобулись в зимнюю резину... А так да — мелкий ремонт. Никто ж не хочет въезжать в новый год со старыми проблемами в тачке. Ты ж знаешь. Как встретишь, так и проведешь...

— А они что, Новый год в машинах встречать собрались? — фыркнула Даша.

Муж посмотрел на нее с еще большим удивлением.

— Дашка, да что с тобой сегодня? Ты сама на себя не похожа. Какая-то нервная, дерганая... Сердишься, что не получается в каникулы на отдых поехать, да?

Ей тут же стало неловко. И правда, что это она? В том, из-за чего она беспокоится, Ренат уж точно не виноват. Ему и не нужно знать о ее проблемах, у него своих хватает... И Даша ответила примирительно:

— Нет, что ты, все в порядке. Мы ведь уже решили с тобой, что зимой ехать отдыхать не стоит. Лучше уж летом, когда будет тепло. А ребятня прекрасно проведет каникулы у моих родных, в Луге.

К тому моменту, когда муж наконец-то ушел на работу, Даша уже многое успела — умылась, покормила Рената, приготовила завтрак сыновьям и даже перекусила сама. Не сделала только одного — того, чего ей сейчас хотелось больше всего на свете. Но она понимала, что для этого пока еще не время. Нужно дождаться десяти часов утра.

Провожая мужа, она привычно протянула ему контейнер с бутербродами, поцеловала и пожелала удачи на работе. Если задуматься, то Даша, даже если бы захотела, никогда не смогла бы посчитать, сколько раз за свою жизнь повторяла это действие. Она бросила взгляд на часы. Без пяти семь. Через несколько минут по всей квартире начнется перезвон. Закукарекают часы-петушок в детской у Майки, запиликает будильник в комнате мальчишек, зазвонит звонок в смартфоне у Тимура. Но, как уже хорошо знала Даша, из всей этой сонной команды без проблем поднимется только средний сын, девятилетний Руслан. А старшего и младшую придется поднимать с боем.

Что ж, начнем, как обычно, с дочурки... Пятилетняя Майка всегда вставала тяжело, до последнего обнимала своего огромного плюшевого медведя и заворачивалась в одеяло, как в ко-

кон. Нередко Даше приходилось буквально вынимать ребенка из постели и ставить на ноги. В вертикальном положении проснуться Майке было уже чуть проще.

— Динь-динь-динь, динь-динь-динь... Смотри, Джинглики уже проснулись, а ты еще нет, — Даша указала на висевший над кроваткой Майи плакат с изображением героев ее любимых книг и мультиков. — Надо вставать, солнышко!

— М-м-м...

— Пора, пора, моя радость, — ласково повторяла Даша, засовывая дочкины ноги в тапки в виде пушистых розовых зайцев. — Нам уже через полчаса идти в детский садик.

— Не хочу в садик, — доложила Майка, почти не открывая глаз.

— Почему? — осведомилась Даша, подталкивая дочку в сторону ванной.

— Там Алиса.

Алиса стала большой проблемой в этом году. Она появилась в детском саду в сентябре и на удивление быстро превратилась из лучшей в заклятую подругу. У них с Майкой постоянно шла какая-то необъяснимая война. Девчонки соревновались во всем, в чем только было можно, изматывая не только себя, но и родителей.

— Алиса там, — только и оставалось вздохнуть Даше. — Но там и твои подруги, верно? Катя, Полина, обе Насти. И сегодня твои любимые занятия по английскому. Между прочим, последние в этом году. Послезавтра у вас в саду будет праздник, придут Дед Мороз и Снегурочка и подарят всем подарки. А потом начнутся каникулы, и мы поедем к дедушке с бабушкой.

Обилие аргументов в пользу похода в садик заставило Майку крепко задуматься. Воспользовавшись этим, Даша закрыла за ней дверь ванной и отправилась в комнату к мальчишкам. Руська, молодец, уже поднялся и даже убирал постель. А Тимур, конечно же, и не думал просыпаться...

Тимуру снилась Софа из параллельного класса, когда мама в очередной раз потрясла его за плечо:

— Тимур, вставай! Иначе вы опять опоздаете! Ты портфель собрал?

Этот вопрос Тимур проигнорировал, перевернувшись на другой бок. Он хотел досмотреть сон про Софу, а не выбираться из-под теплого одеяла и топать на улицу, где наверняка, как обычно, слякоть, ветер и снег с дождем.

— Ма-а-м, ну можно я без него буду по утрам уходить? — тут же затянул Руська.

— Нет, — привычно отрезала Даша.

— Ну почему?

— Потому что глупо идти по одному в одно и то же место в одно и то же время...

Как, наверное, многие матери, Даша не волновалась за детей только тогда, когда они были у нее на глазах. Не важно, сколько ребенку лет — три, тринадцать или тридцать три, материнское сердце не перестает болеть о нем никогда. Когда сыновья ходили вместе, Даше было за них немного спокойнее. В душе жила наивная надежда, что, когда они вдвоем, шансов, что с ними случится что-то плохое, все же меньше. Может, маньяк или хулиганы не решатся тронуть двух детей, а подождут одиночку... Хотя, с другой стороны, когда два мальчишки вместе, у них и вдвое больше шансов самим что-нибудь натворить... Но об этом Даша старалась не думать.

— Давайте, бегом, завтрак на столе! — скомандовала она и поспешила к дочке, причесать ее и помочь одеться — у той все еще не очень ловко получалось управляться со всевозможными застежками.

Майя по утрам не ела, завтракала в детском саду. Который, к счастью, находился в их же дворе, поэтому Даша спустилась вместе с дочерью на лифте и уже через несколько минут вошла с ней в здание детского сада.

Детский сад, в который ходила Майя, представлял собой низкое и растянутое строение несуразной формы. Как и большинство садов в округе. Даше не слишком здесь нравилось. Слишком яркие разноцветные стены, запах еды, как в советской столовой, старенькая мебель. Но, с другой стороны, садик прямо во дворе, симпатичные воспитатели и неплохая программа занятий. Так что Даша всем говорила, что с садиком им повезло. Многие ее знакомые, реальные и виртуальные, постоянно жаловались то на антисанитарию, то на некомпетентность воспитателей, то еще на что-нибудь, столь же неприятное, чего у Дашиной дочки, к счастью, не было.

Даша помогла дочке переодеться, переобуться из сапожек в тапки, развесить в шкафчике с божьей коровкой пуховик, теплые штаны от комбинезона, шарф, варежки и модную шапочку с ушками, как у кошки, и передала девочку с рук на руки воспитательнице.

— Не забыли про утренник тридцатого? — напомнила та.

— Нет, конечно! — заверила Даша. — Я обязательно приду. И костюм у нас уже готов.

На самом деле насчет костюма она немножко кривила душой — наряд Красной Шапочки, доставшийся в наследство от двоюродной сестры, был Майке великоват и требовал переделки. Но Даша надеялась, что за два дня как-нибудь справится с этой проблемой. В отличие от Алены, рукоделие никогда не было Дашиным коньком, но все-таки ушить платье, которое будет надето всего один раз, ей вполне по силам.

— Я люблю тебя, мама, — сказала Майя, обнимая Дашу перед тем, как та должна была уйти.

— И я тебя, солнышко, — улыбнулась Даша.

Домой она успела вернуться как раз к тому моменту, когда мальчишки доедали завтрак. Вернее, завтракал один Руслан, с аппетитом наворачивал омлет, который Даша делала по-настоящему сытным — с ветчиной, грибами, сыром и зеленью. Сонный Тимур еле-еле ковырялся в тарелке и вяло прихлебывал чай. С тех пор как он пошел в школу, Дашу остро интересовал вопрос, можно ли давать детям кофе. К сожалению, большинство врачей не советовали делать этого до шестнадцати лет. Что же, осталось не так долго. Три года с Тимуром и каких-то лет одиннадцать с Майкой.

— Давайте, парни, не рассиживайтесь, вам уже пора выходить. — Она чмокнула в макушку Руслана и потрепала Тимура за волосы, вернее за то, что от них осталось. Это ж надо до такого додуматься — на спор выбрить полголовы? Спасибо Алене, спасла положение, превратила этот ужас в какое-то подобие модной стрижки, друзья Тимура вон даже завидуют. Но страшно подумать, что скажут дедушка и бабушка, когда внук приедет к ним второго января...

— Руська, так у вас новогодний утренник-то будет или нет? — поинтересовалась Даша, убирая со стола.

— Будет концерт, — сообщил младший.

— Да? А что ж ты ничего не сказал даже… Ты участвуешь?

— Нет. — Руська наконец поднялся из-за стола.

— А что так? — Даша спросила это машинально, собственно, она и сама знала ответ.

— Я не создан для сцены… — глубокомысленно отозвался Руслан.

Ей оставалось только улыбнуться. Действительно, публичные выступления, как, впрочем, и многое другое, ее младшего сына не интересовали. По складу интересов Руська был типичный естественник — мог часами смотреть телепередачи о путешествиях, хранил все выпуски географических журналов за последние несколько лет и страстно любил животных. В разное время у них дома жили рыбки, хомяк, морская свинка, черепаха и пара волнистых попугайчиков. Но так как ухаживать за всем этим живым уголком приходилось в основном маме, а смерть питомцев, чей век, как известно, очень недолог, сильно расстраивала детей, в один прекрасный день Даша решила, что хватит устраивать в доме филиал зоопарка.

— Руська, ну где ты там? — крикнул из прихожей Тимур. Он уже успел одеться и стоял, нетерпеливо переминаясь с ноги на ногу. Сонливость потихоньку отступала, и Тимур уже торопился в школу. Не ради уроков, конечно, а потому, что хотел увидеть Софу.

Мальчишки поспешно оделись и вылетели из дома, уже на бегу крикнув маме в ответ, что да, порядок, все взяли и ничего не забыли. На улице, как и предполагал Тимур, оказалось противно, мокро и зябко. Прохожие, спешившие по своим делам, походили на укутанных в шарфы и шапки пингвинов. Развернувшись навстречу ветру, Тимур вжал голову в плечи и в который раз порадовался, что школа недалеко. Надо, наверное, слушать маму и носить шапку. Все-таки с длинными волосами было гораздо теплее…

Маме он наврал, что выбрил полголовы из-за того, что проиграл спор. Но на самом деле это было не так. Половиной своей роскошной шевелюры Тимур пожертвовал во имя любви.

Софа Горбовская считалась одной из самых красивых девчонок в школе. И уж точно первой воображалой. Мальчишки, и ровесники, и постарше, целыми списками добавлялись к ней в друзья в соцсетях, лайкали все ее фотографии и забрасывали сообщениями, предлагая встречаться. Но никому из них, даже самым симпатичным, Софа ни разу не ответила согласием. Ходили слухи, что самым настойчивым она, точно капризная принцесса из сказки, предлагала пройти три испытания, с которыми никто не мог справиться, и кандидаты в бойфренды Софы всегда оставались не у дел. Девчонок это бесило (хотя и среди девочек подруг у Софы было хоть отбавляй), а некоторым парням даже нравилось. Только не Тимуру, во всяком случае раньше. Еще в прошлом году он только смеялся над лузерами, которые пытались обратить на себя внимание Софы. Но незадолго до осенних каникул Горбовская вдруг приснилась ему, причем настолько ярко и впечатляюще, что Тимур невольно весь день думал о ней, наблюдал за ней в школе… И вскоре понял, что влюбился.

Некоторое время он молчал, пытаясь разобраться в себе и справиться со своими чувствами. А когда ни то ни другое не вышло, то написал Софе эсэмэску и предложил встретиться на большой перемене под лестницей — в единственном более или менее укромном месте в здании школы.

Тимур опасался, что Софа не придет. Но увидел издалека, как она спускается — высокая, худенькая, светлые волосы падают на плечи крупными завитками. Софа всегда ярко одевалась, и в тот день на ней были красные брюки и желтый свитер.

— Так что ты хотел? — спросила она с лукавой улыбкой, подойдя совсем близко.

От нее пахло клубничными духами.

— Соф-ты-мне-нравишься-давай-встречаться, — скороговоркой пробормотал Тимур, глядя куда-то в сторону.

Он чувствовал себя ужасно. Сердце билось в горле, ладони вспотели. Кафельный пол будто понемногу уезжал из-под ног, а Софа молчала. Наконец Тимур поднял на нее взгляд. Удивленной она не выглядела, скорее задумчивой.

— Ну, даже не зна-а-аю, — протянула она. — А на что ты готов ради этого?

— На все! — тут же выпалил он.

— Чтобы встречаться со мной, — серьезно заявила Софа, — тебе придется выполнить три задания. Вот ты говоришь, что готов на все… А слабо обриться налысо?

Такое предложение Тимуру не очень понравилось. У него были хорошие волосы, густые, красивого темно-русого цвета, и ему нравилось их отращивать. И вдруг — обриться?

— Ладно, как скажешь.

— И не просто налысо, — коварно улыбнулась Софа. — А выбрить только половину головы. А вторую половину волос оставить длинными.

— Э-э-э... — озадаченно протянул Тимур.

Он совсем не был готов к таким заданиям. Девочки все-таки очень странные.

— Что «эээ»? — передразнила его Софа. — Не хочешь — не делай. Никто тебя не заставляет.

Тимур еще обдумывал аргументы против, когда на всю школу грянул звонок. Софа тут же сбежала в свой класс. Но в тот день Тимур еще видел ее издалека каждую перемену. Тимуру казалось, что Софа смотрит на него, когда шушукается с подружками.

Из школы он шел вместе с лучшим другом Максом, с которым привык делиться всем, что у него происходило.

— Прямо так взял и предложил встречаться? — ошалел тот от признания Тимура.

— Ну да, а что?

— Ну как что? Это ж сама Горбовская. Она звезда, — пояснил Макс. — У нее в Сети несколько тысяч друзей. Ей знаешь, сколько парней предлагали встречаться? А она всем отказала.

— Может, никто из них не выполнил ее заданий? — предположил Тимур.

— А ты что? Серьезно, что ли, побреешь башку? — недоумевал Макс.

— Ну а че? Это ж прикольно!..

Увлекшись своими воспоминаниями о Софе, Тимур не сразу заметил, что шагающий рядом брат что-то увлеченно ему рассказывает. Он прислушался, и оказалось, что Руська без умолку болтает про щенков, которые родились у собаки его друга.

— Такие классные! — восхищался мелкий. — Особенно один, рыжий!.. И родители Глеба готовы отдать их за так, бесплатно. Щенки же не породистые. Как думаешь, может получится уговорить маму, а? Я бы взял рыжего... Давай вместе попробуем маму упросить, а?

— Нет, — решительно покачал головой старший брат. — Даже не думай. Мама ни за что не согласится. Она и так какая-то странная последнее время...

* * *

Проводив наконец детей, Даша хотела сейчас же включить компьютер. Но сперва требовалось заняться более важными делами. Например, упаковать подарки. Праздник уже у дверей, и больше тянуть нельзя, она может просто не успеть. К счастью, куплено все было заранее, требовалось только завернуть каждую вещь в бумагу с рождественским орнаментом и красиво перевязать лентой — чтобы в новогоднюю ночь не стыдно было положить под елку. Елку они уже нарядили, вышло очень красиво, хоть она и искусственная.

А вот с выбором подарков она в этом году помучилась. Проще всего с Майкой, ей был приготовлен наряд Фроси, ее любимой героини из «Джингликов» — голубенький топ и такая же юбка с широкой лентой-поясом, завязывающейся сзади в пышный бант. Даша не сомневалась, что дочка окажется в восторге от такого подарка, она обожает Фросю и стремится во всем ей подражать.

Не так сложно оказалось купить подарок и Руське, Даша сделала это в книжном магазине, выбрала целую пачку красочных изданий о животных, путешествиях и географических открытиях. А вот над тем, что придумать для «старших мужчин», Даша долго ломала голову. Она всегда считала, что с женщинами в этом отношении намного проще, поскольку больше выбор. Женщины рады и хорошему крему или шампуню, и какой-нибудь милой безделушке или красивой более или менее полезной вещичке вроде полотенца, вазы или салатницы. Для мужчины же полезный подарок, такой как парфюм или пена для бритья, — чуть ли не оскорбление. А чего они хотят вместо этого, они часто и сами не знают. Ренат, во всяком случае, никогда не мог ответить на этот вопрос. Но Даша уже не первый год была замужем, изучила вкусы Рената чуть ли не лучше, чем он сам, и приготовила ему под елку хороший набор инструментов. Так что проблемы могли возникнуть только с Тимуром. Даша знала, что старший сын мечтает об айфоне, но это было слишком дорого. Пришлось ограничиться скейтбордом, и она утешала себя тем, что это тоже неплохо…

Когда Дашу называли многодетной матерью, она только тихонько усмехалась про себя. Какая же она многодетная — всего-то трое детей! Вот ее мама и папа действительно многодетные родители — вырастили целых восемь человек, пятерых сыновей и трех дочерей. И всеми гордились. Старшая дочь, Маша, первенец, была главной опорой и поддержкой родителей, их лучшей помощницей. «Не знаю, что бы я делала, если б не Маша, как бы со всем справлялась», — вечно повторяла мать, когда дети росли. Теперь у Маши девять детей, младшему всего два, а старший весной придет из армии. Младшая Дашина сестра, Настенка, или Малая, как ее до сих пор зовут в семье, хоть и последыш, а самая красивая из всех и всеобщая любимица. Сейчас учится не где-нибудь, а в театральном и уже снялась в нескольких сериалах, правда, пока только в эпизодических ролях, но какие ее годы!.. Старший брат Данила — умник, каких мало, компьютерный гений, его даже пригласили на три года поработать в Германию. Следующий, Вася, — спортсмен, хоккеист, играет в известной команде. Коля в детстве переболел всеми мыслимыми и немыслимыми болезнями, так что никто не удивился, когда он пошел в медицинский и стал педиатром. Сейчас он уже заместитель главврача в Лужской детской больнице. Погодки Сенька и Егор, неразлучная парочка, росли жуткими озорниками, но, несмотря на это, из обоих вышел толк. У них свой бизнес, общий на двоих — супермаркет на Петербургском шоссе при въезде в Лугу, который по праву считается лучшим в городе. И одна только Дашка, пятый ребенок по счету, втиснувшаяся между Колей и Сенькой, никогда не представляла собой ничего особенного.

Она не была хорошенькой и не проявляла в детстве никаких исключительных способностей, средне училась и вообще не выделялась из толпы сверстников. Этакая добродушная, жизнерадостная пухленькая хохотушка, которых обычно в каждом классе минимум по паре. Так как девчонок в семье Федотчевых оказалось меньше, чем парней, Даша рано начала помогать маме по хозяйству и вскоре поняла, что многие из своих обязанностей выполняет с удовольствием. Особенно она полюбила готовить, и нравился ей не столько процесс, сколько то удовольствие, с которым домашние уплетали ее стряпню, когда та удавалась. Кроме кулинарии, было у Даши и другое увлечение — но его она скрывала ото всех, догадываясь, что родные этого не поймут.

Дашу всегда интересовали другие люди, их характеры, их непохожесть друг на друга. Ей нравилось читать книги и задумываться над поведением разных героев, ей было интересно, почему тот или иной человек в определенной ситуации повел себя так, а не иначе. С раннего детства она постоянно вертелась рядом со взрослыми, слушала их разговоры, обожала разные житейские истории и всегда мотала их на ус, осмысляя, кто как поступил и к чему это привело. Став постарше, девочка постепенно сделалась доверенным лицом своих братьев, сестер и подруг. Со всеми своими бедами, заботами и проблемами они всегда шли к ней, и Даша всех выслушивала, утешала, поддерживала, давала советы.

К моменту окончания средней школы Даша уже решила, что хочет стать психологом. Но когда она неосторожно заявила об этом на своем пятнадцатом дне рождения, ее слова встретил громкий смех родителей и других старших родственников. В их семье все были простыми работящими людьми и искренне считали, что девочки и высшее образование — вещи малосовместимые. Задача женщины — растить детей, вести хозяйство, и домашнее, и приусадебное (они жили в частном секторе, в доме с большим участком, почти полностью занятым под сад и огород). А тут — какая-то психология. Ишь, что удумала! Глупости какие.

Тогда Даша страшно обиделась на взрослых и дала себе слово, что больше никогда, ни за что на свете не станет делиться с ними ничем сокровенным. И только став старше, наконец-то поняла, что на самом деле родители совсем не хотели ее обидеть, более того, они искренне желали ей добра. В своем понимании. Эти строгие рамки своего понимания есть у каждого человека. У кого-то они у́же, у кого-то значительно шире, но существуют у всех и всех ограничивают. Выйти за свои рамки понимания не способен почти никто, даже самый умный человек. И это нельзя изменить, не нужно возмущаться. Надо просто принять как данность и не требовать от людей того, на что они, в принципе, не способны. Мы же не расстраиваемся из-за того, что человек не умеет летать или дышать под водой без специальных приспособлений. Точно так же не стоит расстраиваться из-за того, что другой человек не способен проникнуть в твой собственный мир и полностью его принять, разделить твои склонности, начать мыслить и чувствовать, как ты.

Осознав эту немудреную истину, Даша научилась применять ее к жизни, и это умение ей очень пригодилось. Особенно с недавних пор, когда у нее вдруг появилась тайна от всех домашних. И в первую очередь — от Рената.

Глава 4.
Лариса.
Путешествие из Петербурга в Москву

Офис уже который день пестрел новогодним убранством. Секретарь шефа Арина обожала все эти штучки и каждый год накануне католического Рождества ставила в холле у ресепшен большую елку, завешивала все стены и люстры гирляндами, шариками, мишурой и заставляла все свободные поверхности фигурками Дедов Морозов и Снегурочек, снеговиками, оленями, санками, свечками и композициями из еловых веток и шишек. По мнению Лары, все это отдавало китчем и жуткой безвкусицей, но шеф, Валерий Евгеньевич, был не против. Как-то Лариса в разговоре с ним посетовала, что с рождественским декором Арина явно перебарщивает, но шеф только рукой махнул, мол, чем бы дитя ни тешилось, лишь бы работало. И по его интонации Лара поняла, что в глубине души Валерию Евгеньевичу все это нравится. Что он и сам, как ребенок, любит Новый год. Впрочем, что тут удивительного? У него двое маленьких детей, любимая красавица жена — есть с кем и для кого устроить праздник.

Рабочий день еще не начался, и в холле было почти пусто — в дни перед каникулами все обычно немного расслабляются и не торопятся приехать в офис раньше срока. «За исключением разве что крысы-Ларисы, — усмехнулась про себя Лара и тут же мысленно добавила: — И Ивана». Он все-таки отстал по дороге, и Лариса, пока парковалась и заходила в здание, так и не увидела его черный «Вольво». Может, Иван заехал куда-нибудь за кофе?

Войдя в пока еще пустой «аквариум», где располагался ее отдел по работе с клиентами, Лара сняла куртку, повесила ее на плечики в шкаф и переобулась в «рабочие» туфли на высоких каблуках. У нее их на работе было целых три пары: черные (универсальный вариант), светлые (летний вариант) и дизайнерские от Manolo Blahnik — для особенно торжественных случаев. А чему удивляться? Ведь в офисе проходила большая часть ее жизни…

Утренняя встреча с Иваном приятно взволновала Ларису. Внутри до сих пор что-то легонько искрилось, словно играло и пузырилось шампанское. Конечно, Лара давно уже была взрослой опытной женщиной и прекрасно понимала, что это вскользь брошенное «Я буду тебя ждать» наверняка сказано просто так. Глупо придавать значение подобным пустякам, еще глупее думать, будто Иван к ней неравнодушен. И уж совсем глупо надеяться, что на корпоративе произойдет что-то особенное. Нет, конечно, не стоит ничего ждать от обычной штатной вечеринки… Но все-таки можно зайти, пусть даже ненадолго.

Иван всегда нравился Ларе, и если он решил воспользоваться корпоративом как поводом познакомиться с ней поближе, то надо дать ему такой шанс.

Не успела Лариса сесть за стол и включить компьютер, как зазвонил телефон. На экране высветилось слово «BOSS».

— Ларочка, ты уже на посту? — поинтересовался Валерий Евгеньевич. И, не дожидаясь ее ответа, тут же добавил:

— Зайди-ка ко мне, есть дело государственной важности.

— Сейчас буду, — откликнулась Лара, почуяв недоброе. Она слишком давно работала в этой фирме, под началом этого человека, чтобы не знать — обращение «Ларочка», да еще в сочетании с «делом государственной важности» не сулит ничего хорошего. И почему это шеф звонит ей сам, лично? Обычно звонками всегда занимается Арина.

Однако Арины в предбаннике начальственного кабинета не оказалось. Сегодня ее место занимало незнакомое Ларе юное создание с розовыми волосами и пирсингом на нижней губе. При взгляде на эту девчушку Лариса тут же почувствовала себя невероятно древней и старомодной.

— Вы по какому вопросу? — строгим голосом осведомилось создание.

— Меня вызвал Валерий Евгеньевич, — ответила Лара, пряча улыбку — очень уж не вязался деловой тон девчушки с ее неформальным обликом.

— Как вас представить? — Девушка продолжала старательно играть роль хорошего секретаря.

Но Лара была уже у дверей кабинета и держалась за ручку.

— Не надо меня представлять, пожалуйста. Валерий Евгеньевич ждет меня.

Это было действительно так. Шеф приподнялся навстречу из-за массивного дубового стола — не антикварного, но с явным закосом под старину. Ему нравились такие вещи, он даже начал было оформлять свой кабинет в стиле классической английской библиотеки. Но, видимо, не хватило терпения, и потому на сверкающих зеркальными стеклами полках дубовых шкафов стояли не книги в кожаных переплетах, а легкомысленные сувениры, привезенные из поездок по всему земному шару, а стены украшали не какие-нибудь сцены псовой охоты, а фирменные календари их компании с рекламой охранных систем.

— А что это у вас за чудо в перьях сидит в приемной? — полюбопытствовала Лара после взаимных приветствий.

Шеф заметно поморщился:

— Ох, Ларочка, не сыпь соль на раны… Это Злата, племянница моего друга. Я ведь отпустил Арину на каникулы в Сочи, ну и согласился сдуру временно взять эту тетеху на ее место. А у нее, похоже, мозгов вообще нет. Ничего поручить нельзя. Всего второй день работает, а уже столько напортачила…

— Сочувствую. — Лариса постаралась, чтобы ее голос и улыбка выглядели ободряюще. — С родственниками и знакомыми на работе так, к сожалению, часто получается. Но будем надеяться, что это с непривычки, потом девочка освоится. А там уже и Арина вернется.

— Поверишь, я уже с нетерпением этого жду, — шеф бросил взгляд на календарь.

— Валерий Евгеньевич, вы зачем-то хотели меня видеть, — напомнила Лара.

— Хотел, — кивнул тот и почему-то отвел глаза. — Ларочка, ты уж извини, что так получается… Но дело действительно очень важное. У нас появился весьма и весьма перспективный клиент, ему устанавливают в квартиру электронную охранную сигнализацию. Установят ее уже сегодня, а тебе нужно будет завтра приехать и разъяснить, что к чему. Ты ведь возьмешь это на себя, правда?

Лариса пожала плечами:

— Вообще-то, Валерий Евгеньевич, это не моя работа. Может, вы забыли, что я сама уже давно по клиентам не езжу? Так напомню, что у меня для этого имеется в наличии полный отдел подчиненных. Есть Маша с Олей, есть Костя, есть Юра, есть Кирилл, в конце концов... Почему вы хотите, чтобы встречалась с клиентом именно я?

— Да я ж тебе говорю — клиент больно серьезный! Практически олигарх, владелец заводов, газет, пароходов Селезнев Александр Михайлович, — аргументировал шеф. — Такого ни девочкам, ни Юре, ни даже Косте и уж тем более Кириллу доверить нельзя. А ты у нас специалист опытный, да и барышня толковая. Ты его обаяешь так, что он не только на все свои заводы и пароходы наши системы поставит, но и друзьям своим нас порекомендует. А друзья у него, похоже, влиятельные...

Это был весомый аргумент. Упустить такого перспективного клиента действительно нельзя.

— Встреча предварительно назначена на одиннадцать, — продолжал шеф. — И как ты сама понимаешь, это недолго. Час, максимум два. К обеду уже точно освободишься. Ну так как, ты согласна?

Лара только вздохнула. На самом деле она планировала провести завтрашний день совершенно иначе. Взять отгул, которых у нее накопилось столько, что и не сосчитать, без спешки собрать вещи для путешествия в Доминикану и привести себя в порядок перед корпоративом. Съездить к Алене, которая, как бы ни была занята, всегда выкраивала время для подруг, сделать прическу, может, посетить салон красоты или массаж... Да просто выспаться, в конце концов! Но, как известно, человек предполагает...

— Хорошо, Валерий Евгеньевич, — кивнула Лара. — Я согласна. Адрес-то какой у этого вашего олигарха?

— Всю информацию тебе ближе к вечеру передаст Злата, — шеф снова отвел взгляд. — Адрес, точное время встречи и все такое...

Если бы Лара сразу поняла, что скрывается под этим небрежным «все такое», она, скорее всего, собралась бы с духом и решительно отказала шефу в его просьбе. Но в тот момент она уже мысленно прикидывала, как все успеть, и поэтому только кивнула и отправилась работать.

Вскоре у Ларисы возникло чувство, что в тот день во всей фирме работает только одна она — всем остальным не до того. Повсюду царила предпраздничная суматоха, слышались веселые голоса и смех, в воздухе витали запахи хвои, цитрусов и хорошего парфюма. Часть сотрудников уже взяла отгулы, увеличив себе каникулы, а те, кто еще оставался, как выражался шеф, «на посту», заняты были только разговорами о подарках родным и любимым и обсуждениями, кто, как, где и с кем собирается встретить Новый год и провести праздники.

— Лариса Вячеславовна, вот вам ваши билеты, — защебетала, подскочив к ней, розоволосая Злата и протянула запечатанный конверт. — Поезд в Москву отходит сегодня в двадцать два сорок.

— Какой поезд? В какую еще Москву? — оторвавшись от монитора, Лара изумленно уставилась на девушку, не сразу даже уловив смысл ее слов. — Злата, ты что-то путаешь. У меня завтра на утро назначена важная встреча с клиентом. Вот, — она сверилась со своими записями, — Селезнев Александр Михайлович...

— Ну да, совершенно верно, — закивала Злата. — Но только клиент этот живет в Москве, а не в Питере. Вы что, не знали? Разве Валерий Евгеньевич не сказал вам? А мне он говорил, что...

Не дослушав девушку, Лара рванулась было в кабинет начальника, но Злата ее остановила:

— Лариса Вячеславовна, а Валерия Евгеньевича нет на месте. Он давно уехал. Вы же знаете, что они каждый год всей семьей ездят на зимние каникулы в Финляндию? Вот сейчас, наверное, как раз садятся в самолет... Как приедете в Москву, позвоните помощнику Селезнева Александру.

— Его тоже Александром зовут? — удивилась Лара.

— Ну да. А что, распространенное имя, — захлопала глазами Злата.

От таких новостей Лариса, конечно, разозлилась. То, что начальник, заставив ее работать практически в праздники, даже не счел нужным предупредить, что работу эту предстоит выполнять в другом городе, буквально взбесило. Первой мыслью было плюнуть на все, разорвать билеты на мелкие кусочки, швырнуть на ковролин, громко сказать: «Всем пока!» — и удалиться, картинно захлопнув за собой дверь. Но картинность хороша только в кино, где есть повторные дубли. А в жизни их нет — и если слажаешь, потом уже не исправишь. Сейчас такое время, что руководящими должностями в солидной фирме и с приличным окладом не раскидываются, как фантиками. И потому, немного остыв, Лара нашла в себе силы, чтобы не послать все к чертовой матери. Так или иначе, все проблемы решаемы. Вряд ли дела продержат ее в Москве больше нескольких часов, шеф сам об этом говорил. А дорога на «Сапсане» от Москвы до Питера занимает четыре часа, даже меньше. Значит, если Лариса поторопится, то успеет на корпоратив. И проверит, действительно ли Иван будет ее там ждать — или он ляпнул это просто так… И бог с ним, с этим шефом и его Финляндией. Пусть себе катается на лыжах и любуется северным сиянием. А приедет — узнает столько нового о себе, что мало не покажется.

Вообще-то Лара собиралась после работы как бы случайно столкнуться у дверей офиса с Иваном, увидеть которого ей сегодня за целый день больше не удалось. Но теперь с этими планами пришлось распрощаться, нужно было спешить домой прямо сейчас и собираться в дорогу. И Лариса, оставив Костю «за старшего», рванула через предпраздничные пробки по живописно освещенным центральным улицам. Ехать в Москву она решила в одном из брючных костюмов — он не мнется и не потеряет вид за время дороги. И, пожалуй, можно ничего особенного с собой не брать. Кроме билетов, косметички, расчески, айфона, кошелька, паспорта и прочих каждодневных мелочей. Разве что книгу — почитать в поезде (Лара относилась к тому типу людей, которые предпочитали бумажные книги электронным). Ах да, еще же папку с документами. Значит, обойтись маленькой сумочкой не получится, придется захватить что-то повместительнее. А сборы чемодана в Доминикану отложатся на последний день…

Чтобы не заморачиваться с парковкой у вокзала, Лара поехала из дома на метро, и это оказалось намного быстрее. Путь от двери квартиры до места отправления занял всего тридцать пять минут — передвигаясь на автомобиле, да еще в предпраздничный день, о таком можно было только мечтать.

Ларисе всегда нравилась атмосфера вокзала и железной дороги. В детстве поезда кажутся сказочными каруселями, волшебными каретами, везущими в новую, неизвестную, но, разумеется, удивительную и прекрасную жизнь. Тогда каждая поездка с мамой в Питер была настоящим праздником. На фоне удивительной красоты Северной столицы с ее старинными дворцами и зданиями, каналами, мостами, коваными решетками, скульптурами, музеями и вкуснейшим мороженым такие мелкие неприятности, как несколько часов в душной и часто битком набитой электричке, казались пустяком. И даже напротив — по-своему нравились, поскольку воспринимались как неотъемлемая часть приключения.

Лет в десять Лара с подругами любили приходить к железной дороге, смотреть на проносящиеся мимо поезда, махать им вслед рукой и мечтать о путешествиях. А через год или два Лариса уже точно знала, какого именно путешествия ждет — поездки в Петербург, но не на один день, а надолго, может быть, навсегда. Ту дорогу, когда они с Дашей и Аленкой ехали в Питер сразу после окончания школы, полные грез и радужных надежд, Лара, наверное, будет помнить всю жизнь. Электричка набирала обороты, увозя девушек в город мечты, а они смотрели в окно, как убегает перрон, как исчезает вдали красивое желтое здание лужского вокзала, и смеялись просто так, без всякого повода — просто от радости, от молодости, от веры в то, что впереди их ждет только счастье...

Оказаться на железной дороге было приятно еще и потому, что последнее время Лариса мало ездила на поездах. В редкие командировки и в отпуск летала на самолетах, бывала и в круизах — морских и речных. Но если не считать нескольких поездок по железным дорогам Европы, совершенным в основном из туристического любопытства, то Лара уже и не помнила, когда последний раз посещала вокзал. И теперь пришлось побегать, чтобы найти, где останавливается «Сапсан». Почему-то это оказалось непростой задачей — нужный поезд не значился ни на одном табло.

— Сегодня больше «Сапсанов» нет, последний на Москву ушел в 19.10, — объяснила женщина в «Справочном бюро».

— То есть как это «нет»? — изумилась Лара. — Мой поезд в 22.40...

Только сейчас она запоздало сообразила, что в суматохе так и не открыла переданный Златой конверт, поверила на слово и не проверила билеты. А это «чудо в перьях», конечно же, могло перепутать и время, и дату... Поспешно разорвав бумагу, Лариса вытащила билеты. Нет, вроде все правильно, 28 декабря, 22.41... Она показала билеты женщине в справочном окошке и услышала в ответ:

— Ну а «Сапсан»-то здесь при чем? У вас билет на «Арктику», это мурманский. Бегите быстрее, он уходит через семь минут.

Вот только этого не хватало! Пока Лариса разобралась, с какого пути отходит «Арктика», пока добежала до нужной платформы, пока нашла вагон, который, по закону подлости, находился, конечно, в самом конце перрона... Словом, к своему вагону она подлетела в тот момент, когда проводники уже закрывали двери.

— Еще попозже прийти не могли, девушка? — отчитала ее неприятная пожилая проводница, проверяя документы.

— Да вот, так получилось... — зачем-то стала оправдываться Лара.

— Выходить раньше надо — и ничего «так получаться» не будет! — пробурчала тетка.

— Не говорите мне, что мне делать, и я не скажу вам, куда вам идти, — парировала Лариса фразой, недавно вычитанной в Интернете.

Проводница, догадавшись, что ее послали, но не сразу сообразив куда, зависла на минуту, а потом возмущенно выплюнула:

— Хамка!

Лара забрала у нее свои документы и запрыгнула в вагон. Да, это был обычный поезд дальнего следования, а вовсе не высокоскоростной экспресс. И с чего Лариса вообще решила, что едет в Москву на «Сапсане»? Ведь никто о нем не говорил. Но так уж устроено человеческое мышление, привыкшее оперировать стереотипами. Нередко случается, что мы слышим совсем не то, что нам говорят, а то, что, по нашему мнению, *нам должны сказать*...

«Ладно, спасибо, что хоть не плацкарт», — заключила Лариса, двигаясь по узкому коридору в поисках своего купе. Нашла, отодвинула дверь... И застыла на пороге, осознав, что с соседями ей необычайно «повезло». За столиком сидели три мужика средних лет, по виду — типичные работяги, которые выглядели подозрительно веселыми, причем не возникало сомнений, что «веселятся» они от самого Мурманска — столик уже был заставлен целой батареей бутылок. Увидев симпатичную молодую женщину, мужики тут же принялись отпускать сальные шуточки и настойчиво уговаривать попутчицу выпить с ними в честь наступающего праздника. Оставаться в их теплой, во всех смыслах этого слова, компании у Лары не было никакого желания. Она вышла в коридор, отыскала проводницу, которая ходила по вагону, собирая билеты у севших в Питере, и попросила переселить ее в другое купе. Но тетка оказалась не только вредной, но и злопамятной.

— А куда ж я тебя переселю? — отвечала она с нескрываемым злорадством в голосе. — Сама видишь — вагон набит под завязку. Праздник же на носу. Ни одного свободного места до самой Москвы.

— Но может быть, кто-то из мужчин войдет в мое положение и согласится поменяться? — Лара, как обычно, предлагала рациональное решение. — Это ж недолго, только до утра.

— Вот сама и договаривайся! — фыркнула тетка и вновь поплыла по коридору.

Проводив ее возмущенным взглядом, рассерженная Лара вытащила айфон, вышла в Интернет и стала искать, где можно написать жалобу на такое беспардонное поведение проводника. И тут же наткнулась на информацию, что в фирменном поезде «Арктика» имеется вагон-ресторан. Может, посидеть там? Все лучше, чем терпеть в купе общество этих алкашей или торчать в коридоре, как сотовая вышка посреди чистого поля… Лариса прошлась по вагонам и отыскала ресторан, выглядевший на удивление современно и довольно уютно. Зеленые цвета удобных кресел хорошо гармонировали с новогодним оформлением, которое здесь, в отличие от офиса, выглядело вполне уместно. Ресторан не пустовал, но и не был полностью забит — так, примерно половина мест свободно. И Лару это вполне устраивало.

— Вы до какого времени работаете? — спросила она у убиравшей со столика девушки восточного вида в белоснежной форме, и с радостью услышала в ответ:

— Вообще, до двенадцати, а так — до последнего посетителя.

Такой вариант Ларису очень устраивал, тем более что из-за поспешных сборов она с самого утра ничего не ела. И потому, наплевав на все советы из глянцевых журналов и женских интернет-порталов, категорически запрещающих есть после шести, Лара заказала полный ужин с салатом и десертом и комфортно устроилась за свободным столиком.

Напротив нее, через проход, сидела пара лет под пятьдесят, судя по всему, супруги. Допив сок, женщина достала из сумочки смартфон и с досадой воскликнула:

— Ну вот, отключился! А я опять забыла код. Сереж, ты не помнишь, у меня «двадцать два тридцать три» или «тридцать три двадцать два»?

К тому, что ответил ее спутник, Лара уже не прислушивалась. Слово «код» напомнило ей вчерашний вечер, новоселье с подружками и Дашкино пожелание обязательно найти в наступающем году «свой код счастья». Смешная все-таки эта Дашка... Вроде взрослая женщина, мать троих детей, да и умница, в житейских делах может дать совет лучше всякого психолога — и в то же время до сих пор во многом осталась ребенком, наивной фантазеркой. Это ж надо до такого додуматься — «код счастья»! Как может счастье зависеть от каких-то цифр? Во всяком случае, усмехнулась про себя Лариса, ее кодом счастья уж точно не стали номер вагона и места в этом поезде...

За ужином она все-таки вспомнила, когда последний раз ездила в поезде. О ужас, это было больше пятнадцати лет назад! Какая же она уже старая... Сразу после успешно сданной первой летней сессии Лара подбила Дашку смотаться в Краснодарский край. Дашка не стала отказываться, ведь тогда она, как и Лариса, еще никогда в жизни не видела моря. Алена с ними не поехала, она на тот момент уже была беременна Ником и неважно себя чувствовала. Ездили подруги, конечно, по системе, как смеялась Дашка, «эконом на всем» — добирались плацкартом и остановились в самой дешевой гостинице из возможных, бывшем советском санатории, построенном, наверное, в шестидесятые и с тех пор так ни разу, похоже, не ремонтированном. Отпуск прошел в состоянии блаженного безделья — целыми днями валялись на пляже, загорали, плескались в море, болтали и смеялись. За день до возвращения в Москву в той же гостинице поселились спортсмены, из Абхазии, что ли, а может, и из Аджарии. То ли сборы у них проходили, то ли просто командой отдыхали... Кажется, борцы: уши варениками, шеи мощные — воротники отглаженных рубашек не сходились. Может, вольники, а может, и классики, девчонки не разбиралась, да и не суть важно. Ребята были, в общем, ничего, только все почему-то казались на одно лицо. Комплиментов Лара с Дашкой тогда наслушались лет на десять вперед. А вечером согласились пойти со жгучими брюнетами в кафе, очень уж вежливо и галантно приглашали кавалеры. Сначала, как говорят, ничто не предвещало, а когда запахло керосином, девочки поняли: надо срочно что-то предпринимать, иначе ни администратор не спасет, ни милиция не успеет. Лара тогда из-за паники впала в ступор, а на Дашу с перепугу, напротив, нашло озарение. Кое-как рассовав вещи по сумкам, они вылезли через балкон и рванули наверх по пожарной лестнице. Незапертый выход на технический этаж под самой крышей оказался благословением небес. Среди сваленного после ремонта хлама девушки нашли старые дерматиновые кресла, сдвинули их и устроились валетом. Жестко, неудобно, все тело моментально затекло, но все лучше, чем ночью на вокзале или на пляже. Прислушивались к каждому звуку, любой шорох казался подозрительным. Девчонки вздрагивали и давились нервным смешком. Когда что-то мягко запрыгнуло Ларе на живот, она чуть сознание не потеряла от страха. Как не заорала, самой непонятно. Это что-то потопталось по ней и свернулось на груди пушистым клубочком, затарахтев от удовольствия. Так они и уснули. Под утро котенок исчез, оставив на платье следы от побелки. А подружки со всеми предосторожностями выбрались из убежища, сдали номер, забрали паспорта и, оглядываясь по сторонам, тряслись на перроне до подачи состава…

Лариса готова была просидеть в вагоне-ресторане до утра, слушая мерный стук колес и предаваясь воспоминаниям, но в первом часу все посетители понемногу разошлись, и Лара тоже решила, что и ей пора честь знать — нужно же дать отдохнуть работникам ресторана. Без всякой охоты вернулась в свое купе, лелея надежду, что ее попутчики уже как следует накачались и завалились спать. Но не тут-то было. Посиделки продолжались, и Ларин приход вызвал у соседей по купе новый прилив оживления. Но она уже подготовилась к обороне и, решительно отказавшись, а точнее, просто отбившись от назойливых приглашений в компанию, залезла на верхнюю полку (хотя билет у нее был на нижнюю) и отвернулась лицом к стене.

Попутчики, поняв наконец, что Лариса не их поля ягода, отстали от нее и переключили все свое внимание на остатки выпивки. Их богатые запасы спиртного закончились только под утро. Когда пьяные разговоры о бабах, футболе, политике и ценах на бензин сменились мощным трехголосым храпом, шел пятый час утра. Лара держалась за голову и считала минуты до прибытия.

Она была уверена, что ни за что не сумеет уснуть в такой обстановке — но все-таки отключилась перед самой Москвой и проснулась, когда поезд уже стоял. Кроме нее, в купе никого не было, а за окном виднелась платформа вокзала. Очевидно, вредная проводница нарочно ее не разбудила. Заторможенная спросонья, Лара стала спускаться. Вдруг вагон дернулся, нога, которую она поставила на лесенку, соскользнула, Лариса потеряла равновесие и пребольно ударилась скулой о полку. Вагон качнулся еще раз, и Лара, испугавшись, что ее сейчас увезут куда-нибудь в депо, обулась, подхватила вещи и заторопилась к выходу.

Глава 5.
Алена.
Сказка без хеппи-энда

На половину четвертого записалась соседка Антонина Николаевна. Ей было лет семьдесят, точнее, Алена не знала, а спрашивать считала неприличным, хотя общались уже давно, лет восемь, с тех пор, как Алена сняла квартиру в этом районе. Первый же раз пойдя в сетевой супермаркет неподалеку от дома, она познакомилась там с веселой старушкой из тех, что красят седину в бледно-фиолетовый цвет и ходят в забавной несуразной одежде. Разговорившись в очереди у кассы, они выяснили, что живут в соседних подъездах. Алена рассказала, что работает парикмахером на дому, и Антонина Николаевна этим заинтересовалась. Узнала расценку и начала ходить к соседке, радуясь, что у той дешевле, чем в салонах, а качество не хуже. За время их знакомства Антонина Николаевна почти не изменилась, разве что поддалась на уговоры Алены и стала краситься в более естественные цвета. А так оставалась все той же неисправимой оптимисткой и шутницей, всегда приходила с какой-нибудь забавной историей или новым анекдотом. Иногда Алена втихаря завидовала жизнерадостности старушки. Сама она последнее время все чаще хандрила и чувствовала, что у нее опускаются руки. Особенно после того, как у Ника начался этот проклятый переходный возраст.

Однако сегодня Антонина Николаевна не казалась такой веселой, как обычно. Соседка выглядела задумчивой, и мысли ее явно были не из приятных.

— Как вы себя чувствуете? — спросила Алена, забирая у старушки мокрое пальто и вешая его на вешалку. — Погода сегодня дрянь, да? Не то что вчера...

— Погода? — рассеянно переспросила соседка. — А, да... я и не заметила...

— Что-то случилось? — обеспокоилась Алена.

— Да так... — вздохнула Антонина Николаевна и наклонилась, чтобы снять боты. Алена поспешила подать ей новенькие тапочки, которые специально покупала для клиенток пачками.

Они прошли в комнату Алены, и соседка машинально уселась в кресло.

— Все как обычно, стрижемся-красимся? — уточнила Алена, накрывая ее пеньюаром.

— А? Ну да… Знаешь, я бы и не пришла сегодня, но раз записалась… Не хотела тебя подводить. У меня Леня заболел, — поведала Антонина, когда Алена начала разводить краску.

Леонидом звали мужа Антонины. Алена часто встречала его во дворе, одного или вместе с супругой. Он ей нравился — сухенький, интеллигентный, заметно постарше жены, но еще бодрый старик. Он всегда вежливо здоровался и любил носить шляпы. Настоящий старый петербуржец, которых с каждым днем, увы, становится все меньше и меньше.

— Почку ночью прихватило, — рассказывала Антонина. — Так он до утра ждал и меня не будил. Проснулась — а он по квартире ходит, за поясницу держится. Я говорю: что же ты, надо было сразу «Скорую» вызывать! А он: надеялся, что пройдет, не хотел ночью людей беспокоить. Деликатный он у меня… К утру не прошло, конечно. Вызвали врачей, а те даже смотреть толком не стали, сразу увезли в больницу, в Александровскую. Хотела с ним поехать — не пустил. Нечего, говорит, Тоня, тебе тащиться куда-то в такую рань, поспи лучше, отдохни… А мне какой отдых, когда он в больнице…

— И как он сейчас, не знаете? — сочувственно поинтересовалась Алена, накладывая краску на поредевшие волосы клиентки.

— Да уж позвонил... — Антонина чуть улыбнулась сквозь навернувшиеся на глаза слезы. — Говорит, укол сделали, стало получше. Но я ж слышу, что голос слабый... Небось нарочно сказал, чтобы я не переживала. Но я сейчас вот прямо от тебя в больницу, там как раз с семи приемные часы... А завтра с утра поеду, с врачом поговорю. Узнаю, что и как.

Алена слушала клиентку внимательно и сочувственно. Ей всегда становилось грустно, когда у знакомых что-то случалось с их близкими. Особенно остро она стала ощущать это с тех пор, когда у нее появился сын, примеряя все печальные житейские истории на себя и Ника. К счастью, у сына было хорошее здоровье, и за свои пятнадцать лет он еще ни разу не лежал в больнице. Но случись что-то подобное, Алена бы, наверное, с ума сошла от переживаний... Антонина привязана к мужу не меньше, чем Алена к сыну. Иногда Алена пыталась убедить себя, что быть одной, без мужа, — это даже лучше. А то в старости, когда и у самой-то здоровья уже нет, сиди и переживай то за детей, то за супруга. Да и один умирающий родитель — все же меньшая нагрузка для ребенка, чем два немощных старика... Это, конечно, были просто слабые утешения одинокой женщины за тридцать, но иногда Алене почти удавалось в них поверить.

— Может, его отпустят домой на праздники, Новый год все-таки... — снова заговорила соседка. — А нет — так хоть мандаринчиков ему отвезу. Есть мандарины ему, наверное, не разрешат, но он очень запах любит. Не может в Новый год без мандаринов... — Антонина Николаевна сморгнула, и Алена испугалась, что соседка сейчас заплачет.

— Конечно, принесите, — бодро поддержала она соседку. — Он обрадуется и быстрее на поправку пойдет.

Ей было всей душой жаль Антонину Николаевну, но едва ли ей можно чем-то помочь, кроме сочувственных слов. Старость, как говорится, не радость...

— А я ведь совсем одна в квартире, с котом, — снова вздохнула Антонина Николаевна. — Так не хочется Новый год без Лени встречать...

— А что же Алеша с семьей? Вы говорили, они собирались приехать на каникулы? — Сын Антонины Николаевны работал в Китае, и старушка, чтобы общаться с ним и внуками, даже освоила скайп, чем очень гордилась.

— Да вот, не получилось. У них ведь наш Новый год — не праздник. Тяжело, конечно, так редко детей видеть. Но что поделаешь... Зато Алеша зарабатывает хорошо. И нам с Леней помогает. На пенсию-то поди проживи...

— Это точно, — согласилась Алена и тоже невольно вздохнула.

Сегодня общение с Антониной Николаевной, обычно всегда поднимавшее настроение, еще больше выбило Алену из колеи. Она почему-то принялась представлять себя в старости: дряхлой, больной, беспомощной... И одинокой. Будет ли Никита заботиться о ней? Судя по тому, как он ведет себя сейчас, — вряд ли...

Краска была наложена, теперь оставалось подождать сорок минут, пока она подействует. Чтобы клиентка не скучала, Алена включила телевизор, пощелкала пультом, нашла какой-то сериал, а сама отправилась на кухню. Надо все-таки выпить наконец кофе. И неплохо бы еще съесть какой-нибудь бутерброд, а то со вчерашнего дня, после Ларисиного новоселья с Дашкиными вкусняшками, у Алены еще маковой росинки во рту не было. Снова ткнув кнопку чайника, женщина открыла банку растворимого кофе и достала из сушилки над раковиной любимую красную кружку.

Красный всегда нравился Алене больше других цветов — такой яркий, позитивный, жизнеутверждающий. На выпускной она надела платье ярко-алого цвета и была в нем, как не уставали ей повторять весь вечер, ослепительно хороша. Конечно, то, что она красива, не стало для Алены новостью — она слышала об этом с детства. Еще с тех времен, когда совсем крошкой неуверенно ковыляла по улице с мамой за ручку, Алена привыкла, что люди с улыбкой смотрят на нее и хвалят: «Какая хорошенькая!» В школе Алена считалась первой красавицей класса, девчонки ей завидовали, а мальчишки все одиннадцать лет постоянно оказывали ей знаки внимания. Но сначала Алене они просто не были интересны, ее гораздо больше привлекало шитье нарядов для кукол. А потом, когда она доросла до подросткового возраста, уж тем более стало не до любви — требовалось решать куда более приземленные проблемы. Так что, если не считать невнятных детских влюбленностей в парочку актеров, можно сказать, что до самого отъезда в Питер сердце Алены оставалось свободно.

Тогда, в то далекое послешкольное лето, Петербург встретил их солнцем и цветами. В буквальном смысле цветами, потому что, выйдя с подругами из здания вокзала, Алена первым делом увидела цветочный ларек, наполненный розами. Ярко-алыми, как ее выпускное платье. И это показалось счастливым предзнаменованием.

Алена подала документы в художественно-промышленную академию. Разумеется, на бюджет — когда у тебя оба родителя алкоголики, о платной учебе не может быть и речи. Творческое собеседование она прошла хорошо, принимавшая его преподавательница с интересом рассматривала работы абитуриентки и похвалила некоторые из них. И даже дошла до конца экзаменов, но для поступления не хватило баллов. Подвело сочинение, за которое Алена получила только тройку. Не повезло, все темы попались по произведениям, которые она сама и не читала даже, а знала только по пересказам Ларисы и Дашки.

В первый момент показалось, что все, жизнь кончена, — но это ощущение прошло на удивление быстро. Подружки убедили, что на будущий год Алена обязательно поступит, надо только как следует позаниматься. Тут же подвернулась и работа — официанткой в симпатичном кафе неподалеку от дома Дашкиной тетки. Там Алена и влюбилась. Влад пришел в кафе утром, а вечером уже ждал ее после смены с огромным букетом роз. И Алена даже не удивилась, увидев, какого цвета эти розы — разумеется, ярко-красные.

Ухаживаниями Алену было не удивить — она давно привыкла к своему успеху, к телефонным звонкам (на городской телефон — мобильного у нее тогда еще не было), приглашениям, объяснениям, подаркам и прочим знакам внимания и от мальчишек-ровесников, и от парней постарше, и от взрослых мужчин. Но ни один из ее прежних поклонников и в подметки не годился Владу. Он ухаживал действительно красиво — то заказывал для нее песню по радио, то ухитрялся незаметно подложить в карман ее форменного фартука распечатку стихотворения, которое сам написал и посвятил ей, то снимал катер и всю ночь катал Алену по рекам и каналам, то внезапно, сюрпризом, увозил ее на своей машине куда-нибудь в Петергоф или Ораниенбаум… И конечно, она не могла остаться равнодушной.

Впервые за всю жизнь Алена влюбилась. Не из-за ухаживаний, цветов и подарков — а потому, что Влад оказался первым в ее жизни человеком (ну, кроме Дашки, Ларки и их родителей), кто по-настоящему хорошо к ней относился, заботился о ней и искренне хотел видеть ее счастливой.

Их роман развивался стремительно. Познакомились они в августе, а двенадцатого сентября Влад первый раз привел ее к себе домой и заявил: «Мама, это Алена, моя невеста. Сегодня я сделал ей предложение, и она согласилась. Мы будем жить у нас». И, демонстративно не обратив внимания на гримасу, которую скорчила его мамаша, понес в свою комнату спортивную сумку и старенький чемодан с Алениными вещами.

Ставшие невольными свидетелями ее любовной истории подруги не могли нарадоваться за Алену. То, что происходило, действительно было похоже на сказку, а Влад — на настоящего принца. Красивый, умный, обаятельный, коренной петербуржец, пятикомнатная квартира в центре, интересная и престижная профессия… Недавно умерший отец Влада был далеко не последним человеком на Петербургском телевидении, и сын пошел по его стопам — оканчивал продюсерский факультет Института кино и телевидения.

Первое время Алена сама не верила своему счастью — неужели такое бывает? Такая любовь — удивительная, волшебная, головокружительная… И такое счастье. И такая спокойная жизнь, когда никто рядом не бухает, не приводит в дом собутыльников, не валяется пьяный, когда не надо вечно ходить полуголодной, считать каждую копейку и прятать ее, чтобы родители не нашли и не пропили… Дом Влада оказался по-настоящему полной чашей — огромная квартира с лепниной на потолках и старинной, давно уже не работающей, но оставленной для красоты изразцовой печью, роскошная мебель, картины, антиквариат. Ели там не на кухне, а в столовой, на столе всегда лежала белоснежная скатерть, а в шкафу красовалась гарднеровская и кузнецовская посуда, которую, правда, подавали только для важных гостей, а каждый день пользовались тарелками и чашками попроще — но тоже из немецкого сервиза, даже с супницей. Холодильник всегда ломился от еды. Посуду мыла специальная машина, а готовила, стирала и убирала приходящая помощница по хозяйству, которую свекровь почему-то называла экономкой.

Вообще-то Алене очень хотелось жить отдельно. Пусть в маленькой комнатушке, пусть в съемной — но не у свекрови, а самим по себе. Будь это хоть чулан — Алена все равно превратила бы его в уютное гнездышко. Подремонтировала бы что нужно, она это умела, подкрасила, набрала всяких уютных штучек для интерьера, повесила бы красивые шторы... Чувствовала бы, что она у себя дома, хозяйничала бы, не стеснялась принимать гостей. В квартире Влада хозяйничать не получалось. Но несмотря ни на что, Алена была счастлива. И, вопреки тому, что болтали злые языки, она была счастлива именно с Владом, а не с его деньгами и квартирой.

Из кафе она сразу же уволилась — на этом настоял Влад: «Не хочу, чтобы там на тебя пялились всякие». Алене казалось неловко садиться ему на шею, но Влада это нисколько не смущало: «Ничего, ты уж поверь, мы с маман не бедствуем!» В итоге договорились на том, что Алена, чтобы не чувствовать себя бездельницей и нахлебницей, запишется на подготовительные курсы и станет готовиться к поступлению.

Свадьбу сыграли накануне Рождества, 6 января. Наплевав на предрассудки, что, мол, плохая примета, подвенечное платье Алена сшила сама — узкое, строгое, цвета слоновой кости, с длинными рукавами и юбкой годе. Роспись и банкет заказали в Юсуповском дворце. Родителей Алена звать не стала — только Дашу с Ларой и их семьи. На другое утро после свадьбы молодожены улетели в свадебное путешествие в Париж. Там было сыро, холодно, все время дул пронизывающий ветер и шел мокрый снег — но зато относительно мало туристов. И Алена, которая еще полгода назад не смела и мечтать о подобном путешествии, чувствовала себя самой счастливой девушкой на Земле. Не разнимая рук, они с Владом в любую погоду гуляли по Елисейским Полям, мостам и набережным, целовались на смотровой площадке Эйфелевой башни и каждую ночь любили друг друга в номере с панорамным видом на знаменитые крыши Монмартра. Но самым сильным впечатлением Алены стало посещение парижского Диснейленда — словно реальное, наяву, воплощение сказки, в которой она вдруг оказалась...

Но, как известно, в каждой сказке обязательно присутствует какое-то зло. В сказке о Золушке-Алене роль злой королевы-колдуньи играла мать Влада. С первого же дня знакомства она невзлюбила будущую невестку и не считала нужным скрывать свою неприязнь. При сыне Виктория Анатольевна еще сдерживалась и только демонстративно не разговаривала с Аленой. Но стоило Владу уйти в институт, как на девушку тут же выливался целый ушат оскорблений. Свекровь считала ее провинциальной шлюшкой, деревенской хищницей, окрутившей ее бедного доверчивого мальчика ради питерской прописки, квартиры и отцовского наследства. Алена, которой на тот момент не исполнилось еще и девятнадцати лет, просто не знала, как себя вести, как доказать свекрови, что та ошибается. Она старалась быть вежливой, полезной, проявлять заботу о свекрови, даже сшила ей в подарок на Новый год красивое платье из темно-бордового бархата — но все это напрасно. Увидев платье, Виктория Анатольевна только презрительно поджала губы и процедила: «Да уж, не чаяла, что мой сын когда-нибудь женится на какой-нибудь швее-мотористке!..»

— Влад, давай съедем отсюда, — начала предлагать Алена еще до свадьбы. — Снимем комнату. Я опять работать пойду, у тебя стипендия хорошая — проживем как-нибудь.

Но Влад только смеялся.

— Ты что, заяц, прикалываешься, что ли? С каких бананов я должен сваливать в коммуналку при наличии собственной нормальной квартиры? А маман ты просто отправляй в игнор — и всего делов. Позудит-позудит, да и перестанет. Ее ведь тоже можно понять, она-то думала, что я как минимум на дочке министра женюсь...

«А женишься на дочке алкоголиков», — грустно констатировала про себя Алена и прекратила этот разговор.

Вот только игнорировать свекровь не получалось. Даже в огромной пятикомнатной квартире нет-нет да столкнешься с другими жильцами. И услышишь много неприятного в свой адрес.

«Ты на нашу собственность губы-то не раскатывай, — слышала Алена целыми днями. — Ничего у тебя не получится. Владик у меня умненький, он быстро раскусит, что ты собой представляешь... И выгонит тебя отсюда пинком под зад. Думаешь, на тебе свет клином сошелся? Как бы не так. Да у него вагоны таких, как ты! За ним знаешь какие девушки бегают — не тебе чета!»

Как ни хотела Алена пропускать эти мерзкие речи мимо ушей, но все же чувствовала, что в словах свекрови есть доля правды. Высокий, спортивный, красивый, как модель из глянцевого журнала, Влад действительно пользовался огромным успехом у девчонок. Алена постоянно убеждалась в этом — и на свадьбе, где, стоило ей на минутку отойти, как жениха облепляли целые стайки девушек-гостий с его стороны, и на улице, в кафе или на прогулках, где на него откровенно пялилась чуть не каждая вторая встречная женщина. Редкий вечер у них проходил без того, чтобы не позвонила какая-нибудь сокурсница, бывшая одноклассница или подруга детства. Алена старалась не обращать на это внимания, но трудно делать вид, что ничего не происходит, когда твой молодой муж минут по сорок болтает по телефону с какой-то девушкой, которую называет солнышком, и вспоминает, как весело они проводили время позапрошлым летом…

— Да ладно тебе! — смеялся Влад в ответ на ее упреки. — Ну, подумаешь, потрепался с однокурсницей или сходил с ней в кафе. Я же все равно люблю только тебя. Зачем делаешь из мухи слона?

— А ты разве не стал бы делать из мухи слона, если б мы поменялись ролями? — сердилась Алена. — Если б я часами болтала бы с другим парнем или ходила бы с ним в кафе?

— Ну, это совсем другое дело! — возражал Влад, похоже, абсолютно уверенный в своей правоте. — Ты женщина, жена — тебе не положено. А я мужчина. Мужчина по своей натуре — существо полигамное. Так заложено природой, против природы не попрешь.

Тогда Алене еще казалось, что насчет полигамности он шутит. Ей, привыкшей к мужскому вниманию, трудно было представить, что любимый и любящий муж сможет променять ее на другую. А ведь Влад действительно ее любил, в этом она не сомневалась. И потихоньку училась мириться с тем, что так у них, похоже, теперь будет всю жизнь.

В начале марта к Виктории Анатольевне стала ходить ученица — дочь одной из ее многочисленных приятельниц, студентка, которой вдруг срочно понадобилось подтянуть английский. Диана, пухленькая брюнетка, обожавшая ядовито-розовый цвет и стразы, которых у нее не было разве что на зубах, появлялась в их квартире чуть ли не каждый день — и почему-то всегда именно в те часы, когда Влад был дома. Свекровь то и дело придумывала новые поводы для контакта сына и ученицы и оказалась в этом весьма изобретательна. То Влад должен был посмотреть вместе с Дианой какую-то запись, то обучить ее пользованию компьютерной программой, то встретить на машине, так как ему все равно по пути, то отвезти домой после занятий, потому что уже поздно и просто опасно отпускать красивую девушку в такое время одну... Невестку в присутствии Дианы Виктория Анатольевна всячески старалась унизить и подчеркнуть то, что Алена оказалась в этом доме случайно и долго тут не задержится. Чего стоило только одно их знакомство, когда Алена вышла поздороваться и свекровь представила ее ученице так:

— Это Лена, подружка Владика. А ты, Дианочка, наверное, приняла ее за нашу прислугу?

Алена терпеть не могла, когда ее называли Леной, и свекровь прекрасно об этом знала.

Обычно Алена старалась не реагировать на выпады свекрови, но здесь не смогла сдержаться.

— Меня зовут Аленой, — заявила она. — И я не подружка, а жена Влада. Вам, Виктория Анатольевна, уже пора с этим смириться. Потому что изменить вы уже ничего не сможете.

Диана от удивления разинула розовый перламутровый ротик с неестественно пухлыми губами. А Алена развернулась и ушла в свою комнату.

Сначала Влад только смеялся над появлением в их доме Дианы и с удовольствием привлекал к этому веселью жену. Но потом шуточки как-то резко иссякли, он стал избегать упоминаний о «маминой ученице». И сначала Алена не придала этому значения...

Ту субботу, семнадцатое апреля, Алена запомнила на всю жизнь. С утра она была записана к зубному, а в полдень собиралась ехать в универ на День открытых дверей. Но, выходя из кабинета стоматолога, вдруг сообразила, что забыла кошелек. Получилось очень неловко. Пусть врач был и знакомый — не Алены, конечно, а Влада, точнее, его матери, — и мог подождать оплату, но все равно нехорошо. Посмотрев на часы, Алена прикинула, что если поторопится, то все успеет. Рванула домой, влетела в квартиру, даже не сняв пальто, вбежала в их с мужем комнату и обнаружила, что Влад, который в это время должен был находиться в институте, никуда не ушел, а лежит в постели... Вместе с Дианой. В супружеской постели, на том самом белье, которое Алена только позавчера собственноручно постелила...

Будильник на смартфоне подал сигнал — сорок минут прошло, пора возвращаться к клиентке. Очнувшись от грустных воспоминаний, Алена затушила сигарету и поспешила в комнату.

Антонина Николаевна покинула ее с новой стрижкой, но такая же печальная, как и пришла. Проводив клиентку, Алена снова отправилась на кухню. На столе крошки, в раковине грязная посуда — опять Никита за собой не убрал! Ну хотя бы поел, уже хорошо. Она обязательно поговорит сегодня с сыном, но попозже, сначала надо позвонить Милене и сообразить что-нибудь на ужин. Номер Милены было беспробудно занят, и Алена, пока дозванивалась, успела покидать в мультиварку рис и филе индейки. Простой и быстрый способ поесть для тех, у кого мало времени. Алена была благодарна мирозданию за изобретение мультиварки, она не представляла, во что бы превратилась ее жизнь, приходись ей проводить больше времени на кухне. Едва она потянулась за сигаретой, раздался очередной звонок в домофон. Алена подумала, что это ее клиент пришел чуть пораньше, но за дверью оказался Никитин школьный приятель, Игорь.

— Здрасьте, теть Ален, — привычной мальчишеской скороговоркой выпалил он.

— Здравствуй, Игорь, — ответила Алена. — Никита не предупредил, что у него будут гости.

Игорь неловко пожал плечами. Мол, что он мог поделать с тем, что Ник не сказал? И правда, что? Алена посторонилась, пропуская парня. Из комнаты выглянул Никита.

— Заходи быстрей, — сказал он другу, который стягивал с себя обувь.

— Ник, дай человеку разуться, — сделала замечание Алена.

Никита ее демонстративно проигнорировал, скрывшись в своей комнате и нарочито громко закрыв дверь.

— И музыку сделай тише! — крикнула вслед Алена. — У меня скоро клиент.

— У тебя всегда клиент! — огрызнулся из-за двери Ник.

Игорь разулся и смущенно посмотрел на Алену. Он едва ли хотел участвовать в семейных разборках. Алена махнула рукой и улыбнулась Игорю, а потом ушла к себе. Дозвониться до Милены снова не получилось, и она стала готовить место для следующего клиента. Им был Петр, единственный мужчина из ее клиентуры.

Вообще-то Алена была женским мастером и специализировалась на женских стрижках. Но однажды по ее объявлению позвонил мужчина и спросил: «А меня подстричь сможете?»

Дело было под праздник, и все парикмахерские оказались забиты до отказа. Петр попытал счастья наугад, и Алена согласилась. В конце концов, обкорнать мужика — дело нехитрое. С тех пор Петр время от времени захаживал к ней поправить стрижку. Ходил он к Алене по той же причине, что и Антонина Николаевна — Алена брала за свои услуги дешевле, чем парикмахерские салоны, а стригла не хуже, а порой даже лучше салонных мастеров.

Петя сегодня пришел с опозданием. Алена уже было подумала, что он перенесет запись, он часто менял время из-за авралов на работе, как раздался звонок в домофон.

— А я сегодня бездомный! — жизнерадостно заявил с порога Петр, симпатичный мужичок лет под сорок. Внешне он казался простоватым, этакий деревенский Ваня, но на самом деле отличался умом, работал программистом в солидной конторе и был там на хорошем счету.

— Это как? — удивилась Алена.

— Да с женой поругался под праздник. Выгнала. Второй день дома не ночую, — весело отмахнулся он.

Приглядевшись, Алена увидела, что рубашка у Пети слегка помята, а ботинки нечищены. Но больше никаких признаков бомжевания она не заметила, о чем не преминула сообщить.

— Я пока в офисе ночую, друзья пускают помыться. А теперь вот к тебе зашел, — пояснил Петя, пока Алена в ванной намыливала ему голову.

— Из-за чего поругались-то? — спросила Алена, перекрикивая шум льющейся воды.

— Да из-за ерунды какой-то... сам не понял. — Петя забрал у нее полотенце и стал вытираться сам, отфыркиваясь, как морж. — Понял только, что сделал что-то не так. То ли кофе в постель не принес, то ли картошку не почистил...

— Может, натворил что?

— Да вроде нет... все как обычно было. Ушел на работу — все нормально, а пришел — вот вам и здрасьте.

На это Алена могла только посочувствовать. И Пете, и, что греха таить, его жене. Разве ж со стороны разберешься, кто прав, кто виноват? Наверняка оба хороши. Может, жена и впрямь сорвалась не по делу... А может, сам Петя в чем-то провинился, о чем не рассказывает. Может, изменяет жене втихаря, а она узнала. Так тоже нередко случается... Алена старалась никогда никого не судить и принимать чью-то сторону не спешила. Спокойно подстригла, побрила клиента и, закрывая за ним дверь, пожелала обязательно помириться с женой до Нового года. В кухне уже ждала следующая клиентка, а еще нужно было позвонить Милене. Алена ума не могла приложить, как все успеет, но, по счастью, Милена на этот раз тоже не взяла трубку.

В половине одиннадцатого Алена уже просто с ног валилась от усталости. Однако, заглянув к сыну, она обнаружила, что Игорь еще не ушел. Мальчишки рубились в компьютерную приставку.

— Эй, — буркнул Ник. — А ты стучать не пробовала?

— Мальчики, вам не пора расходиться? — спросила Алена, демонстративно проигнорировав его грубость.

— Еще только десять! — огрызнулся Никита.

— Вообще-то уже половина одиннадцатого.

— Да ладно, Ник, я пойду... — засуетился Игорь.

— Сиди, — возразил Никита. — Доиграем, тогда и пойдешь.

— Да нет... меня дома ждут... Поздно уже. Да и вот теть Алена против...

— Да пофиг!

— Не... я все-таки пойду. — Он торопливо поднялся на ноги, а Никита посмотрел на мать с такой неприязнью, что Алене стало не по себе. Ох, вставить бы ему по первое число — но в комнате ее ждет клиентка...

— Закроешь за Игорем дверь и поешь. В мультиварке рис с индейкой, — только и сказала Алена. — А потом сразу спать.

Ник что-то буркнул в ответ, но Алена его уже не слушала. Игорь быстро собрался, попрощался и вышел, а она поспешила к клиентке. Как бы не забыть — сегодня еще обязательно надо дозвониться до Милены и постараться договориться с ней поточнее. Иначе и завтрашний день тоже пойдет кувырком...

Глава 6.
Даша.
Восемнадцать

С того момента как все ее домашние разошлись кто куда, Даша только и делала, что поглядывала на часы и изнывала от нетерпения. Но время тянулось так медленно, что это казалось просто невыносимым. Даша перемыла всю оставшуюся после завтрака посуду, навела порядок в спальне и детских комнатах, запустила стиралку и поставила вариться куриный бульон. А нужное время все не наступало и не наступало...

На самом деле в Дашиной тайне, которую она так строго хранила ото всех, не имелось ничего постыдного. Даша не изменяла мужу, не нарушала закон и даже не увлекалась втихаря чем-то неприличным для взрослой замужней женщины. Она всего лишь вела собственный блог на одном из популярных женских сайтов, однако ж не рассказывала об этом ни мужу, ни детям. Почему-то Даша была уверена, что Ренат не поймет ее интересов, возможно, даже посмеется над ними и, скорее всего, не захочет, чтобы жена занималась подобной ерундой. Однако Даша уже слишком прикипела душой к своему увлечению, что называется, приросла к нему — и отрываться оказалось бы очень больно.

Вся эта история началась со скуки... Хотя, наверное, это неправильное слово. Женщине, у которой трое детей, скучно не бывает никогда, она все время чем-то занята. Даже во сне ее мозг не отдыхает, а продолжает решать где-то на периферии сознания актуальные задачи, составлять списки неотложных дел, осуждать себя за невыполненное, беспокоиться о детях, всех вместе и каждом в отдельности... Так что причина тут, конечно же, крылась не в праздной скуке, а в монотонности и однообразии ежедневной рутины. Может, когда-то и было время, когда роль жены и матери целиком поглощала женщин и полностью их устраивала. Но когда-то люди и в пещерах жили, и в шкурах ходили, и сырым мясом питались... С тех пор многое изменилось. Современные женщины, как бы они ни любили свою семью, уже не хотят превращаться в роботов для ведения домашнего хозяйства. Им необходима самореализация, они желают развиваться как личности, стремятся к творчеству и самовыражению.

Когда Майка доросла до детсадовского возраста, Даша поняла, что сойдет с ума, если не начнет заниматься чем-то еще, кроме мужа, детей и дома. Сначала она решила выйти на работу и посоветовалась с Ренатом, но тот и слышать об этом не хотел. Его аргументы выглядели убедительными — без образования и опыта жена вряд ли найдет что-то интересное, а гробиться на какой-нибудь тяжелой работе нет смысла. Их семье нужны не деньги, Ренат зарабатывает достаточно, а нужна здоровая, заботливая и веселая жена и мама. Даша слушала и кивала, соглашаясь, хотя и понимала, что, убеждая ее, муж слегка кривит душой. При желании он прекрасно мог бы устроить ее через кого-то из своих клиентов на какую-нибудь нетяжелую, интересную работу. Но, похоже, такого желания у Рената не имелось. Ему удобнее было видеть жену только домохозяйкой.

Тогда Даша задумалась о хобби. На женских сайтах и форумах для мам, где она была завсегдатаем, постоянно говорили, как важно для современной женщины найти себе дело по душе. Это и отдушина, и возможность реализации своего творческого потенциала, а если еще и научишься действительно хорошо делать то, что тебе нравится, то увлечение может стать еще и источником заработка. Многие Дашины знакомые и приятельницы, как реальные, так и виртуальные, уже нашли себя в чем-то и активно шили, вышивали, выдували стеклянные бусины, варили мыло, рисовали, танцевали ирландские танцы, занимались йогой, вокалом и степ-аэробикой, фотографировали, клеили авторские открытки, пекли на продажу капкейки и ездили верхом... Всего и не перечислить. Однако сколько Даша ни примеряла на себя чужие увлечения, ни одно из них ей не подходило. Рукодельница из нее была так себе, а на регулярные занятия вне дома элементарно не нашлось бы времени. К тому же многие виды хобби даже и не нравились — а требовалось найти именно «дело по душе».

Перебрав все варианты, Даша пришла к выводу, что больше всего, как и в детстве, ее привлекают житейские истории. Ей нравилось обсуждать с подругами разные ситуации, в которые те попадали, и при этом Даша интуитивно угадывала, как кому лучше поступить, что сделать, чтобы все сложилось наилучшим образом, и чего ни в коем случае делать нельзя. К ней по-прежнему часто обращались за советами, и почти не было случаев, чтобы Дашин совет не оказался полезен. Она постоянно читала в Интернете статьи о семейной психологии и в конце концов пришла к выводу, что может писать их и сама. На форумах для мам все ее комментарии неизменно собирали не меньше сотни лайков от других пользователей, так что этим вполне можно было воспользоваться. Даша выбрала наиболее симпатичный ей сайт и завела там свою тему, где стала периодически публиковать небольшие заметки о тех или иных жизненных ситуациях. Сначала, как водится, на ее посты вообще не было откликов, и Даша приуныла. Но потом появилась первая читательница, за ней вторая, третья... С тех пор их число медленно, но неуклонно росло. Даша постепенно научилась выбирать темы, которые были особенно интересны аудитории и вызывали самые горячие обсуждения. И понеслось. Ее комментировали, спрашивали советов и настойчиво просили написать о том, и о том, а еще и вот об этом. Даше такая реакция льстила, и она писала снова и снова, даже установила себе норму: по одной заметке два раза в неделю, во вторник и в пятницу.

Так продолжалось уже пару лет, и Дашу вполне все устраивало. Как вдруг в середине этого ноября на ее электронную почту неожиданно пришло письмо. В самом по себе факте письма не было ничего удивительного, Даша переписывалась со многими знакомыми и получала мейлы почти каждый день. Но в этот раз название почтового ящика и тема письма заставили ее сердце биться чаще. И предчувствия Дашу не обманули.

Отправителем письма значилась администрация одного из самых известных в рунете женских сайтов — «Современная женщина». В тексте сообщалось, что портал проводит конкурс среди активных блогеров, пишущих на темы, интересные для их читательниц. Несколько месяцев сотрудники портала специально искали в Сети кандидатов, попала в их число и Даша. И теперь ей предлагалось предоставить на конкурс одну из своих статей и список из десяти тем, о которых она могла бы написать заметки. Автор статьи и перечня, за которые проголосует больше всего читателей, станет штатным сотрудником сайта, будет вести свою колонку, получая за это хорошую зарплату, и к тому же выиграет приз — путешествие по Европе для всей семьи.

Ошеломленная Даша несколько раз перечитала и письмо, и условия конкурса, опубликованные на портале. Все это казалось невероятным, и она боялась даже мечтать о том, что сможет победить. Конечно же, у нее не получится. Кто она такая? Не журналист, не психолог, обычная женщина, которой интересны люди и житейские ситуации. Но почему бы не поучаствовать, не попробовать свои силы? По крайней мере, она увидит, какие темы действительно интересны широкой аудитории, и сможет написать о них и для своих читательниц. Пусть таких немного, всего несколько десятков — но они с удовольствием читают Дашины тексты, принимают участие в обсуждении и просят ее советов.

Ей казалось, что с придумыванием тем возникнут трудности, но получилось прямо наоборот. В первые же дни Даша набросала черновой список, в который вошло больше сорока пунктов, а все остальное время, отведенное до «времени че», ушло на редактирование. Она отвергала и безжалостно выбрасывала темы, которые казались слишком узкими или слишком избитыми, меняла формулировки, вскакивала среди ночи, чтобы записать очередную придумку, расширяла список и снова вычеркивала... Ее телефон и телефоны Лары и Алены в эти дни раскалялись добела. Даша звонила подругам по несколько раз в день и была благодарна, когда слышала их советы, что тут лучше сказать не так, а вот так, что такой-то темы в списке не хватает, а от такой лучше отказаться — не потому, что она неинтересна, но эта тема наверняка придет в голову и многим другим конкурсантам, а для победы важна оригинальность. Выбрать статью для конкурса ей тоже помогли Лара с Аленой, сама Даша ни за что не смогла бы решить, какая из ее заметок подходит для этой цели лучше, чем другие.

Домашним, которые по-прежнему ничего не знали, оставалось только недоумевать, что же такое происходит и почему Даша вдруг стала такой рассеянной, задумчивой и нервной. Но вот настал день окончания приема работ. Даша последний раз перечитала свой список, перекрестилась, отослала многострадальную работу и на некоторое время расслабилась. Но ненадолго, только до сегодняшнего утра, до десяти часов по московскому времени, когда на портале должны были выложить все конкурсные статьи и списки.

Без пяти десять Даша уже зашла на сайт и несколько раз обновляла страницу, пока наконец не увидела только что появившуюся информацию о конкурсе и не нашла свою работу среди прочих. Неожиданно выяснилось, что соперников у нее больше, чем Даша предполагала, — целых одиннадцать человек. Ну что ж, она не зря дала себе слово даже не рассчитывать на успех, чтобы не расстраиваться потом, после проигрыша. Главное ведь не победа, а участие... Даша внимательно прочитала тексты, представленные ее конкурентами, и больше половины статей показались ей просто шедеврами по сравнению с ее собственной. Боже, куда она полезла!

Немногим лучше обстояло дело и со списками. Некоторые пункты действительно пересекались, тут Лара оказалась права. Многие темы, предложенные соперницами, выглядели настолько интересными, что даже стало обидно — ну почему это не пришло ей в голову, ведь лежало же на поверхности!..

Но попадались в чужих списках и такие темы, которые, с точки зрения Даши, совсем не заслуживали внимания.

Она позвонила Ларе и Алене, затем сообщила новость нескольким подругам по переписке. Потом зашла на свой любимый сайт, где вела блог, дала объявление со ссылкой и попросила своих читательниц проголосовать за нее — правилами это не запрещалось. Затем не выдержала и снова вернулась на портал «Современная женщина» — посмотреть статистику голосования. В специальном окошке после ее списка значилось число «восемнадцать».

Восемнадцать голосов. Всего лишь восемнадцать.

Даша вздохнула и прокрутила страницу вверх и вниз от своей работы. Картина складывалась неоднозначная. У кого-то из соперниц, а может, и соперников (чем черт не шутит, может, и мужчины пишут для женского портала), было уже около пятидесяти голосов, а у кого-то и вовсе ноль. И теперь от этих цифр зависела ее судьба.

Цифры Даша всегда ненавидела. Точнее, даже не ненавидела, а просто не дружила с ними. Буквы в детстве выучила легко, и в пять лет уже бойко читала, а вот считать получалось с трудом. «Ничего, в школе научишься!» — утешали старшие. Но не тут-то было. Свои нелады с цифрами и числами Даша прихватила с собой и в школу. С самых первых уроков и до самого выпускного она оставалась худшей в классе ученицей по математике. Считать кое-как выучилась, но предпочитала делать это на калькуляторе.

После школы тоже легче не стало. У Даши было стойкое чувство, что цифры будто сговорились против нее и всегда мешали осуществлению ее планов. И кстати, восемнадцать было одним из самых нелюбимых чисел. Именно в этом возрасте цифры подвели Дашу в первый раз. Да так, что с тех пор, слыша цитату из песни «в жизни раз бывает восемнадцать лет», Даша всегда мысленно добавляла про себя: «И слава богу...»

Восемнадцать лет — возраст, который почему-то считается условной чертой между детством и взрослостью. И в этом есть что-то нелепое. Ложишься спать еще ребенком, нередко полностью зависящим от родителей, а просыпаешься уже взрослым человеком со всеми вытекающими из этого последствиями в виде прав и ответственности. Даше подобная резкая граница всегда казалась уж очень искусственной. Тем более девушка знала немало людей, которые стали зрелыми личностями гораздо раньше восемнадцати, та же ее подруга Алена, например. Впрочем, еще больше народу вокруг не повзрослело, даже став совершеннолетними. И в двадцать, и в тридцать, а порой и в сорок инфантильные детишки продолжали сидеть на шее у мамы и папы и полностью зависеть как от финансов родителей, так и от их мнения.

Но так или иначе, для Даши наступление совершеннолетия стало именно той вехой, которая кардинально разделила ее жизнь. Восемнадцатый день рождения она отпраздновала незадолго до выпускного вечера — так получилось, что в школу ее отдали поздно, мол, куда спешить, пусть у ребенка подольше продлится детство. В результате Даша оказалась старше всех в классе, некоторых даже на целый год, и какое-то время, особенно в начальной школе, чувствовала себя белой вороной. Может, поэтому она так и привязалась к Алене и Ларисе — они все втроем выделялись из общей массы, каждая по-своему была «не такая, как все».

Честно говоря, всю юность Даша смотрела на подруг снизу вверх. Не то чтобы преклонялась перед ними, но восхищалась — это уж точно. Лара — умница, отличница, столько читала, все на свете знает, дока в той самой проклятой математике, которая Даше казалась чем-то совершенно непостижимым и вызывала священный ужас. Алена — такая взрослая, самостоятельная, уже работает, как большая, зарабатывает деньги, шьет, как настоящая портниха, сама придумывает модели одежды. И к тому же красавица, парни за ней табунами ходят, а она на них внимания не обращает. Словом, Даша так восторгалась Аленой, что даже почти не ревновала, когда узнала, что та нравится мальчику, в которого она, Даша, была влюблена целых полтора года. Впрочем, чего ревновать-то? Все равно Алена его отвергла, и не только потому, что знала о Дашкиных чувствах. Просто ей тогда было не до парней, других забот хватало.

И Алена, и Лариса давно приняли решение уехать в Петербург сразу по окончании школы. Собралась вместе с ними и Даша, но больше за компанию и для того, чтобы почувствовать себя самостоятельной, чем ради поступления в вуз. Стать психологом ей вроде бы хотелось... Но для этого требовалось сначала успешно сдать ненавистную математику, а потом еще несколько лет ее изучать. И эта перспектива отпугивала.

Питер встретил их жарким летом. В июле он был особенно прекрасен: яркий, зеленый, почти волшебный. Даже дожди в это время года казались цветными, окрашивали город в сочные оттенки. К тому же подруги застали белые ночи, которые здесь воспринимались совсем иначе, чем дома, — хотелось до утра бродить по улицам и набережным, любоваться дворцами и фонтанами, мечтать о любви... А вовсе не скучать над учебником.

Первое время подружки тщательно готовились к экзаменам, особенно Лариса, и Дашу это немного дисциплинировало, однако ж все равно не помогло, она провалилась на первом же экзамене. Оказалось, что математика на вступительных испытаниях психологического факультета СПбУ гораздо сложнее той программы, которую они изучали в школе. В итоге Даша кое-как справилась только с одной задачей, и ту, как потом выяснилось, решила неправильно. А к остальным вообще не знала, как подступиться.

Конечно, девушка расстроилась… Но как-то не очень сильно. Не так, как Алена, которая, узнав, что недобрала баллов для поступления, рыдала навзрыд несколько дней подряд, отчего подруги были просто в шоке — они редко видели свою Аленку плачущей. А Дашке стало просто немного стыдно. И досадно, что родители, которые в нее не верили, в итоге оказались правы. Но в глубине души она даже испытывала облегчение. После долгих лет учебы в школе не было никакого желания снова садиться за парту. Большой и прекрасный город открывал массу перспектив новой взрослой жизни — возможность найти работу, зарабатывать и самой стать себе хозяйкой, ходить по магазинам, кафе, барам и клубам, обзавестись новыми знакомыми, друзьями и кавалерами. Пока подруги корпели над учебниками, незадачливая абитуриентка быстренько устроилась работать в кафе, а все свободное время вовсю наслаждалась Питером. После экзаменов Лара с Аленой присоединились к ней, и тут они уже втроем оттянулись по полной. Денег на шопинг, рестораны и прочую роскошь у девушек не имелось, но в восемнадцать лет жизнь кажется прекрасной и без роскоши. Можно гулять по Невскому и заходить в бутики, даже ничего там не покупая, питаться одним мороженым и фастфудом (дома разве ж такое позволили бы?!), ездить зайцами в электричках, чтобы добраться до пригородов и увидеть Царскосельский дворец или промокнуть в фонтанах Петергофа, можно любоваться разведением мостов и вдруг сообразить, что остались не с той стороны... Все это было чудесно. Только недолго.

Как-то неожиданно быстро настала осень, и Лариса с головой погрузилась в учебу. Алена еще раньше, в августе, познакомилась со своим будущим мужем Владом и все время проводила с ним. А Даша... Даша осталась одна. И вдруг отчаянно, до острой боли в сердце, заскучала по дому. По родителям, по братьям и сестрам, по многочисленным друзьям в родном городе. Здесь, в Питере, у нее, кроме подруг, никого не было. Да, они жили у Дашиной родственницы, двоюродной сестры отца. Но тетя Надя не относилась к числу приятных людей и не вызывала теплых чувств. Будь Даша одна, она бы вернулась домой, в Лугу. Но не хотелось подводить девчонок, которых тетя Надя без нее вряд ли оставила бы у себя. Или сразу подняла бы цену за комнату.

Впрочем, Даша довольно быстро нашла выход. Чтобы не сидеть дома в обществе неприятной тети Нади и ее вечно бубнящего телевизора, по которому тетка смотрела исключительно какую-то муть, Даша завела себе компанию на работе. Среди сотрудников кафе, куда они устроились на пару с Аленой, нашлось несколько заводных ребят и девчонок. Даша подружилась с ними, затем с их парнями и девушками, с их друзьями, с парнями и девушками друзей и подруг... Было весело, порой даже слишком. Даша выучилась курить сигареты и травку, пить каждый день пиво и дешевые алкогольные коктейли в бутылках. Тусовались нередко всю ночь, и домой она приходила уже с рассветом, а наутро маялась головной болью и делала вид, что не замечает укоризненных взглядов Лары и Алены.

Вскоре у Даши появился парень. Денис работал барменом в казино, был красавчиком, ездил на крутой тачке, не считал денег и имел репутацию жуткого бабника. Но Дашу, которой Денис казался чуть ли не киногероем, это не остановило. Она влюбилась очертя голову и даже сумела как-то заинтересовать парня... Примерно на пару месяцев, ровно до тех пор, пока не сдалась и все же не приняла настойчивое предложение заглянуть к нему в гости. «Гости» закончились именно так, как и должны были закончиться, после чего Денис резко перестал ей звонить и приглашать куда-то. А когда Даша, набравшись смелости, попыталась поговорить с ним и выяснить отношения, Денис спокойно объяснил, что потерял к ней интерес и уже встречается с другой девушкой.

Конечно, Даша рыдала, даже думала покончить с собой, но, к счастью, дальше мыслей дело не зашло. Хуже всего было то, что формально они с Денисом остались в одной компании и продолжали видеться на тусовках. Сейчас, с высоты прожитых лет, Даша прекрасно понимала, что лучшим выходом для нее стал бы разрыв с теми друзьями. Но тогда, в восемнадцать лет, лучшим средством мщения Денису ей виделась демонстрация ему того, что ее жизнь продолжается, что она цветет, хорошеет и пользуется успехом у парней. Ради этого Даша продолжала оставаться в той компании, активно кокетничала с парнями на глазах у Дениса, и в итоге влипла еще в пару историй... При воспоминании о которых ей до сих пор становилось неловко. Да что греха таить, тем годом своей жизни она совсем не гордилась. И потому никогда не любила число «восемнадцать».

* * *

Тимур вернулся домой не в лучшем настроении. А все из-за того, что увидеться с Софой и получить от нее второе задание не вышло — девочка сегодня не пришла в школу. Весь день он сидел как на иголках и при любой возможности заходил на Софину страницу в соцсети, но там не было ничего интересного, кроме многочисленных комментариев от ее друзей, реальных и виртуальных, интересовавшихся, куда она пропала. Уроки уже закончились, Тимур пришел домой, пообедал и собрался на последнюю в этом году тренировку (он занимался айкидо), а Софа все еще была офлайн. И только когда его занятия закончились, она наконец-то появилась в Сети и сообщила, что ночью у нее разболелся зуб, пришлось ехать к дантисту, а потом она приходила в себя и отсыпалась — но теперь проснулась, хорошо себя чувствует, и все в порядке. Тимуру очень хотелось что-нибудь ей написать, но он сдержался. Ни к чему это. Вон уже сколько комментов — его слова просто затеряются среди них. Лучше они увидятся завтра в школе, Софа обещала, что обязательно придет.

Дома все было как обычно. Мама ушла в сад за Майкой, папа, конечно же, еще не вернулся с работы, он никогда не приходил так рано. Вот только в их с Руськой комнате было подозрительно тихо... Хотя нет, не тихо. Что это за странная возня, писк и хихиканье?

Тимур рывком распахнул дверь и увидел брата... с пушистым рыжим комочком на руках.

— Фига себе! — Тимур даже присвистнул. — А это еще что такое?

— Щенок, — спокойно ответил Руська. Как будто его старший брат был последним дебилом и не мог отличить щенка от слона или страуса.

— Я понимаю, что щенок! — возмутился Тимур. — Ты лучше скажи, откуда он тут взялся?

— Так я ж тебе с утра рассказал. Они у Глеба родились. То есть не у Глеба, конечно, а у Афины, его собаки. И они, ну, семья Глеба, их, ну, щенков, бесплатно раздают. Я и взял рыжего, он мне больше всех нравится. Смотри, какой забавный.

Щенок, задремавший у брата на руках, и вправду выглядел очень милым, но сейчас Тимура интересовало не это.

— Погоди, Руська!.. А родители знают?

— Глеба? Ну конечно, знают, они мне сами его...

— Да не Глеба, придурок! Наши родители знают о щенке?

— А, наши... Не. Наши не знают.

— Вот блин! Но ведь узнают. И тогда тебя убьют. И меня заодно.

— А может, они и не узнают, — предположил Руська. — Им сейчас все равно не до того. Папа много работает, приходит поздно, уходит рано. А мама такая задумчивая последнее время...

Тимур чувствовал, что уже начинает медленно закипать.

— Слушай, придурок, ну при чем тут это? Работает, не работает, задумчивая, не задумчивая... Рано или поздно мама все равно увидит щенка.

— Даже если я его спрячу?

— Куда?

— А вот, в коробку, — младший брат продемонстрировал Тимуру большую картонную коробку, которая такому маленькому щенку могла служить почти комнатой. — И задвину под кровать. А когда никого рядом нет, буду доставать его, кормить, играть с ним…

— Руслан, ну ты что? Больной? — не выдержал Тимур. — Тебе девять лет уже, а рассуждаешь, как трехлетний. Майка и то умнее! По-твоему, щенок так и будет все это время в коробке сидеть? Это же не игрушка! Это собака, живое существо! Он начнет скулить, тявкать, скрестись… Прогрызет коробку и выберется наружу. Вот мама обрадуется!..

— Но он пока все время спит, — не сдавался Руслан.

— Вот ты сам говоришь — «пока». Спит, пока маленький. Но сколько он еще будет маленьким? Неделю? И вообще, если ты забыл, то мы на каникулы едем к бабушке и дедушке в Лугу. Ты же не оставишь щенка здесь одного? Значит, придется взять его с собой. А как ты это сделаешь, чтобы никто не узнал?

— Но как же быть-то? — Руслан умоляюще взглянул на старшего брата. — Тимур, придумай что-нибудь, а? Ну пожаа-алуйста…

* * *

Наверное, именно из-за этого конкурса, будь он неладен, вечер выдался каким-то странным. Все валилось из рук, неожиданно пропадали вещи — то тряпки, то миски, то продукты, да и дети вели себя непривычно. Руська на целый день закрылся в комнате, даже ел у себя, чего Даша не приветствовала, но на этот раз, так уж и быть, позволила, уж очень сын ее об этом просил. Тимур пришел сердитый и тоже неожиданно рано сообщил, что ложится спать. Одна только Майка осталась верна себе, скакала по дому и без умолку болтала о предстоящем новогоднем утреннике. Уложив ее наконец, Даша почувствовала себя такой усталой, что тоже прилегла и не заметила, как уснула. И проснулась уже в двенадцатом часу, от осторожных шагов в темной спальне.

— Ренат, это ты? — сонно поинтересовалась она.

— Ага, — шепотом отвечал муж. — Разбудил тебя? Извини.

— Есть хочешь? — спросила Даша, не имея сил подняться.

— Нет. Поужинал на работе. Ты спи. Похоже, совсем умоталась.

— Это все из-за Нового года, — поделилась она, стягивая с себя домашние штаны и футболку и, все так же не вставая с кровати, облачаясь в ночнушку. — Я сегодня меню для праздничного стола придумала и все-все продукты купила. Вот только Майкин костюм не подшила, слишком долго ходила по магазинам... И убраться не успела...

Ренат что-то отвечал ей, видимо сожалея, что не сумел пойти с женой за покупками и что не сможет помочь и с уборкой. Но Даша этого уже не слышала. Подкатившись под бок к мужу, она снова крепко спала.

Глава 7.
Лариса.
Осторожно, двери закрываются…

Неумытая, непричесанная, помятая после бессонной ночи и, похоже, с синяком на скуле, Лариса выглядела так, что от нее шарахались даже полицейские овчарки. Пришлось отправляться в вокзальный туалет и спешно приводить себя в порядок. Зеркало подтвердило ее худшие опасения — на левой скуле действительно начал проступать приличных размеров синяк. Призвав на помощь всю имеющуюся в сумке косметику, Лара принялась за шпаклевку, мысленно уговаривая себя, что все могло быть и гораздо хуже. По крайней мере, ей не нужно стремглав бежать к клиенту: еще нет семи, а встреча назначена на одиннадцать. Есть время навести марафет, выпить кофе, может, даже позавтракать, хотя сейчас воротит от одной только мысли о еде. В конце концов, даже в том, что ее поезд оказался не «Сапсаном», есть свои плюсы. Иначе Лариса прибыла бы в Москву часа в два-три утра — и что бы она делала тут в такое время?

С грехом пополам замаскировав синяк, Лариса нашла в здании вокзала кофейню, которая работала даже в столь ранний час, и выпила большую чашку крепкого, горячего и вполне приличного для подобного заведения кофе. Только сейчас Ларе пришла в голову мысль проверить обратные билеты. Ну, конечно, опять поезд дальнего следования и отправление поздно вечером! Ох, Злата, Злата, чудо в перьях... По твоей милости Лариса могла бы остаться без корпоратива, хорошо еще, что не опоздать на самолет в Доминикану. Ну уж нет, с этим надо что-то делать! Лара поспешила в кассу, где ей неожиданно повезло — удалось сдать билет и купить другой, на «Сапсан», в вагон эконом-класса, на 13.30.

— Берите сразу и обратный, — посоветовала кассир. — Тогда получится дешевле.

— Нет, спасибо, — усмехнулась Лариса. — Собственно, это как раз и есть обратный.

Возвращаться в Москву, во всяком случае в обозримом будущем, она уж точно не собиралась.

Меж тем время приблизилось к десяти, и Лара решила, что пора связаться с заказчиком. Вынув айфон, набрала номер некоего Александра, бывшего, как она поняла из переданных через Злату объяснений начальства, помощником их клиента Селезнева.

— Вы уже в Москве? Подъезжайте в башню «Федерация», встретимся там в ресторане «Восток-Запад», — не очень-то любезно отвечал Александр-помощник. И еще более нелюбезно отключился, прежде чем Лара успела узнать, что это за башня такая и где она находится. Ох уж эти москвичи с их самомнением! Назначили себя центром вселенной и почему-то считают, что весь мир должен знать их город как свои пять пальцев. А сами небось от Летнего сада до Зимнего дворца дорогу не найдут... Не переставая возмущаться наглостью помощника олигарха, Лариса отправилась на поиски такси. Она была достаточно опытной путешественницей, чтобы знать, что ловить машину лучше отойдя на пару сотен метров от здания вокзала — если, конечно, не хочешь платить за такси как за чугунный мост. Однако здесь, на площади трех вокзалов, похоже, этот закон не действовал, и пара сотен метров превратились чуть не в километр, пока удалось наконец остановить явно видавший лучшие виды серебристый «Форд».

— Куда? — с заметным акцентом спросил водитель, молодой парень, по виду — выходец откуда-то с Кавказа.

— В башню «Федерация».

— Это «Москва-Сити», что ли?

— Возможно. — Лариса знала это не лучше, чем он.

— Пятьсот рублей!

Цена явно завышенная, но Ларе было уже все равно.

— Хорошо, поехали.

«Москву-Сити» Лариса раньше видела только по телевизору и на фотографиях в Интернете и заключила, что в реальности комплекс смотрится, пожалуй, не хуже, только как-то уж слишком претенциозно, что ли. Башня «Федерация» оказалась парой неправдоподобно огромных небоскребов из бетона и синего стекла. Втиснувшись в крутящуюся зеркальную дверь вместе с двумя респектабельными мужчинами класса «люкс», Лара почувствовала, как ее хваленая «уверенность в себе», которой так восхищались Дашка и Алена, улетучивается с каждой секундой. Запомнить данную охранником инструкцию «налево — прямо — направо — холл бизнес-центра — дальше вверх по лестнице» оказалось выше ее сил. К счастью, Ларису пожалела молоденькая уборщица, которая накинула оранжевую куртку и провела заплутавшую гостью через улицу ко входу нужного заведения.

— Вас кто-то ожидает? — Высокая блондинка-администратор была похожа на героиню голливудской мелодрамы — такая же отполированная и искусственная до мозга костей.

— Да. Мужчина, зовут Александром. Но я никогда его не видела и не знаю, как он выглядит.

— Пойдемте, я вас провожу.

На самом деле в этот раз Лариса прекрасно обошлась бы без провожатых — в столь ранний час в шикарном ресторане имелся только один-единственный посетитель. Александр-помощник оказался совсем не таким, каким его вообразила себе Лара. Ей представлялся этакий развязный молодой блондин, не в меру энергичный и позитивный, как новогодняя реклама кока-колы. Но сидевший за столиком плечистый шатен в джинсах и синем свитере выглядел несколько старше — лет, наверное, на сорок с небольшим. Лицо его показалось смутно знакомым, но где она могла его видеть, Лара не сообразила, и решила, что, видимо, это просто узнаваемый типаж — успешного и довольного жизнью мужчины. Увидев Ларису, он привстал и заулыбался, и если бы Лара не злилась на него, то, возможно, нашла бы его симпатичным. Обручального кольца на пальце не наблюдалось, но Лариса отлично понимала, что это значит только одно — Александр не носит обручального кольца. За время работы с клиентами она достаточно повидала мужчин подобного типа. Такие мужчины — стильные, привлекательные, состоятельные, харизматичные — не бывают одни. У них всегда имеется очередная по счету жена и, как правило, целый комплект любовниц.

— Доброе утро, Лариса, как добрались? — спросил он, в свою очередь ее рассматривая.

Лара невольно повернула голову, чтобы скрыть синяк. Да толку-то. Отворачивайся не отворачивайся, а последствия авральной эвакуации с поезда не скроешь: что внешний вид, что настроение — все на «высшем уровне». Но по большому счету ей было безразлично, что о ней подумает этот человек. В конце концов, они видятся первый и последний раз.

— Лариса Вячеславовна, с вашего позволения. — В общении с клиентами она старалась не допускать фамильярности. — А как ваше отчество, Александр?

— Может, обойдемся без отчества? — Он снова очаровательно улыбнулся, но Лара сейчас менее всего была настроена на флирт с заказчиком.

— Как скажете, Александр. У меня мало времени до поезда, так что, если вы не против, давайте сразу перейдем к делу. У вашего шефа есть ко мне вопросы? Или, может быть, претензии к работе монтажников?

— У моего шефа? — переспросил он, и Лару это рассердило. Он что, еще и тупой, этот помощник олигарха?

— У вашего шефа. Как мне сообщили, его зовут Александром Михайловичем Селезневым, — пояснила она. — И вчера на дверь его квартиры установили систему нашей фирмы. Вас что, попросили встретиться со мной, но не ввели в курс дела?

— А, вот оно что, — он снова улыбнулся, хотя, по мнению Ларисы, тут это было совершенно не к месту. — Нет, не беспокойтесь, я полностью в курсе дела. Что вам заказать?

— Спасибо, ничего, — Ларе не хотелось тратить время на чаепитие и светскую беседу, поэтому она сразу же достала папку с бумагами, чтобы сначала на словах рассказать о системе сигнализации, а потом показать ее устройство и побыстрее откланяться. — Так что насчет вопросов ко мне?

— Один вопрос имеется, — услышала она в ответ. — Как говорится, умная мысля приходит опосля… После того как сигнализацию поставили, мой шеф запоздало сообразил, что пульт управления не вписывается в общий дизайн, и решил его замаскировать. Ваши сотрудники могут это сделать?

— Смотря как он хочет его замаскировать, — пожала плечами Лара. — Если Александру Михайловичу нужно что-то особенное, возможно, лучше обратиться к специалистам по отделке помещений.

— Он хочет, чтобы было как у его знакомых… — Александр потянулся к куртке, висевшей на спинке стула, достал из кармана айфон, поколдовал над экраном и протянул Ларисе. — Вот как на этих фото.

Судя по фото, знакомые олигарха стилизовали пульт управления под старый кассетный магнитофон. Поглядев на снимок, Лара только хмыкнула. Воистину, у богатых свои причуды…

— Да уж, с этим точно не к нам. Это работа для дизайнера.

Совершенно машинально она пролистнула фотографию и увидела новый снимок — Александра-помощника с семьей. Он стоял, обнимая миловидную шатенку, рядом с двумя очаровательными детишками — девочкой лет шести и мальчиком лет четырех — и золотистым ретривером на фоне новогодней елки. Все они, включая собаку, улыбались в камеру и выглядели, по мнению Ларисы, демонстративно-счастливыми, будто снимались для рекламы. Лара усмехнулась про себя тому, что не ошиблась в догадках насчет семейного положения Александра, торопливо возвратила на экран предыдущий снимок и вернула телефон владельцу.

— На самом деле в пользовании нашей системой нет ничего особенно сложного, — сообщила она. — Наверняка монтажники объяснили все после установки. Но ваш шеф зачем-то вызвал меня из Петербурга, так что мне придется повторить по новой. Да, кстати, Александр, кому я должна буду все это рассказать и показать — вам или вашему шефу Александру Михайловичу?

— Давайте мне, — отвечал Александр, продолжая лучезарно улыбаться. — Александр Михайлович улетел сегодня утром на Мальдивы. Но вы не волнуйтесь, я его первый помощник, и мне велено всё проконтролировать, чтобы не было никаких технических неполадок.

— Но чтобы заработали датчики, вам нужно будет ввести код, — нахмурилась Лара. — И делать это надо у него в квартире.

— Не волнуйтесь, Лариса Вячеславовна, у меня есть доступ туда.

— Хорошо. Тогда пройдемте в квартиру, чтобы я могла все наглядно продемонстрировать.

— Вы спешите? — все еще улыбаясь, спросил Александр.

Лара серьезно взглянула на него:

— У меня, как у всей страны, послезавтра Новый год. И да, возможно, вы будете удивлены, но я спешу вернуться домой до его наступления.

— А я-то надеялся угостить вас завтраком, — разочарование Александра выглядело искренним. — Ну хорошо, если вы так торопитесь, то завтрак придется отложить.

Он поднялся и пошел к выходу из ресторана. Лариса двинулась за ним. Проследовав мимо фонтана и галереи бутиков, они спустились на эскалаторе и оказались словно в театральном фойе: стены, колонны, пол — все в розоватом с прожилками мраморе. Вдоль скругленных стен расставлены кресла для посетителей и ожидающих, в кадках — буйная зелень. Лара, страстная любительница комнатных растений, невольно отметила, что цветы здесь хорошо подобраны и за ними грамотно ухаживают. Возле дверей шахты вместо привычных кнопок вызова она увидела терминал. Несколько полос с нумерацией этажей неактивны — заблокированы системой безопасности: посторонним туда доступа нет.

Александр приложил карточку к картридеру. Пока лифт, чем-то напоминающий космический аппарат, поднимал их на пятьдесят шестой этаж, Лариса благодаря зеркальным панелям кабины сумела еще лучше рассмотреть своего спутника. Высокий, телосложение крепкое, спортивный, ухоженный. Часы хорошей марки, одежда, стильная обувь красноречиво свидетельствовали, что жаловаться на зарплату помощнику олигарха не приходится. А еще у него была приятная улыбка — это Лариса подметила еще в ресторане, при первом же взгляде на Александра. «Безусловно, женским вниманием он не обделен, — пронеслось в голове. — Жена, наверное, постоянно мучается от ревности… А может, и хорошо, что хозяина нет? Наверняка он оказался бы толстым, циничным и ужасно вредным нуворишем. От одного вида которого меня бы точно затошнило. А мне и так хреново после бессонной ночи…»

Похоже, квартира олигарха (точнее, его апартаменты, слово «квартира» тут не очень-то подходило) занимала добрую половину этажа. От холла она отделялась достаточно просторным вестибюлем, где тоже стояли цветы и какая-то современная скульптура. И уже в этом вестибюле Лариса увидела входную дверь, недавно оборудованную охранной системой их компании. За дверью обнаружился новый холл-прихожая, уже принадлежащий квартире, площадью, как показалось Ларе, никак не меньше двадцати квадратных метров. Александр галантно помог Ларисе снять куртку и повесил ее одежду на вешалку.

— Сумку можете оставить здесь, — он указал на специальную банкетку, стоявшую у стены, на которой висела картина, по стилю напоминавшая Пикассо. Пикассо Лара терпеть не могла — со всеми этими его голубыми и розовыми периодами, техникой коллажей и кубистической тайнописью.

— Но мне понадобится папка с документами, — возразила Лариса.

— Так возьмите ее с собой.

Еще одна дверь — между прихожей и жилым помещением — также снабженная оборудованием Ларисиной фирмы. Лариса остановилась и здесь, проверила работу установщиков. Вроде все в порядке.

Когда они зашли в апартаменты, Лара едва удержалась от эмоционального возгласа. Будучи менеджером по работе с клиентами в солидной фирме, она повидала немало роскошных квартир и элитных загородных домов, но такое жилье посетила впервые. Чего стоила одна только модель мотоцикла «Харлей Дэвидсон» в натуральную величину, красовавшаяся посередине огромного помещения на вращающемся подиуме! Байк вписывался в декор так же органично, как стеклянная пирамида

Лувра в антураж старого центра Парижа. «Какая прелесть, — усмехнулась про себя Лариса. — Жаль, Алена этого не видит. Разговоров потом хватило бы на год». У нее даже мелькнула мысль сфотографировать мотоцикл, чтобы показать подругам, но Лара не поддалась искушению — помешало хорошее воспитание.

В целом о хозяине апартаментов господине Селезневе у Ларисы сложилось не лучшее впечатление. Интерьер, конечно, был дорогим, но, по ее мнению, безвкусным. Лара всегда считала, что дом — это не изыски современных дизайнеров, а уютные мелочи: подушки, свечки, рамки с фотографиями. И, конечно же, цветы — в горшках и в вазах. А еще в доме обязательно должны быть голоса детей, запах домашней еды, разбросанные по полу игрушки, книжный шкаф и просто ощущение собственного уютного маленького мира. Именно таким представляла себе дом женщина, которая вот уже много лет моталась по съемным квартирам, но, несмотря на отчаяние, продолжала надеяться. Здесь же, в роскошных апартаментах на пятьдесят шестом этаже, не было ни одного цветка и ни одной семейной фотографии. Что же касается детских голосов, то Лариса не решилась даже представить себе ребенка, бегающего мимо этих окон, огромных, от пола до потолка, воплощающих настоящий кошмар для человека с боязнью высоты. Лара, впрочем, ею не страдала, даже, напротив, — с удовольствием полюбовалась бы открывавшимся с такой высоты видом на Москву, но не хотела задерживаться. Надо было спешить, быстренько все проверить, показать-рассказать да и сматывать удочки, чтобы успеть на «Сапсан».

— Александр, система установлена качественно, — сообщила она через некоторое время. — Вашему хозяину отдали все карточки?

— Да, — кивнул тот. — Пару для сейфа и несколько карточек-ключей для входных дверей. Одна из них у меня. Как и брелок для дистанционного управления системой.

— Хорошо. Тогда слушайте дальше. С помощью нашей системы можно управлять различными устройствами — открыть или закрыть окна, включить или выключить свет. В случае попытки взлома замки будут мгновенно заблокированы, а на пульт охраны поступит сигнал. Остальное можно прочитать в инструкции по эксплуатации. Ну, вроде все. Остается только ввести код и посмотреть, как что работает. Выберите пять любых цифр, пожалуйста.

— Давайте пока остановимся на пяти нулях, — решил Александр. — А потом, когда приедет шеф, он придумает свой код.

— Ладно. Смотрите, вы подносите карточку к замку, и он, как ларчик, просто открывается. Беспроводная сигнализация хороша тем, что все охраняется благодаря радиоволнам, а не проводам… Теперь точно все, — закончила Лара и все-таки не удержалась от язвительного вопроса: — А теперь скажите — стоило мне ради пятнадцати минут приезжать к вам сюда из другого города? Разве недостаточно было объяснений установщиков?

— Но вам же нужно убедиться, что все настроено верно, — без тени смущения отвечал Александр.

— Тогда давайте подпишем документы и закончим с этим, — Лариса села на краешек мягкого дивана цвета слоновой кости и достала из папки оба экземпляра договора. Помощник олигарха поставил на каждой странице подписи, похожие на детские каракули, и предложил снова спуститься в ресторан выпить по чашечке кофе, но получил отказ. Обрадованной таким быстрым завершением работы Ларе не терпелось поскорее вернуться домой в Питер и успеть на корпоратив, где ее, возможно, будет ждать Иван... Или не будет. И она все это просто себе придумала...

— Мне пора. Всего хорошего. — Лариса уже приготовилась встать с дивана и распрощаться, как вдруг сработала сигнализация. Звук был настолько громким, что у присутствующих едва не лопнули барабанные перепонки. Подскочив, как на пружинах, Лара и Александр опрометью бросились к дверям.

— Главное, входные двери не закрывайте, иначе мы с вами не выйдем отсюда, — командовала Лариса. — Только хозяин может второй раз сменить цифры кода датчика. К тому же придется оставить дверь открытой...

— И что у вас принято делать в такой ситуации? — спокойно поинтересовался Александр.

— У меня принято сначала разобраться, что произошло, — съязвила Лара, как ей показалось, достаточно удачно.

Сирена наконец замолчала. Лариса подошла к главному блоку управления и обнаружила причину ложной тревоги — Александр, по-видимому, случайно нажал на брелок, который положил к себе в карман.

— Дайте сюда брелок, — потребовала Лара.

— Вот, возьмите. А зачем?

— Поставлю его на блокировку. Это делается вот так, видите? — продемонстрировала она, возвращая ему брелок. —

Теперь, надеюсь, я уж точно могу распрощаться. Если будут какие-то проблемы, звоните, мой номер у вас есть.

Лара еще раз с иронией посмотрела на макет мотоцикла, повернулась к выходу... и в это время послышался грохот захлопнувшейся двери.

— Александр, ну что это опять такое?! — возмутилась Лариса.

— А я откуда знаю? — недоуменно ответил тот. — Она сама. Я туда даже не подходил. Думаю, это сквозняк. Видите, окно приоткрыто? Очевидно, горничная забыла закрыть.

— Ладно, с этой проблемой будете разбираться сами, — заключила Лара. — Пойдемте. Введите код и выпустите нас отсюда.

Они вместе подошли к двери в прихожую, Александр набрал комбинацию цифр, но дверь не поддалась. Лара в недоумении посмотрела на него.

— Вы что, уже забыли код, который придумали всего несколько минут назад? — предположила она. — Так я вам напомню. Пять нулей.

— Ну да, я помню. Видимо, в вашей системе какие-то неполадки. Сейчас попробую еще раз, — он повторил набор. И снова безрезультатно.

— С нашей системой все в порядке, — возмутилась Лариса. — Видимо, вы первый раз набрали не пять нулей, как сказали, а какую-то другую комбинацию. Быстро вспоминайте, так как у нас с вами осталась всего одна попытка. После того как код трижды набирается неправильно, дверь заклинивает намертво. И открыть ее могут только специалисты.

— Я хорошо помню, что набирал именно пять нулей, —

126

настаивал Александр. — И тогда, и сейчас. Это точно какая-то неисправность. Попробуйте сами.

Поколебавшись несколько секунд, Лара все же последовала его совету. Ноль-ноль-ноль-ноль-ноль... Дверь возмущенно взвыла сигнализацией, и ее действительно заклинило намертво.

— Александр! Нет! Что вы наделали? — закричала Лара, бессмысленно дергая дверную ручку.

— Я? По-моему, это вы сейчас набирали код. — Судя по всему, он еще не понял серьезности положения и улыбался.

Однако Ларе было не до смеха. Ведь теперь они оказались заперты! За все время своей работы она еще ни разу не сталкивалась с подобной проблемой и теперь судорожно соображала, что делать. Позвонить на фирму, попросить координаты монтажников, которые устанавливали здесь систему? А вдруг они, как и она, Лариса, специально приезжали на этот заказ из Питера? Конечно, это не конец света, наверняка аналогичные специалисты найдутся и в Москве — но сколько времени понадобится, чтобы их разыскать? Она точно опоздает на поезд, а значит, и на корпоратив... Может, лучше сразу позвонить спасателям?

Лариса обернулась и поискала взглядом свой телефон. Ну конечно, он остался в сумке, а сумка... А сумка в прихожей, аккурат под картиной, смахивающей на ненавистного Пикассо. Вот ведь невезение!..

Однако даже в экстремальных ситуациях Лариса Дьяконова не теряла способности мыслить логически.

— Скажите, вчера, когда монтажники устанавливали систему, кто при этом присутствовал — вы или ваш шеф? — поинтересовалась она.

— Мы оба.

— Это хорошо. Значит, у Александра Михайловича тоже есть карточка. С ее помощью откроется со стороны прихожей дверь. Надо ему позвонить и...

— Вот только Александр Михайлович как раз сейчас летит на Мальдивы. — Помощник олигарха все еще продолжал улыбаться. — Он, конечно, человек влиятельный, но все же не настолько, чтобы развернуть самолет и вернуться в Москву. И даже если мы дозвонимся ему после приземления на острова, сомневаюсь, что он прервет свой отпуск и примчится сюда, чтобы открыть нам дверь.

— Но надо же что-то делать! — не сдавалась Лариса. — Тогда позвоните к нам на фирму, номер указан на договоре.

— Лариса Вячеславовна, ну что вы так нервничаете? — Александр вольготно сел на диване, закинул ногу на ногу и вытянутые руки на спинку. — Почему бы нам не присесть, не пообщаться, не выпить кофе? У шефа прекрасный кофе, в этом он отлично разбирается. Хотите, я сварю нам по чашечке? Кстати, а вы замужем?

От этого возмутительного вопроса Лара даже замерла на миг и уставилась на Александра с таким возмущением, будто он заявил, что ей срочно пора садиться на диету.

— Не поняла, какое это имеет отношение... — процедила она сквозь зубы. — И вообще, с какой это стати мы перешли с вами на обсуждение личных тем?

— Ну а что еще делать, оказавшись запертыми в замкнутом пространстве? — Ему, похоже, было даже весело. — Пить кофе вы не хотите. Только и остается, что вести разговоры по душам.

Хотите я расскажу вам о своем детстве? Или о первой любви? Это случилось в детском саду, в старшей группе...

— Слушайте, да перестаньте вы паясничать! — не выдержала Лариса. — Немедленно звоните на фирму. Я бы и сама это сделала, но мой телефон вместе с сумкой остались в прихожей. А все из-за вас, кстати.

— Вас послушать — так получается, что я виноват во всем, — усмехнулся Александр. — Дверь захлопнулась из-за меня, без сумочки вы остались из-за меня... Интересно, а лето у нас было холодное тоже по моей вине?

— Знаете, это совсем не смешно, — Лариса опустилась в ближайшее к двери кресло. — Прекратите валять дурака и сейчас же звоните. А лучше дайте мне свой телефон, и я позвоню сама.

— Хорошо, хорошо, только, пожалуйста, не нервничайте так! — Он поднялся на ноги, похлопал себя по карманам, потом обвел взглядом комнату и вдруг переменился в лице: — Вот черт!

— Ну что еще такое? — вскинулась Лара.

— Боюсь, дело принимает серьезный оборот... — Александр больше не улыбался, он, кажется, даже побледнел немного. — Простите, Лариса... Вячеславовна. Я шутил с вами, потому что не воспринимал ситуацию всерьез. Был уверен, что с мобильным телефоном любая проблема может быть решена за пару минут, но...

— Что «но»? — с замиранием сердца спросила Лара.

— Но мой телефон... Похоже, я забыл его в куртке. А она, как и ваша сумка, осталась в холле, за закрытой дверью.

Глава 8.
Алена.
Одинокая женщина желает познакомиться

Утро встретило Алену мерзким сигналом будильника. Интересно, есть на свете люди, которые нормально встают в пять утра и при этом не чувствуют ненависти ко всему миру? Окно ночью почему-то приоткрылось, видимо, Алена не повернула ручку, захлопнув его после проветривания. Теперь створка мерзко поскрипывала, впуская в комнату ледяной воздух. Алена быстро встала с кровати, ежась, прошла босиком по холодному паркету и захлопнула окно. До рассвета было еще очень далеко. На темной улице, как и вчера, дул пронизывающий ветер и шел снег с дождем. А ей ехать в Девяткино, причесывать и красить невесту к свадьбе. Да уж, не повезло молодоженам с погодой, ничего не скажешь. Хороших свадебных фото, сделанных под открытым небом, у них точно не получится. Вздыхая от жалости к себе и проклиная все на свете, Алена принялась собираться.

Домой она вернулась около десяти утра, рассерженная и уже уставшая после дороги и непростой работы. Клиентка-невеста оказалась крайне неприятной особой, дотошной и привередливой. Ей все не нравилось, все было не так, она каждую минуту дергала Алену, мешая работать, давала противоречивые указания, делала замечания и в конце концов выдала: «Что вы со мной сделали?! У меня с этой прической нос длинный!» Как будто без прически он у нее короче! Окончательно все испортил отец невесты, который праздновал дочкину свадьбу далеко не первый день. Ему вздумалось приударить за «красоткой-парикмахершей» прямо на глазах у супруги, после чего та буквально выставила Алену за дверь, только что с лестницы не спустила. Заплатить Алене заплатили, но намного меньше, чем она рассчитывала, сунули две тысячи и заявили, что и этого-то много. Очень хотелось швырнуть им эти бумажки и уйти, но Алена сдержалась. Матери-одиночке негоже бросаться деньгами. А так хотя бы окупятся бензин, затраченная косметика и аксессуары.

Подпортила настроение и Милена. Богатая клиентка позвонила сама, что случалось с ней крайне редко. Она набрала номер Алены около семи утра и, с трудом ворочая языком, сообщила, что прическа ей нужна до зарезу. Так что пусть Алена все бросает и тащит свою задницу сюда. Хорошо Алена догадалась уточнить, что клиентка находится не у себя дома, а до сих пор «зависает в клубешнике», где «классно отрывается». И сумела кое-как уговорить Милену созвониться после обеда, когда та наконец приедет домой и отоспится.

Первое, что увидела Алена, зайдя в свою квартиру, были куртка и кроссовки Ника. Что такое, почему он не в школе? Торопливо раздевшись и переобувшись, Алена влетела в комнату сына и обнаружила его спокойно спящим. Во сне Никита казался совсем ребенком, даже несмотря на темный пушок, который уже начал пробиваться над верхней губой. Красивый у нее все-таки мальчик, милый и трогательный… Но Алене некогда было любоваться им и умиляться, дела не станут ждать.

— Ник! — позвала Алена, бесцеремонно стаскивая одеяло и тряся сына за голое плечо. — Ник, ты проспал!

— А? — сонно отозвался Никита, не открывая глаз.

— Ты проспал, говорю! Немедленно вставай!

Наконец сыночек разлепил ресницы и удостоил маму мутным взглядом. Потом дотянулся до телефона и посмотрел на часы.

— Пофиг... пойду к третьему уроку, — буркнул он.

— Что значит «пофиг»? — возмутилась Алена. — Вставай скорее и собирайся!

— Да чего ты кипешишь? Проспал и проспал — делов-то...

— Никита, немедленно подни... — начала было Алена, но ее прервал доносящийся из прихожей звонок. Ну, конечно, она оставила смартфон в кармане куртки.

— Чтоб через десять минут был готов! — строго наказала она сыну и вышла.

Звонил Петя, вчерашний клиент.

— Аленка, я читалку случайно не у тебя вчера забыл? — поинтересовался он.

— А, так это твоя читалка, — разговаривая, Алена вошла в кухню, открыла форточку и закурила. — А я-то думаю, чья это электронная книжка у зеркала валяется... Думала, может, Игоря, друга моего сына.

— Нет, это моя. Ты уж ее не выкидывай, ладно? — пошутил Петя. — А я как-нибудь на днях заскочу и заберу.

— Хорошо, только предварительно позвони. А то перед Новым годом такая суета, сам понимаешь — то клиенты у меня, то я к ним... С женой-то помирился?

— Неа, — на этот раз Петя сообщил это не весело, а печально. — Звоню, а она трубку не берет.

— Ну так съезди вечером домой и поговори с ней.

— Думаешь, стóит? — Он спросил это так серьезно, как будто от ее мнения и впрямь что-то зависело.

— Конечно, — заверила Алена.

Попрощавшись с Петей, она кинула взгляд на часы. Вот-вот придет очередная клиентка, а потом... Потом непонятно что, надо будет звонить Милене, и если та наконец проспалась, то срочно перезванивать всем остальным, кто записан на сегодня, извиняться и отбивать... По крайней мере, до вечера. Чтоб ей пусто было, этой Милене, все планы из-за нее летят к чертям!..

Из комнаты сына не раздавалось ни звука. Да что ж это такое, в самом деле?! Мысленно выругавшись, Алена затушила сигарету, распахнула дверь и увидела, что Никита и не думал подниматься. Он снова завернулся в одеяло и продолжал лежать лицом к стене.

— Никита! Что ты себе позволяешь?

В голосе Алены засквозили нотки, которые каждый ребенок безошибочно узнает в своем родителе — звенящие стальные интонации, сигнализирующие, что он перегнул палку, расплата последует незамедлительно.

— Чего? — отозвался сын из-под одеяла.

— «Чего-чего». Ничего, — сердито передразнила Алена. — Поднимайся, хватит дурака валять.

— Я не выспался... — пожаловался сын, не поворачиваясь.

— А это твои проблемы, милый. Никто не заставлял тебя вчера допоздна за играми сидеть. Ничего, отоспишься за каникулы. А сегодня последний учебный день, и нужно в школу. Давай, соберись.

— Я собран, — буркнул Ник.

— Да? Что-то я не вижу.

— Очки надень.

— Никита!

— Ну что еще?!

— Не хами матери!

— Я и не хамлю!

— А что ты делаешь?

— На кровати лежу, — проворчал сын.

У Алены появилось такое чувство, что Ник просто издевается над ней. Она подошла и резко сдернула одеяло.

— Вставай и марш в школу. Больше никогда не разрешу вам с Игорем играть допоздна.

— При чем тут Игорь?! — искренне возмутился Никита, сев на кровати.

— При том, что спать надо раньше ложиться, — Алена сама не замечала, что повышает и повышает голос. — Когда ж ты уже начнешь понимать элементарные вещи? Ты же уже не маленький, Ник. Тебе всего через два года в институт поступать.

— Да на хрен мне сдался этот твой институт! — огрызнулся сын. — Заладила: «Институт, институт»... Нет уже давно никаких институтов, одни университеты.

— Значит, в университет. От названия ничего не меняется, — раздраженно проговорила Алена. Сейчас ей было совсем не до споров — вот-вот придет очередная клиентка.

— Да не буду я никуда поступать, — ворчал Ник. — Не хочу. В школе учеба достала...

— А что же ты станешь делать? В армию пойдешь? — Алена сдерживалась из последних сил.

— Да хоть куда, лишь бы свалить отсюда! — выдал вдруг Никита. — Достало!

— Что достало?

— Все! — Он вдруг резко соскочил с кровати и выбежал из комнаты, прежде чем Алена успела что-то сказать в ответ. А она только покачала головой. Что ж такое творится с Ником? Может быть, он был за что-то на нее обижен? Но за что? Алена не могла припомнить то, что могло бы дать повод. В последнее время она не наказывала Ника, они не ссорились... То есть нет, ссорились, и постоянно, но все из-за каких-то пустяков, вроде той взятой без спросу зарядки для телефона. Но это ж не повод, чтобы так долго злиться на мать!.. Может, у него в школе что-то случилось? Заканчивается полугодие, вдруг получилась какая-нибудь плохая отметка? Но раньше Никита всегда спокойно говорил о таких вещах. За двойки Алена никогда его не ругала, видя, что сын учится гораздо лучше, чем в свое время училась она. И как ей, Алене, теперь поступить? Надо будет, как только выдастся свободная минута, позвонить Даше, посоветоваться...

Клиентка задерживалась, и пока Ник умывался, Алена успела приготовить ему завтрак, заварила свежего чаю, пожарила яичницу с колбасой — как раз сняла сковородку с конфорки, когда зазвонил телефон. Алена решила, что это клиентка, хочет предупредить об опоздании или вовсе откажется прийти сегодня, но в трубке неожиданно послышался мужской голос.

— Привет! Это Артем. Звоню, чтобы напомнить о себе.

— Ой... — Алена поспешила выйти из кухни, метнулась в свою комнату и плотно закрыла за собой дверь. Говорить с Артемом при сыне ей совсем не хотелось.

— Я не вовремя? — осведомился голос в трубке. — Ты занята?

— Нет, сейчас как раз есть минутка... Но только минутка, — поспешно добавила она. Звонок действительно застал ее врасплох.

— Встретимся вечером? — предложил голос.

— Артем, но я же говорила, что до Нового года у меня никак не получится, — возразила Алена и услышала в ответ:

— Я помню. Но решил проверить — вдруг у тебя изменились планы.

— В том-то и беда, что я не знаю своих планов на сегодня, — пожаловалась Алена. — Полностью завишу от одной... От одного человека. И встреча то ли будет, то ли нет.

— Тогда позвони мне, как определишься.

— Хорошо. А сейчас извини, мне надо бежать.

Этот звонок немного поднял Алене настроение. Артем был случайным знакомым, точнее, даже еще не совсем знакомым, так как в реале они пока еще ни разу не виделись, общались только в Интернете. Все началось пару месяцев назад, когда Алена, послушавшись наконец Дашкиных советов, решилась поместить объявление на сайте знакомств и получила неожиданно много откликов. Правда, большинство из написавших спрашивали, действительно ли она выглядит так, как на фотографии — этих Алена отметала сразу. Мужчины, которые даже не скрывают, что ценят женщин только по внешности, ее не интересовали. Так же быстро отсеялись те, кто сразу стал намекать на интим, а то и вовсе предлагать его открытым текстом. Не отвечала она и ищущим приключений женатикам (их оказалось неожиданно много) и таким, кто не был настроен на длительные отношения. В итоге кандидатов осталось не так уж много, но и среди них попадались настоящие уникумы. Так, один признался, что ищет жену в основном для того, чтобы вместе работать на даче, а то огород у него большой, и без помощи он не справляется. Другой, как выяснилось, много лет нигде не работал, делил с родителями комнату в коммуналке и жил на их пенсию. При этом его все устраивало, и он не собирался ничего менять, так как искренне считал, что «человек должен довольствоваться малым». А еще один и вовсе сообщил, что Алена очень понравилась его девушке, и предложил «стать третьей в их паре». Словом, до идеи встретиться Алена дошла с очень немногими. Но тут как раз подоспел предновогодний аврал, времени на встречи совсем не осталось, и большинство кандидатов исчезли с ее горизонта, устав слышать: «Извините, но сегодня я опять не могу. И завтра тоже не могу, и в выходные. Давайте созвонимся как-нибудь после праздников». Однако Артем оказался самым стойким, он все равно звонил и постоянно напоминал о себе, и Алена сочла это неплохим предзнаменованием. Как и то, что он говорил, что зарегистрировался на сайте, чтобы найти себе жену. И наличие у Алены ребенка его не смутило, Артем только уточнил, сколько Никите лет, и неоригинально удивился, что у такой молодой женщины уже такой взрослый сын.

Клиентка все еще не появилась и не позвонила. Решая, стоит ли самой набрать ее номер или еще немного подождать, Алена заглянула в кухню проверить, позавтракал ли сын, и увидела, что Никита сидит, привалившись спиной к холодильнику, курит ее сигареты. И, похоже, даже не собирается идти в школу.

Его поведение рассердило. Алена уже больше года знала, что Ник курит, такие вещи не скроешь, да он не особенно и старался. Но раньше сын никогда не делал этого дома, во всяком случае так демонстративно.

— Никита, нам надо поговорить, — серьезно сказала Алена.

— Я не хочу ни о чем говорить, — буркнул сын.

— А придется, — отрезала мать, входя в кухню. Только бы клиентка задержалась еще немного...

— Никита, в чем дело последнее время? — устало начала Алена. — Может, у тебя что-то случилось? Так расскажи мне.

Ник угрюмо молчал, не глядя на нее.

— Раньше ты всегда все мне рассказывал, — уговаривала Алена, стараясь, чтобы голос звучал спокойно, а сама перебирала в уме разные варианты, один страшнее другого. Ника стали третировать, издеваться? Он принимает наркотики? Связался с плохой компанией? Проблемы с законом? — Можешь сказать, что бы это ни было. Я все пойму.

Она подошла и попыталась обнять парня, но тот вырвался из ее рук.

— Все у меня нормально, отстань, — процедил он сквозь зубы.

— Тогда что случилось?

— Ничего.

— Но я же вижу, что что-то случилось!

— Что ты видишь? — огрызнулся Никита. — Ты только своими клиентами и занята целый день!

— Я зарабатываю нам деньги! — возмутилась Алена. — Мы же должны на что-то жить!

— Вот был бы у меня отец, были бы и деньги, — буркнул Ник.

Алена изумленно посмотрела на сына. Ему что, не хватало отца? Наверное... тяжело жить с одной матерью, когда ты мальчик.

— Никита…

— Ну что «Никита»? — передразнил ее сын. — Я уже пятнадцать лет Никита.

— Ник, ты не понимаешь… Это сложно. Я пыталась снова… завести отношения, но не так-то просто встретить… встретить нормального мужчину в наше время. Тебе сейчас тяжело понять…

— Да ничего мне не тяжело! У меня и так уже был отец! Настоящий! Биологический! Нафиг мне еще какие-то?

Он взял из пачки новую сигарету, и Алену это почему-то особенно возмутило.

— Перестань курить, когда я с тобой разговариваю!

— А что? — вызывающе ответил сын. — Сама дымишь весь день, а мне нельзя?

— Я взрослая, — неуверенно возразила Алена. — А у тебя растущий организм. Тебе вреднее…

— Да ладно тебе! — перебил сын. — На самом деле тебе на это наплевать. Тебе вообще на меня наплевать.

— Никита! Да что с тобой творится, в самом деле? — ахнула Алена. — Что ты такое говоришь? Да никогда в жизни мне не было на тебя наплевать… Думаешь, я так много работаю для собственного удовольствия? Думаешь, мне нравится вставать в пять утра и горбатиться каждый день до поздней ночи? Думаешь, я не хотела бы проводить с тобой больше времени? Но я делаю это для тебя! Нам же надо на что-то жить… Я ведь, между прочим, воспитываю тебя одна, вообще без чьей-либо помощи!

— А кто тебя заставлял? Уж тем более одной, — со странной интонацией проговорил Ник, затягиваясь сигаретой.

— По-твоему, я должна была сдать тебя в детский дом? — Алена совершенно опешила от его слов.

— По-моему, ты должна была думать, прежде чем оставить меня без отца! — выпалил сын.

— Ник, но ты же знаешь... — Алена чувствовала себя совершенно беспомощной и страшно злилась на это. В подобной ситуации мать должна держаться строго, уверенно и сразу поставить распустившегося ребенка на место. А она вместо этого растерялась и зачем-то оправдывается. — Я ж тебе рассказывала, что у нас с твоим отцом не сложилось...

Ее прервал звонок в дверь, и Алена невольно встрепенулась.

— В общем, договорим вечером, — заключила она. — А сейчас быстро собирайся и топай в школу. Слышишь?

Ник только усмехнулся и не сдвинулся с места.

Клиентка даже не извинилась за опоздание, хотя по ее милости у Алены теперь сдвинулся весь график. А еще надо было что-то решать с Миленой... Алена работала на автомате, машинально поддерживала болтовню с клиенткой, но думала только о сыне и разговоре с ним. Вскоре после прихода клиентки она услышала, как хлопнула входная дверь — видимо, Никита все же послушался и отправился в школу.

Как только в работе выдался перерыв, женщина набрала номер Милены. В очередной раз никто не брал трубку. Наверное, не проспалась еще после своего ночного клуба... Тогда Алена позвонила Даше.

— Привет, — сказала она, когда подруга взяла трубку. — Как дела?

— Лучше не спрашивай, — рассмеялась Даша. — У меня тут полный дурдом… Хорошо, что Новый год только раз в году, иначе я бы не выдержала. А ты как?

— И у меня дурдом.

— С клиентами?

— С клиентами тоже. Но больше с Никитой.

— А что такое? — встревожилась Даша.

— Да все то же самое. Орет, хамит, не слушается… Сегодня вот поругались крупно, убежал, хлопнул дверью.

— А что у него вообще сейчас в жизни происходит?

— Не знаю, — призналась Алена.

— То есть как это не знаешь? — удивилась Даша. — Ты же его мать.

— Я не мать, — вздохнула Алена. — Я ехидна.

— Ты не ехидна, — заверила подруга. — Ты белка в колесе. Или даже, скорее, ломовая лошадь. Никто не вправе тебя осуждать. Но знаешь, Аленка, думаю, тебе стоит хоть иногда жертвовать работой ради сына.

— Легко сказать. — Алена затянулась сигаретой. — А жить мы на что будем?

— Попробуй всего один раз отказать одной клиентке, — посоветовала Даша. — Всего одной. Ну, потеряешь несколько тысяч, это не катастрофа. Зато высвободится пара часов на то, чтобы побыть с сыном. Это гораздо важнее. Постарайся провести это время с максимальной пользой. Ты же понимаешь, что…

— Да-да, — перебила Алена. — Если я сейчас потеряю с ним контакт, то могу больше никогда его не восстановить. Ты мне это уже говорила, и не раз. Хорошо, Дашуль. Я попробую…

После Нового года. А сейчас извини, мне надо бежать. Клиентка ждет, пора смывать краску.

Попрощавшись с подругой, Алена ткнула сигарету в пепельницу и вернулась к работе, а вместе с ней — и к своим невеселым мыслям.

…Алена никогда не понимала, почему ту ситуацию, в которую она попала шестнадцать лет назад, когда застала мужа с любовницей, так любят использовать в комедиях. Ровным счетом ничего смешного в этом нет. Все невольные участники подобной сцены чувствуют себя отвратительно. И ей, Алене, тогда явно пришлось хуже всех. Диана вела себя вызывающе, даже нагло, смотрела с таким презрением, будто это Алена была шлюшкой, связавшейся с чужим мужем, а не наоборот. Влад глупо улыбался, но хотя бы обошелся без идиотских реплик в стиле: «Подожди, я тебе сейчас все объясню, это совсем не то, о чем ты подумала». А Алена… Ей почему-то было в этот момент очень стыдно. За Влада и его дурацкую улыбку. За себя, наивную провинциалочку, позволившую так с собой поступить. И даже за Диану, которой чувство стыда было, похоже, незнакомо в принципе.

Она не устроила сцену, не закатила скандал, не стала выяснять отношения. Просто вернулась в прихожую, схватила сумочку и выбежала на улицу. Минут через двадцать позвонил Влад, и Алена взяла трубку. Он начал что-то говорить, но Алена его перебила.

— Не нужно ничего объяснять. Я ухожу.

И это не было сказано для красного словца, Алена действительно ушла. Вернулась к Дашке с Ларисой, провела с ними выходные, а в понедельник утром, когда Влад был в институте, приехала к нему домой и собрала свои вещи в те же самые спортивную сумку и старенький чемодан, с которыми когда-то пришла сюда. Из того, что было куплено на деньги мужа, взяла только мелочи — бельё, недорогую одежду. И мобильный телефон — вещь, без которой, к сожалению, в современном мире не обойтись. Шубу, брендовые наряды и украшения Алёна оставила. Демонстративно положила на подушку оба кольца — помолвочное и обручальное, отдала ключи лопающейся от злорадного торжества свекрови и навсегда покинула этот дом.

Хозяин кафе, где она когда-то познакомилась с Владом, готов был снова взять Алёну официанткой, но возвращаться она не хотела — с этим местом оказалось связано слишком много воспоминаний. Она искала другую работу, через Интернет, так как, живя с Владом, научилась пользоваться компьютером. И сразу же после первого визита в интернет-кафе нашла неплохой вариант — сиделка с проживанием к интеллигентной старушке. Детей у Киры Ильиничны не было, а племянница жила на другом конце города и не могла (да честно сказать, и не стремилась) часто навещать тетушку, зато могла платить, чтобы кто-то присматривал за Кирой Ильиничной, восстанавливающейся после инсульта. Алёна встретилась с обеими женщинами, понравилась им, и вскоре перебралась жить на Петроградку. А ещё до этого позвонила Владу и попросила прийти в загс — подать заявление на развод.

Сначала Влад и слышать о разводе не хотел. Он обрывал Алёне телефон, ждал её с цветами у Дашкиного дома, опускался на колени и просил прощения. Даже, вспомнив период ухаживания, позвонил на любимый Аленин радиоканал, чтобы крикнуть на всю страну: «Алена, прости меня!» После этого она назначила ему встречу у дверей загса и прямо спросила:

— Ты можешь дать мне слово, что подобное больше никогда не повторится? Только, пожалуйста, не ври.

Влад замялся.

— Не знаю, — честно ответил он наконец.

Алена молча развернулась к мужу спиной и потянула на себя тяжелую дверь. Влад немного постоял, махнул рукой и пошел за ней.

Они заполнили бланки заявления и разошлись в разные стороны, так больше и не сказав друг другу ни слова. Через месяц Алена пришла в назначенный день одна. Влад не явился, но это было и неважно. Свидетельство о разводе ей все равно выдали. В нем значилась ее девичья фамилия — Рябова. Алене ее фамилия не нравилась, казалась некрасивой и напоминала о тех временах, когда «эти алкаши Рябовы» были на устах у всех соседей. Но фамилию Влада она не стала оставлять из принципа.

А еще через две недели Алена узнала, что беременна.

Глава 9.
Даша.
Тысяча шестьсот девятнадцать

Проснувшись, Даша первым делом похвалила себя за силу воли. Вчера у нее хватило мужества всю вторую половину дня не подходить к компьютеру и не следить за числом голосов, которое вроде бы и росло, но как-то уж очень медленно. И потому в половине третьего, как только вернулся Руська (он ходил в гости к другу и немного задержался), Даша неимоверным волевым усилием заставила себя выключить ноутбук, убрала его от греха подальше в тумбочку под телевизором и постаралась вообще забыть о конкурсе. Выкинуть его из головы не удалось, мысли то и дело возвращались к пресловутому числу голосов, — но по крайней мере компьютер она больше не включала.

Однако ж сегодня от вчерашней выдержки не осталось и следа. И первое, что сделала Даша, едва только осталась одна, — это вытащила из тумбочки ноут, вышла в Интернет и посмотрела результаты конкурса. Теперь число голосов под ее статьей и списком равнялось тысяча шестистам девятнадцати, и настроение у Даши сразу улучшилось. Это число нравилось ей больше, чем восемнадцать, потому что в девятнадцать лет она вышла замуж за Рената.

Собственно, познакомились они гораздо раньше, почти сразу же после Дашиного приезда в Питер. Самая большая комната в теткиной коммуналке принадлежала татарской семье, которая собирала у себя по праздникам многочисленную родню. Как-то раз во время их посиделок Даша, неся к себе из кухни закипевший чайник, столкнулась в извилистом коридоре со скромным молодым человеком, довольно симпатичным, хотя и небольшого роста. Они поздоровались, перекинулись парой ничего не значащих слов, и, уже закрыв за собой дверь комнаты, Даша тотчас забыла о его существовании. Но молодой человек, которого, как вскоре выяснилось, звали Ренатом, встретился ей и в другой раз, и в третий. С некоторых пор он стал захаживать к своей родне все чаще и чаще. Приходил почему-то именно в те дни, когда у Даши был выходной, и каждый раз вроде бы случайно встречался с ней в коридоре, прихожей или на кухне. Однажды он постучался к девушкам в комнату и спросил, нет ли у них чего-нибудь интересного почитать, затем Даша сама попросила его зайти починить люстру, потом Ренат уже стал просто так заглядывать к ним — поболтать, попить чаю, к которому всегда приносил что-нибудь вкусненькое.

«А он точно на тебя запал», — усмехалась Алена. «По-моему, он хороший человек. Добрый, порядочный, надежный», — говорила Лара. Но Даша только отмахивалась. Да, она сама все это знала. И то, что Ренат влюблен в нее, и то, что он, похоже, и впрямь неплохой парень… Ей нравилось видеть рядом преданного поклонника, но у нее имелась своя компания, и в этой компании — красавец Денис, которому невысокий скромный татарин проигрывал по всем статьям. И Даша со свойственным юности легкомыслием кокетничала с Ренатом, принимала от него цветы и маленькие подарки, пару раз даже сходила с ним в кино — но постоянно давала понять, что это ничего не значит и надеяться ему не на что.

Все изменилось после той поездки на юг, куда Даша отправилась с Ларой, одна — отдыхать после тяжелого учебного года, а другая — залечивать очередную душевную рану. Было жарко и весело, теплое море подмигивало рассыпанными по воде солнечными зайчиками, курортная атмосфера располагала к беспечности и легкомыслию. Даша позволила себе расслабиться и безостановочно флиртовала с парнями и мужчинами, не позволяя, однако же, никому из них выйти за рамки приличий. И все шло хорошо — ровно до последнего дня, когда они с Ларой познакомились с кавказскими спортсменами. При воспоминании об этом эпизоде ее биографии Дашины щеки до сих пор заливались румянцем. Не надо было строить парням глазки, не нужно было принимать их приглашение в ресторан... Ох, не нужно, и Лара об этом говорила... Но Даше так хотелось как следует оторваться в последний день, и она сумела убедить подругу, что все будет в порядке. Лариса, у которой на тот момент еще не имелось практически никакого опыта общения с противоположным полом, ей поверила. И, естественно, посиделки в ресторане и беззаботное кокетство чуть было не закончились очень плохо. Девчонкам еле удалось смыться от не в меру распалившихся южных парней. Покинув свой номер, Лара и Даша спрятались на чердаке и провели там всю ночь. Лариса вскоре уснула, но Даша так и не сомкнула глаз до утра. Сначала она боялась, что их найдут, и чувствовала себя ужасно виноватой перед Ларой — ведь все произошло по ее, Дашиной, вине. А потом Даша вдруг подумала, что, будь сейчас рядом с нею Ренат, ничего бы этого не случилось. Он бы не допустил. Да и она бы рядом с ним чувствовала себя совсем по-другому...

Медленно тянулась непроглядно-темная южная ночь, ветер тихо шумел листвой, а Даша, сжавшись в комочек на старом раздолбанном кресле, боялась пошевелиться, чтобы не разбудить Лару, и думала о своей жизни... И о Ренате. Именно в ту ночь она поняла, что все на свете делает неправильно, не так, как нужно. Что все ее тусовки с компашкой, ночные гулянки, выпивка, парни, ищущие только легких, ни к чему не обязывающих отношений, — все это совсем не то, на что нужно тратить свою молодость. И что ей не нужен ни Денис, ни кто-то еще — а нужен только Ренат. Еще вчера Даша почти не думала о нем... То есть нет, думала, конечно, но не *так*. Утром, садясь в поезд, девушка уже не сомневалась в том, что любит Рената.

На другой же день после приезда она, едва переодевшись и смыв с себя морскую соль, сама позвонила Ренату. Вечером он пришел к ней с букетом головокружительно ароматных лилий.

— Откуда ты знаешь, что я люблю лилии? — удивилась Даша.

— Ты говорила.

— Разве? Когда?

— В прошлом году.

Она сама не помнила, о чем говорила не только в прошлом году, но иногда и в прошлом месяце. А он запомнил. И это, и многое другое.

В тот день они с Ренатом гуляли до самой ночи. Разговаривали... обо всем. Как описать этот первый, самый важный разговор по душам? Ренат рассказывал ей о работе в автомастерской и говорил так увлеченно, что невольно заразил своей страстью и Дашу, которая раньше как-то никогда особенно не интересовалась машинами. Даша рассказывала про свою семью. О том, какие они все замечательные и как она скучает по родным. Только в тот вечер, стоя на Благовещенском мосту, она осмелилась признаться, прежде всего самой себе, а потом уже Ренату, что родные-то, оказывается, были правы — учеба в вузе действительно не для нее. Этим летом Даша не стала подавать документы в универ, поскольку совсем не готовилась к поступлению, весь год думала о чем угодно, только не об экзаменах.

— Даже не представляю, как скажу об этом родителям, братьям и сестрам, — жаловалась Даша. — Они, наверное, будут смеяться.

— Не будут, — заверил Ренат.

— Почему ты так думаешь?

— Потому что они тебя любят.

— Откуда ты знаешь? — улыбнулась она.

— Тебя нельзя не любить, — очень серьезно сказал Ренат, глядя в лицо девушки.

Если бы они были героями книги или фильма, то в этот момент, наверное, поцеловались бы. Но они являлись реальными людьми и не успели тогда поцеловаться, потому что как раз в ту минуту вдруг хлынул дождь. Питер не просто так славится своей погодой и ее непредсказуемыми капризами. Почувствовав, что с неба упали первые тяжелые капли, Ренат и Даша бегом бросились искать какое-нибудь укрытие, но пока добежали с середины моста до ближайшего навеса, то успели вымокнуть до нитки. Тогда им было весело, но на другой день выяснилось, что оба простудились, после чего Даша целых семь дней провалялась в постели с высокой температурой.

— Это была ужасная неделя, — сказал Ренат, когда они наконец встретились вновь.

— Ты про ангину? — спросила Даша. На самом деле она и сама прекрасно знала ответ, но ей очень хотелось услышать его от Рената.

— Нет. Я про то, что не видел тебя целую неделю, — смущенно улыбнулся он.

— Знаешь, я тоже все время об этом думала... — призналась она.

И тут уже никакой на свете дождь не смог бы помешать их первому поцелую.

Впоследствии, вспоминая то время, Даша удивлялась, как быстро их любовь вошла в ровную и спокойную колею. Они понимали друг друга с полуслова, им было хорошо и уютно вместе. Их с Ренатом тянуло друг к другу, хотелось не расставаться ни на минуту. Но даже несмотря на то что они, как все влюбленные в начале отношений, могли вообще не вылезать из постели, их роман вряд ли можно было назвать страстным. Никаких неистовых эмоций, ссор, сцен ревности и бурных примирений в объятиях друг друга. Их счастье сразу же оказалось спокойным и тихим.

То, что они обязательно поженятся, стало ясно практически сразу. Даша и Ренат неспешно, с увлечением строили планы на будущее и сначала собирались расписаться следующим летом. Памятуя недавнюю свадьбу Алены, Даша мечтала о красивом, пышном и шумном торжестве, на которое собралась бы вся многочисленная родня с обеих сторон. Но судьба распорядилась иначе, когда Даша узнала, что беременна Тимуром. Пришлось расписаться гораздо раньше и отпраздновать свадьбу намного скромнее, чем хотелось. Впрочем, и так получилось неплохо.

Первое время жить им пришлось все у той же тети Нади. Ренат хоть и являлся петербуржцем, но вырос, как и Даша, в многодетной семье, пусть и не такой большой, и ему просто некуда было привести молодую жену. Так что пришлось Ларисе, пожелав счастья подруге и ее мужу, перебраться в общежитие. А молодожены выкинули совсем уж рассыпавшийся от времени диван, на котором когда-то спали Алена и Лара, и поставили на его место кроватку для сынишки.

Когда Ренат говорил о планах на будущее, о собственной автомастерской и о том, что готов один обеспечивать большую семью, Даша не то чтобы не верила ему, но как-то сомневалась, что задумки мужа смогут быстро воплотиться в жизнь. Однако, на удивление, Ренату все удалось. Бизнес, который он начал с двумя партнерами, оказался успешным. Ренат много (по мнению Даши, даже слишком много) работал — но зато и прилично зарабатывал. Когда Тимуру исполнилось три года, они купили однокомнатную квартиру. А Майка появилась на свет уже в трешке, где семья жила и по сей день. Новое место жительства Даше очень нравилось. От центра, конечно, далековато, но зато зеленый, экологически чистый район, и квартира просторная, большие кухня, холл и лоджия — как дополнительные комнаты.

Дети рождались один за другим, росли, постоянно требовали внимания. Долгое время Даше, по горло занятой семьей и домашними хлопотами, даже особенно некогда было задуматься, счастлива она или нет. Время для размышлений появилось лишь после того, как Майка пошла в детский сад. И тогда Даша решила, что, пожалуй, счастлива, но...

Ох уж это самое пресловутое «но»! Как бы ни было все хорошо в целом, всегда найдется мелкая деталь, какой-нибудь пустячок, который добавит ложку дегтя в бочку меда. К тридцати с небольшим годам Даша вдруг почувствовала, что ей недостаточно быть женой и матерью, что ей не просто нужно, а прямо-таки жизненно необходимо занять чем-то не только руки и голову, но и свою душу. И в результате все вылилось в этот самый конкурс и число «1619» в окошке под ее списком...

В первый момент ей показалось, что тысяча шестьсот девятнадцать — это очень даже неплохо. Но потом Даша, пролистнув страницу туда-сюда, соотнесла свое число с данными конкурентов и приуныла. Оказалось, что она находится на седьмом месте. Ее опережали целых шесть человек, причем трое даже значительно — число проголосовавших за их списки уже перевалило за две тысячи, а у одного конкурента даже почти подобралось к трем. Три соперника шли почти вровень с Дашей — тысяча шестьсот пятьдесят два, тысяча пятьсот восемьдесят семь и тысяча семьсот четыре. Правда, имелся и явный аутсайдер, набравший всего-то двести четырнадцать голосов, но этот факт Дашу не слишком-то утешал.

Сначала она, конечно же, расстроилась. Но потом взяла себя в руки и напомнила себе, что, собственно, и не рассчитывала на победу, а только хотела попробовать свои силы. Однако такое утешение показалось слабым. Зачем себя обманывать? Конечно же, она очень хочет занять первое место! Не ради приза, не ради поездки по Европе и даже не ради работы в штате популярного интернет-сайта… Хотя, что греха таить, в Европу ей хочется, их семья еще не была в Европе, за границу ездили только в Турцию и Египет. Что уж говорить о работе — ей, домохозяйке без специального образования, такая возможность и не снилась… И все-таки больше всего привлекали не призы, а сам факт возможной победы. Если бы Даше удалось занять первое место, она могла бы доказать, что чего-то стоит как личность и мужу, и своим родителям, и братьям и сестрам, и родне Рената… А прежде всего самой себе.

Тысяча шестьсот девятнадцать — это, конечно, немного, но, может быть, еще не все потеряно? Ведь до окончания голосования двое суток, даже двое с половиной — может быть, картина изменится? Может быть, цифры не всю жизнь будут ее врагами? Вдруг настал именно тот переломный момент, после которого все станет иначе?

Даше вдруг вспомнилось недавнее новоселье Лары. Как та назвала свою квартиру счастьем, а потом забыла код от подъезда, и Аленка поддразнила ее: «Забыла код собственного счастья». И как она, Даша, стала потом фантазировать, как хорошо, если б каждый человек мог подобрать некую комбинацию цифр или букв и стать счастливым!.. Помнится, девчонкам понравилась эта идея, они даже выпили за то, чтобы каждая из них узнала собственный код счастья... Так что ж получается, Дашин код счастья — это число голосов, необходимых для победы?

Интересно, а сколько нужно голосов, чтобы уж точно оказаться впереди всех? Даша попыталась вообразить это число. Положим, десять тысяч голосов... Хотя нет, десять тысяч ей не понравились. Это было круглое число, надуманное и неправдоподобное. Никто не выигрывает с такими «ненастоящими» числами. Тогда пусть будет десять тысяч и... Десять тысяч и тридцать пять, как ее нынешний возраст. Вот это число ей нравилось.

Даша удовлетворенно улыбнулась, написала на листочке «10035», потом поднялась, отправилась на кухню и подошла к холодильнику. Выбрала свой любимый магнит, привезенный Ларой в подарок из Праги, и придавила им листочек. Последняя статья, которую Даша написала в своем блоге, как раз была посвящена визуализации планов и вызвала горячее обсуждение. Судя по комментариям читательниц, многим этот метод хорошо помогал — и Даша надеялась, что и она не станет исключением.

Теперь пора было закрыть ноутбук и идти заниматься делами. Нужно сделать генеральную уборку во всей квартире, особенно в комнате сыновей, где всегда жуткий кавардак, убрать обратно на антресоли коробку для елочных украшений, чтобы не спотыкаться об нее в холле, и подшить, наконец, Майкин костюм Красной Шапочки, будь он неладен. Даша очень надеялась, что предпраздничные заботы отвлекут ее от мыслей о конкурсе и она не полезет в Интернет до самого вечера. А то и вовсе до завтра. В конце концов, она же взрослый человек, и у нее есть сила воли.

* * *

Начав убирать комнату мальчишек, Даша даже не догадывалась, насколько беспокойную ночь провели ее сыновья. Вечером, сделав вид, что они страшно устали, оба ушли спать пораньше, закрылись в своей комнате, но, конечно, даже и не думали укладываться в постель, было просто не до того. До той минуты ни один из мальчиков не представлял, сколько забот может доставить крошечный щенок — особенно когда этого щенка приходится ото всех прятать. Сделав соответствующий запрос в Интернете, Тимур листал страницы и хватался за голову. Сколько ж, оказывается, всего нужно малышу! Кормить четыре раза в день, желательно теплой и обязательно полезной едой, давать воду, завести подстилку, игрушки... А еще и убирать за ним, подтирать по углам лужи, поскольку щенку, конечно же, нельзя объяснить, что можно делать, а чего нельзя. Выспавшись, он рвался играть, исследовать комнату, да еще и все время норовил подать голос. Чтобы никто не услышал его жизнерадостного тявканья, Тимур догадался включить музыку, но это помогло ненадолго. В девять часов мама постучала к ним в дверь и потребовала тишины, потому что Майка уже ложится спать, да и им обоим тоже пора на боковую. Хорошо еще, что мама не вошла в их комнату! Мальчишки и так не на шутку перепугались, когда она вдруг хватилась творога — была же целая пачка в холодильнике, куда делась, непонятно... Руське пришлось наврать, что он проголодался и все съел, что не на шутку удивило маму, отлично знавшую, что ее младший сын терпеть не может творог. Зато щенку это угощение пришлось вполне по вкусу. Он вообще обладал завидным аппетитом, счастье еще, что от ужина остались тушеные овощи, и проблема с вечерней кормежкой была решена.

— Так дальше продолжаться не может! — вполголоса убеждал брата Тимур. — Завтра же утром отнеси щенка обратно.

— Я не хочу! Он такой классный, — возражал Руська.

— Тогда надо сказать о нем маме.

— Но она ведь не разрешит его оставить!

— Не разрешит, — соглашался Тимур. — Но она все равно его найдет, когда мы завтра уйдем в школу, а она возьмется за уборку.

— Но что же делать?

— А я откуда знаю? О чем ты вообще думал, когда решил его притащить? — шипел старший брат.

Они долго ломали голову в поисках выхода, но так ничего и не придумали умнее, чем перенести коробку с малышом на лестничную клетку, в дальний закуток, куда обычно редко кто заглядывал. Коробка большая, борта у нее высокие, авось щенок не сможет из нее выбраться. Главное поставить ему миски с водой и едой, постелить тряпку и положить игрушки. Авось за те несколько часов, пока Руська будет в школе, со щенком ничего не случится.

Тимуру еще пришлось отвлекать маму, чтобы та не заметила, как Руська утром выносит из квартиры щенка и весь «багаж» малыша. Но вот наконец все оказалось позади, и мальчишки помчались в школу, где Тимура ждала Софа... Хотя вряд ли она его ждала, конечно. Это он с нетерпением ждал с ней встречи.

Увидеть ее до начала занятий не удалось, и на первом же уроке он тайком стал набирать Софе эсэмэску, прикрывшись от учительницы учебником алгебры. Вообще Тимур, как многие его сверстники, считал учебники, тетради, ручки и всю прочую школьную лабуду пережитком прошлого и недоумевал, почему в век электронных гаджетов их еще до сих пор заставляют всем этим пользоваться. Но иногда и учебники тоже оказывались полезны — вот как сейчас. «Надо поговорить», — написал Тимур Софе. Ответ пришел почти сразу же: «Встретимся под лестницей на большой перемене». Это обнадеживало, и у Тимура сразу улучшилось настроение. Теперь оставалось только дождаться большой перемены.

Теоретически двадцать минут большой перемены отводились на то, чтобы школьники могли позавтракать. Так что, едва прозвенел звонок, все его друзья тут же помчались в столовку. Тимур только проводил их взглядом. Он и сам не прочь был бы перекусить, поскольку его утренняя порция каши досталась щенку. Но сейчас у него имелись дела поважнее.

Софа опаздывала. Тимур слышал, что девушки вроде бы и не должны приходить на встречи вовремя, и мог с этим смириться, но торчать, как лоху, под лестницей было совсем не круто. Но вот наконец послышались легкие шаги по лестнице. Сердце Тимура часто забилось, но он заставил себя остаться на месте и не рвануться навстречу Софе. Тем более что вот она, уже сама подходит.

— Привет! — Когда она вот так улыбалась, кокетливо и лукаво, то выглядела совсем взрослой девушкой. — Так о чем ты хотел со мной поговорить?

— Ну, это... — У Тимура отчего-то вдруг перехватило дыхание и осип голос, как при ангине. — Ты сказала, чтобы я побрился...

— Да, с первым моим заданием ты справился. — Софа кивнула с такой важностью, будто речь шла о невесть каких серьезных вещах. — Осталось еще два.

— И чего дальше? — без особого энтузиазма поинтересовался Тимур.

— Дальше... — Она немного помолчала, накручивая волосы на палец и явно напряженно размышляя. — А второе задание... Второе задание ты придумай сам!

— Как это? — не понял он.

— Ну, придумай что-нибудь такое, чтобы я удивилась. Вот прям ахнула, — пояснила Софа и поспешно добавила: — Только чтобы мне это понравилось. Иначе не считается!

— Ну ты даешь... — только и смог сказать Тимур.

Софа пожала плечами:

— Так я тебя и не заставляю. Ты сам предложил мне встречаться.

В тот день Тимуру уже больше было не до учебы. Он напряженно думал, перебирал разные варианты, и в итоге остановился на одном — весьма, как ему казалось, удачном, но трудноосуществимом. Пришлось посоветоваться с верным другом Максом.

— Бабский у тебя какой-то план, — недоверчиво протянул друг, выслушав Тимура.

Тимур пожал плечами.

— Ну так и Софа не мужик. А девочкам такое нравится.

— Да, тут ты прав, — признал Макс после некоторых раздумий.

— Вот только как это сделать? — размышлял Тимур. — Может, пробраться ночью в школу и...

— Не выйдет, — обломал Макс. — Как ты сюда залезешь? Все ж заперто, везде сигнализация... Приедет полиция — и доказывай потом, что ты не воровать забрался. Даже если поверят и отпустят, все равно предкам настучат.

— Ну а как же тогда...

И вдруг Макса озарило.

— У меня идея! — воскликнул он. — Надо поговорить с дядей Серегой, охранником. Расскажем ему все как есть, попросим помочь...

— Думаешь, сработает? — недоверчиво поинтересовался Тимур.

— Должно сработать, — заверил Макс. — Во всяком случае, попробовать надо. Он нормальный мужик, понимающий. Авось договоримся...

Глава 10.
Лариса.
За закрытыми дверями

В первый момент Лариса не поверила своим ушам, решила, что помощник олигарха все еще продолжает шутить. Но увы, выражение лица Александра говорило об обратном. Похоже, ситуация действительно осложнилась, и они оказались заперты в этой огромной квартире без всяких средств связи.

— Так что же вы сидите? — рассердилась Лара. — Сделайте что-нибудь!

— Что?

— Хотя бы охрану вызовите!

— Как? — Александр растерянно развел руками. — Стационарного телефона здесь нет. А наши мобильники остались за запертой дверью.

— Но в здании полно охраны! — не сдавалась Лариса. — Неужели нет с ними никакой связи? Какой-нибудь тревожной кнопки или чего-то в этом духе?

— Увы, — Александр только покачал головой. — Насколько я знаю, шеф планировал заняться этим после праздников. Но пока руки не дошли — ведь квартиру он приобрел совсем недавно. Даже пожарную сигнализацию он еще не подключил — хотя, по-моему, с этого следовало бы начинать.

— Черт знает что! — Не имея терпения оставаться на месте, возмущенная Лара подскочила и заходила по комнате, благо размеры помещения ее не ограничивали. — Но не может же быть, чтобы не существовало никакого выхода! Давайте кричать, звать на помощь!

— Боюсь, нас никто не услышит. Тут хорошая звукоизоляция. — В отличие от нее, Александр оставался почти невозмутимым, и Ларису это просто выводило из себя. — Даже если мы станем изо всех сил колотить в дверь, в лифтовом холле этого все равно не будет слышно.

— А соседи? Сбоку, сверху, снизу?

— Какие соседи, Ларисочка Вячеславовна, о чем вы? Вы забыли, что за люди здесь живут? Уж конечно они не сидят дома в новогодние каникулы. Все соседи еще с Рождества — не нашего, а европейского — разлетелись кто куда. Я не удивлюсь, если эта квартира — единственная на всех шестидесяти двух этажах, которая в данный момент не пустует.

— Но так не бывает! Должен найтись какой-то выход! — Лара бросила нервный взгляд на часы. Ей уже пора было выдвигаться на вокзал, иначе она опоздает на поезд.

— А что вы, собственно говоря, так переживаете? — На лицо Александра вернулась его обаятельная улыбка, но сейчас Лара уже не могла видеть ее без раздражения. — Рано или поздно нас спасут. Числа второго или третьего должна прийти горничная. У нее, кстати, тоже есть карточка от замка. Да и оказались мы с вами не в каком-нибудь холодном сарае или сыром подвале без окон, а в теплой и даже относительно приличной квартире...

— Инструменты! — перебила его Лара, которую внезапно озарила догадка. — В квартире должны быть инструменты, чтобы открыть дверь!

Рот Александра скривился в ироничной усмешке.

— Это в квартире-то моего шефа? Боюсь, вы его совсем не знаете. Слышали, конечно же, анекдот: мужчины делятся на тех, кто способен починить кран, и на тех, кто способен заплатить за то, чтобы ему починили кран. Так вот, мой шеф — типичный представитель второй категории. Зачем ему хранить дома инструменты, когда в любой момент можно вызвать бригаду слесарей?

— Жаль, что его тут нет, вашего шефа, — Лара произнесла эти слова почти со злостью. — Мог бы убедиться, что не все вопросы на свете решаются деньгами. Черт! Эй, кто-нибудь! Вы меня слышите? Мы заперты! Захлопнулся замок! Выпустите нас! Помогите!

Она все-таки заколотила кулаками в дверь, но шум от этого получился значительно меньший, чем Лара рассчитывала. Тогда она стала стучать еще и ногой, сначала носком, не пожалев любимые ботильоны, потом, повернувшись спиной к двери, всей ступней. Стучала она, как ей показалось, целую вечность, но не достигла никакого результата, если не считать улыбки Александра, который наблюдал за ней.

— Ну что вы так нервничаете? — в который уже раз спросил он. — Смиритесь, мы все равно не можем ничего сделать. Сядьте отдохните.

— Да о чем вы говорите, какой отдых? — раздраженно откликнулась Лара. — У меня вот-вот поезд уйдет!

— И что с того? Разве вас кто-то ждет? Кто-то будет беспокоиться о вас?

В другое время Лара, возможно, не обратила бы никакого внимания на эти, в общем-то, ничего не значащие слова. Но сейчас они вдруг так резко и так болезненно резанули по сердцу, что она почувствовала, как подкосились ноги. Лариса упала в кресло и, закрыв лицо руками, горько расплакалась. Обычно она не показывала слабость при людях, разве что в исключительных случаях и только при самых-самых близких — маме, Дашке и Алене. А так всегда находила в себе силы, чтобы справиться с отчаянием, и следовала жизненному принципу «все, что нас не убивает, делает сильнее». Но сейчас она дала волю слезам. Видимо, слишком много накопилось обид, тревог и переживаний. Как вскрывается гнойная рана, так и вскрылась душевная — от этого случайно, вскользь брошенного напоминания о ее неизлечимом одиночестве. Вдруг невыносимо стало жаль себя за то, что приходится жить, прикрываясь улыбкой, постоянно делая вид, будто у тебя все хорошо, когда на самом деле впору хоть в петлю. Если бы этот счастливый и благополучный мужчина мог себе представить, как ужасно возвращаться в пустой холодный дом, где тебя никогда никто не ждет. Как тяжело постоянно на что-то надеяться, покупать косметику и модную одежду, ходить в салоны красоты и фитнес-клубы, понимая, что никому это на самом деле не нужно. Если бы он знал, каково это — рыдать ночами в одинокой квартире, оплакивая еще один ушедший день из тех, что снова и снова не принесли с собой никаких перемен...

Женщины убеждают себя, что занимаются своей внешностью, проводя многие часы на шопинге и в косметическом кабинете и даже ложась под нож пластического хирурга, ради самой себя — но это не так. На самом деле каждая из них хочет быть красивой лишь потому, что жаждет любви. А ее мало, на всех не хватает: кто-то любит, кто-то лишь позволяет себя любить, причем делает это подчас весьма мерзко и цинично. А кому-то и вообще ничего не достается. Как ей, Ларисе.

Через минуту ее плач только усилился, потому что после первой волны отчаяния пришла следующая, еще сильнее — Лара вспомнила о сегодняшнем корпоративе и о тех надеждах, которые возлагала на встречу с Иваном.

— Ну что вы в самом-то деле? Не плачьте... — Александр подошел сзади, с неожиданной нежностью прикоснулся рукой к ее волосам и протянул ей стакан воды. Лара машинально приняла его, отпила пару глотков, а Александр тем временем продолжал:

— Все не так страшно, уверяю вас. Здесь есть и телевизор, и ванная, и горячая вода, и кофе, и... — он подошел к холодильнику, открыл дверцу. — И ммм... вы не поверите, что я нашел. Еда! Ее хватит на все каникулы. Так что успокойтесь и представьте, что у вас уик-енд в роскошной квартире на пятьдесят шестом этаже. Знаете, сколько тут стоит посуточная аренда? А у нас еще и полный пансион — в смысле, полный холодильник.

— Да перестаньте же молоть чепуху! — всхлипнула она. — Мне же надо в Питере быть! У нас сегодня корпоратив...

Брови Александра изумленно взметнулись.

— Вот только не говорите мне, что такая женщина, как вы, может всерьез расстроиться из-за какого-то пропущенного корпоратива. Хотя... Кажется, я понимаю, в чем дело. У вас на этот корпоратив имелись планы... как бы это сказать... личного характера, да?

— Да вам-то какое дело? — Сейчас она готова была его возненавидеть. Ну что он лезет к ней в душу?

Александр же, как назло, продолжал свои расспросы:

— У вас случился служебный роман, да? И насколько все серьезно?

— Случится у меня роман или нет, вас это вообще не касается! — отрезала Лариса, но он тут же зацепился за ее слова.

— А, так никакого романа еще нет...

— И ничего тут нет смешного! — почти выкрикнула Лара.

— Да я и не думал... — начал он, но Лариса его не слушала.

— Вы хоть можете себе представить, что значит для одинокой женщины, которой перевалило за тридцать, встреча с красивым и свободным мужчиной? Все! Это шанс, которого, быть может, никогда больше не выпадет! Вам этого не понять! А я, может, умру, так и не подобрав этого чертова кода счастья! В конце концов, рожу ребенка от старого приятеля, воспитаю его и стану надеяться на стакан воды в старости...

Лара отставила стакан и говорила, не глядя на Александра, уткнув лицо в сложенные на спинке кресла руки. Но так как ответа долго не было, она все-таки подняла голову и увидела, что он достал из холодильника масло и металлическую баночку, пооткрывал кухонные ящики в поисках хлеба и нашел-таки багет. Отрезав два ломтика, он медленно и с чувством какого-то внутреннего достоинства намазывал на них масло и покрывал его сверху черной икрой. Как раз к окончанию процесса приготовления бутербродов закипел электрочайник.

— Вы что будете, чай или кофе? — спокойно и даже как-то буднично поинтересовался он, будто и не слышал ее отчаянного монолога. — Если нужно, в холодильнике есть сливки и обезжиренное молоко.

— А кто вам разрешил лезть в чужой холодильник? — ахнула Лариса, от удивления даже забыв на миг о своих переживаниях. — У вас что, с вашим шефом такие дружеские отношения, что он позволяет вам есть свою черную икру?

— Во всяком случае, не думаю, что Александр Михайлович обрадовался бы, если бы, вернувшись с отдыха, обнаружил в квартире труп своего помощника, умершего от голода, — с улыбкой возразил помощник олигарха. — Даже два трупа — мой и ваш. Так что топайте в ванную, быстренько умывайтесь, сморкайтесь, приводите себя в порядок — и возвращайтесь к столу. Я, к вашему сведению, еще не завтракал, а время уже обеденное.

— Что? Да кто вы такой, чтобы указывать мне, что я должна делать? — Лариса предприняла последнюю попытку сопротивления.

— Сосед, — усмехнулся Александр. — Как минимум на ближайшие три, а то и пять дней.

Лара снова хотела возмутиться, но он не дал ей и рта раскрыть.

— Послушайте… — Мужчина тяжело вздохнул, будто разговаривал с упрямым ребенком. — Если нельзя изменить обстоятельства — измени свое отношение к ним. Это прописная истина.

И Лара сдалась. По большому счету, она и сама была рада хоть на минуту выйти из комнаты — после неожиданного для нее самой взрыва эмоций стало стыдно за свою дурацкую откровенность перед посторонним человеком. Это ж надо так сорваться… И кто ее тянул за язык? Наверное, во всем виновата бессонная ночь. Но, как ни странно, после бурных слез стало немного легче.

Выразительно сверкнув глазами на Александра, Лариса отправилась в ванную, размерами превосходившую жилую комнату в Лариной однушке. Входя, Лара, очевидно, нажала не тот выключатель, потому что верхний свет под потолком не загорелся. Но это оказалось не важно — рассеянного освещения от двух пар светильников на стенах вполне хватило на всю ванную комнату.

Ванная, в отличие от всего остального здесь, Ларисе понравилась. Зеркала увеличивали и без того немалое пространство. Весь интерьер, включая мебель, сантехнику и аксессуары, был выдержан в едином, нежном фисташковом, оттенке, пол украшала изящная мраморная мозаика, краны и стилизованные фигурные ручки сияли бронзой. «Да, от такой ванной и я бы не отказалась», — подумала Лара, подходя к зеркалу над двойной раковиной с мраморной столешницей. То, что оно отразило, совсем не порадовало: покрасневшие глаза, опухший нос, черные дорожки потекшей туши. И синяк на скуле, проступивший сквозь смазанный тональный крем. «Красавица…» А исправить положение нечем — косметичка осталась в сумке.

Смыв остатки макияжа, Лариса склонилась над раковиной и принялась прикладывать к лицу ладони, смачивая их холодной водой, — импровизированный компресс. После этого щеки наконец перестали гореть, да и на душе стало если не светлее, то, во всяком случае, менее пасмурно. Подумалось, что, наверное, стоит прислушаться к словам Александра. Раз уж дверца золотой клетки захлопнулась, то придется смириться и как-то прожить предстоящие дни. И зря она так на него взъелась. В том, что случилось, помощник олигарха, конечно, не виноват. Дверь действительно захлопнулась сама. Так что не стоило срывать на нем злость. Как не стоило и вываливать на незнакомого человека всю подноготную. Стыдно-то теперь как… Но ничего не попишешь, слово не воробей. Все, что она может сделать — больше не думать об этом. Переключиться на мысли о чем-то другом… Да хоть о еде. Может, и вправду стоит перекусить? Неизвестно, сколько они тут просидят. Глупо отказываться от предложения Александра, да и шеф его уж точно не обеднеет от пары съеденных ею бутербродов. Глядишь, на сытый желудок и голова лучше заработает, и найдется-таки способ выбраться из заточения.

Тщательно вытершись пушистым и на удивление мягким махровым полотенцем, висевшим на бронзовом кольце, Лариса вернулась в часть апартаментов, отведенную под кухню, совмещенную со столовой. За время ее отсутствия к бутербродам с икрой добавились мясная и сырная нарезка, свежие огурцы, зелень, вазочки с несколькими видами печенья и конфет. Ноздри защекотал головокружительный запах кофе.

— Поскольку вы так и не сказали, что предпочитаете, я и кофе сварил, и чайник вскипятил, — Александр широким жестом обвел кухонную зону. — Так что выбирайте. Чай есть черный, есть зеленый, есть белый. Даже красный есть.

— Спасибо, мне достаточно кофе. — Лариса присела к столу и только сейчас почувствовала, до какой степени голодна.

— Сахар, сливки?

— Нет, ни того ни другого. Считаю, что у кофе должен быть натуральный вкус.

— В этом я с вами согласен, — кивнул Александр, пододвигая ей чашку. — Никогда не пью кофе по-восточному, потому что в него все время норовят добавить специи... Лариса, ну что вы до сих пор такая грустная? Из-за сорвавшегося корпоратива?

— Не только из-за корпоратива, — она откусила от бутерброда и невольно отметила, что багет совсем свежий, мягкий и с хрустящей корочкой. Очевидно, перед выходом из дома олигарху доставили хлеб к завтраку. — Завтра я должна лететь в Доминикану. На все каникулы. А теперь, похоже, поездка сорвется. Пропадут и путевка, и билеты...

— Да, это обидно, — кивнул Александр, сооружавший себе многоэтажный сэндвич из окорока, сыра, огурца и салата. — И с кем вы должны лететь?

— Одна, — не без вызова ответила Лариса.

— Это хорошо, что одна, — тут же откликнулся он. — Никто о вас волноваться не будет.

После этих слов Лара не без труда подавила в себе желание выплеснуть кофе прямо в его улыбающееся лицо. Все с таким трудом обретенное душевное спокойствие улетучилось в один миг.

— Не вижу ничего забавного в том, что осталась без каникул! — резко проговорила она. — А все из-за дурацкой прихоти вашего шефа. Пришлось в канун праздника сломя голову нестись в другой город, потому что хозяин — барин, а клиент всегда прав. И что в итоге получилось?

— А вы посмотрите на случившееся под другим углом, — посоветовал Александр-помощник, который уже успел расправиться со своим огромным бутербродом и взялся за сооружение следующего. — Представьте, что мы с вами на психологическом тренинге, в замкнутом пространстве и без связи с внешним миром. Тренинги довольно эффективны, стоят немалые деньги, а нам выпала бесплатная возможность… Вы бывали когда-нибудь на бизнес-тренингах?

— Пару раз, — Лара аккуратно вытерла пальцы салфеткой. — И сочла их бездарной тратой своего времени и денег компании. К счастью, мой шеф тоже быстро разочаровался в этом модном увлечении. А сложившаяся ситуация мне больше напоминает не тренинг, а «За закрытыми дверями» Сартра. Да за три дня в замкнутом пространстве я или с ума сойду, или… — оторвавшись от чашки, она с вызовом посмотрела на собеседника, — или вас в окно выкину!

«И это хорошо, — думала она про себя, — если речь действительно о трех днях. А вдруг горничная не придет сразу после Нового года? Чего убираться-то, если хозяина нет? Явится только перед его приходом, и тогда три дня превратятся во все тринадцать».

— Браво, Лариса Вячеславовна! — искренне и с чувством

рассмеялся Александр. — Еще никто не сравнивал мое общество с адским наказанием.

«Надо же, он читал Сартра, — мелькнуло в голове у Лары. — Никогда бы не подумала». Впрочем, все это время она вообще о нем особенно не думала...

— И вынужден вас разочаровать, — продолжал тем временем Александр. — Выкинуть меня в окно не получится.

— Вы будете отчаянно сопротивляться? — Она невольно поддержала его шутливый тон.

— И это тоже. Но вдобавок окна здесь не открываются больше чем на десять сантиметров. Из соображений безопасности, знаете ли.

Повисла минутная пауза. Лариса поймала себя на том, что невольно поддается его обаянию. Ему невозможно не поддаться, когда он смотрит вот так, излучая спокойствие, энергию и жизнерадостность. Хотя, казалось бы, чему тут радоваться?

— Александр, а почему вы так невозмутимы? — не без ехидства поинтересовалась Лара. — Неужели ваша семья не сойдет с ума, когда вы вечером не вернетесь домой и даже не позвоните?

— Это вы как бы невзначай интересуетесь моим семейным статусом? Прощупываете почву? — спросил он и, заметив, как Лара изменилась в лице, поспешил добавить: — Расслабьтесь, я пошутил.

— Знаете, Александр, ваши шутки иногда оскорбительны! — с пафосом выдала Лариса.

— Ну простите, правда, я не хотел вас обидеть, — его огорчение выглядело искренним. — Действительно, попытка показаться остроумным не удалась... На самом деле я, конечно, совсем не спокоен. Переживаю не меньше вашего. Конечно, и мне неприятно внезапно оказаться в неконтролируемой ситуации. И у меня имеются планы на каникулы, и у меня есть люди, которых обеспокоит мое неожиданное исчезновение. Но я трезво оцениваю обстановку и понимаю, что эмоциями делу не поможешь. И раз нет никакого рационального выхода, остается только принять происходящее.

— Только это очень трудно сделать, — пробурчала Лариса.

— Ну, никто и не обещал, что нам в жизни будет легко…

Он помолчал немного и проговорил после паузы:

— Знаете, Лариса Вячеславовна, у меня к вам просьба. Если можно, не называйте меня «Александр». Полным именем, да еще точно таким же тоном, как у вас, меня зовет мама, когда на меня за что-то сердится. Сейчас это, к счастью, редко бывает, мы находимся достаточно далеко друг от друга, чтобы сохранять прекрасные отношения. Но в детстве, когда я слышал от нее «Александр», я всегда понимал, что дела мои дрянь.

От этих слов Лара невольно улыбнулась.

— Ваша мама живет в другом городе? — поинтересовалась она, надкусывая шоколадную конфету.

— И даже в другой стране. Пять лет назад она неожиданно для всех вышла замуж — это в шестьдесят один год! — и укатила в Канаду. И теперь очень счастлива.

— Что ж, я рада за нее, — вежливо произнесла Лара, а про себя подумала, что пример его мамы, конечно, вселяет надежду, но ждать своего счастья еще почти четверть века Лариса все-таки не готова.

— Жаль, что у меня нет телефона и я не могу показать вам фотографии ее дома на берегу озера, — теперь Александр, похоже, решил развлечь ее светской беседой. — Мама страшно гордится тем, что обставила его сама, без помощи дизайнеров. И должен признать, что получилось у нее неплохо.

— Не сомневаюсь, что у вашей мамы отличный вкус, — Лариса подхватила было игру в «светскую беседу», но не удержалась и добавила: — Не то что у вашего шефа.

От неожиданности Александр чуть не поперхнулся кофе.

— Вы не перестаете меня удивлять. С чего вы взяли, что у него нет вкуса?

— Но это ж надо было поставить в центре квартиры мотоцикл! — возмутилась Лара.

— Вы так праведно негодуете, словно это не мотоцикл, а... Даже не знаю, какое сравнение использовать, — усмехнулся Александр. — Ну хорошо, а что бы поставили в центре квартиры вы? Цветущее лимонное дерево или чучело умершего от старости любимого мопса?

— Я бы поставила детскую кроватку! — Эти слова вырвались у Лары быстрее, чем она успела обдумать свой ответ.

Собеседник откинулся на высокую спинку стула и покачал головой.

— Не думаю, что это хорошая идея. Для детской кроватки здесь не самое подходящее место. Как бы вам объяснить, Лариса Вячеславовна... Эти апартаменты не годятся для малышей. Это собственность холдинговой компании, которой владеет шеф вместе с компаньонами, и для личной жизни она не предназначена. Здесь можно ночевать после работы, можно проводить встречи и переговоры в неофициальной обстановке. Это удобно — офис практически в шаговой доступности и не надо тратить время на дорогу и стояние в пробках. Плюс в «Москва-Сити» есть все для удобства, от бассейна и спортзалов до ресторанов и торгового центра. Но все это для удобства делового человека, понимаете? Не для маленького ребенка. По моему глубокому убеждению, детей надо растить ближе к природе. В условиях, похожих на те, в которых обитает моя мама. Там, где есть лес, речка, чистый воздух, зеленые луга, солнце...

Лара хотела что-то сказать, но Александр жестом попросил не перебивать.

— Но не в стеклянном аквариуме в двухстах метрах над землей. Пусть и фешенебельном, с кондиционированием, очисткой, утилизацией и другими системами жизнеобеспечения. Внизу-то, в районе бизнес-центра, экология далеко не благоприятная... Думаю, шеф придерживается такой же точки зрения. У него пока нет семьи, но, когда она появится, уверен, они будут жить не здесь.

— Ну да, ваш шеф-олигарх переберется с семьей на берег озера и прихватит с собой свой «Харлей-Дэвидсон», — усмехнулась Лара.

— А вы напрасно смеетесь, — Александр отодвинул пустую чашку. — О вкусах, как говорится, не спорят. Вы никогда не обращали внимания, что люди всегда торопятся осудить других за то, что те не похожи на них самих, и почти не задумываются о причинах этой непохожести? Для вас этот байк — всего лишь воплощение безвкусицы, но для шефа он может быть чем-то очень значимым. Может, «Харлей-Дэвидсон» — кумир его юности, может, он рос и мечтал о нем, как девушки мечтают о любви. А может, этот мотоцикл, с его скоростью, мощью, эргономической эстетикой, для него все равно что символ. Символ движения вперед, силы, успеха, победы. Может, именно этот образ в свое время вдохновил его и помог стать тем, кто он сейчас. Вы презрительно называете его олигархом, но ведь вы же ничего о нем не знаете. Через что он прошел, как всего достиг и чего это ему стоило…

— Вы правы, — смешалась Лара. — Я… Извините, Александр.

— Да не за что, — отмахнулся тот. — Меня ваше замечание нисколько не обидело. А шефа здесь нет. Хотите еще кофе?

— Нет, спасибо.

В воздухе повисло молчание. Лара непроизвольно взглянула на часы. Ее «Сапсан» уже далеко от Москвы… А способа выбраться из плена она так и не придумала. Прощай, корпоратив, прощайте, надежды на встречу с Иваном, прощай, Доминикана… Переведя взгляд на панорамное окно, Лариса с тоской уставилась на бескрайнее сероватое небо. Где-то далеко внизу шла простая и понятная жизнь. Падал снег, люди спешили по своим делам, подыскивали и выбирали подарки, закупали продукты для праздничного новогоднего стола и даже не подозревали о существовании двух пленников элитного небоскреба.

Александр вдруг рассмеялся и, встретив удивленный взгляд Лары, пояснил:

— Я вдруг подумал: какое счастье, что Александр Михайлович не мечтал в детстве стать космонавтом. Представляете, если бы вместо мотоцикла он впер в апартаменты космический корабль в натуральную величину?..

Невольно улыбнувшись в ответ, Лариса поинтересовалась:

— Скажите, Александр, а ведь, наверное, это очень неудобно, что вы с вашим шефом тезки? Наверное, часто возникает путаница?

— Бывает, — кивнул он. — Это тоже причина, почему я не люблю, когда меня называют полным именем.

— И как же вы предпочитаете, чтобы вас называли?

— Вообще-то мама и друзья зовут меня Шуркой. Но я ничего не имею против варианта Саша.

— Что ж, я готова перейти на Сашу, — согласилась Лариса. — Раз уж мы, против своей воли, оказались здесь в заточении. И в свою очередь разрешаю вам обращаться ко мне без отчества, просто по имени.

— Тогда, может, заодно перейдем и на «ты»? — предложил он.

— Давайте… Давай, — она пожала плечами. — А то действительно нелепо — просидеть несколько дней запертыми вдвоем в квартире и при этом выкать.

С сытным завтраком было покончено. Лара встала из-за стола и в раздумьях посмотрела на руины их пиршества. Наверное, следовало помыть посуду и убрать остатки нарезок. Но хозяйничать в доме заказчика, открывать его шкафы и лазить в холодильник казалось как-то совсем неловко…

Точно прочитав ее мысли, Саша тоже поднялся и произнес:

— За это не беспокойся. Я все уберу.

— А что делать мне? — вырвалось у Ларисы.

— А ты пока осмотрись. Познакомься с обстановкой поближе. Все-таки тебе тут жить как минимум несколько дней.

Глава 11.
Алена.
Белка в колесе, или Мать-ехидна

Около половины третьего Алена наконец-то дозвонилась до Милены. И с удивлением узнала, что та давно ее ждет.

— Алена, кисуля, где тебя но-осит? — ныла в трубку клиентка с интонацией избалованного ребенка. — Почему тебя до сих пор нет? Я тебя с утра жду! Мне срочняк постричься надо. Я уже похожа на швабру!..

— Что же вы не позвонили? — недоумевала Алена. — И я вам каждые полчаса названивала, вы трубку не брали.

Однако Милена не сочла нужным что-либо объяснять.

— Давай, тащи сюда свою попу! — потребовала она. — Сколько мне еще тебя дожидаться?!

Алена на некоторое время задумалась, прикидывая, что и как, — в комнате ждала очередная недопричесанная клиентка, а на вечер было записано еще трое. Но это все не столь важные клиенты, а Милена...

— Я смогу выехать минут через сорок. Да и дорога займет не меньше часа, день-то предпраздничный. Так что буду у вас ближе к пяти, никак не раньше.

— Ну что ж с тобой делать, — вздохнула Милена с такой обреченностью, словно ее приговорили к смертной казни. — Давай хоть к пяти...

Отказывать заранее записавшимся клиентам, да еще под праздник, крайне неприятно, Алена терпеть этого не могла, но деваться некуда. Пришлось позвонить и отбить всех троих, освобождая себе весь вечер, потому что с Миленой никогда нельзя что-то планировать. Несколько раз Алена заставала у Милены целую толпу подружек — им всем вдруг тоже резко приспичило подстричься или покраситься. И то, что у мастера могло не оказаться с собой нужной краски или еще чего-то столь же важного, никому из них в голову не приходило. И Алена как-то ухитрялась выкручиваться, всегда возила с собой на этот случай в багажнике своего «Опеля» целый чемодан принадлежностей. Заработанные таким образом деньги оказывались, конечно, совсем не лишними, но возвращалась она домой после таких авралов едва живая. Один раз даже бросила в Репине свой «Опель» и вызвала такси, потому что была не в силах управлять автомобилем, просто валилась с ног от усталости. Так в том такси и уснула, водитель потом едва ее добудился.

Извинившись и кое-как оправдавшись перед возмущенными клиентками, одна из которых уже даже выехала к ней, Алена набрала номер сына. Нику пора было вернуться, уроки наверняка давно закончились. Однако Никита сбросил ее вызов, а когда она перезвонила снова, не взял трубку.

Насчет долгой дороги Алена не ошиблась. Предпраздничный укороченный день, помноженный на плохую погоду, — не лучшее время для автомобильных путешествий на большие расстояния. Пришлось постоять в пробках, в многочисленной компании товарищей по несчастью, так же, как и Алена, едущих из центра на окраины. С той только разницей, что эти люди отработали свой последний день перед каникулами, проводили в офисе старый год и теперь спешили домой к любимой семье, вкусному ужину, тапочкам, телевизору и удобному дивану. Алена же ехала на очередную работу, которая неизвестно сколько продлится и бог весть когда закончится...

Несмотря на заторы на дороге, в Репино она прибыла вовремя, даже на пять минут раньше назначенного срока. Остановилась у пропускного пункта на въезде в элитный коттеджный поселок, объяснила охране, куда направляется, и вдруг услышала в ответ:

— А Милены Витальевны нет дома.

— Как это «нет»? — опешила Алена. — Мы же договорились...

— Ничем не могу помочь, — развел руками охранник. — Она уехала.

— И давно?

— Около часа назад.

Ну ни фига ж себе! Некоторое время у Алены просто слов не находилось от возмущения. Как можно было вот так дернуть ее, заставить тащиться по пробкам через весь Питер, «на другой конец географии», как выражается Дашка, а самой уехать? Даже если пришлось куда-то срочно отлучиться, хотя бы позвонила... Алена посмотрела на телефон — нет, никаких пропущенных звонков. Тогда она сама набрала номер Милены, и та, против обыкновения, сразу ответила, с трудом перекрикивая звучавшую где-то совсем рядом с ней музыку:

— А, это ты... — Она явно ждала какого-то другого звонка.

— Милена, я стою на въезде в ваш поселок, — сообщила Алена. — Мы с вами вообще-то договаривались на пять...

— Да? — искренне удивилась Милена. — Правда, что ли? А я забыла...

— Так вы передумали стричься? — Алена чувствовала, что начинает закипать, как вода в радиаторе ее старенького «Опеля» во время жары.

— Нет-нет, мне до зарезу надо! — тут же возразила Милена. — И как можно скорее. Завтра прямо с утречка позвони обязательно! Все, пока-пока!

И отключилась, прежде чем собеседница успела что-то ответить.

Проклиная все на свете, Алена развернулась и поехала обратно в сторону центра. И что теперь делать? Опять звонить клиенткам и говорить, что планы поменялись и можно приезжать? Неудобно... Что ж, значит, у нее будет сегодня свободный вечер. И надо этому радоваться, а не злиться, что поломались все планы. Сейчас она приедет домой... Или нет, сначала заскочит в супермаркет и купит чего-нибудь вкусного. Отбивных, например, Никитка очень любит свиные отбивные с косточкой. А еще копченой колбасы. И фруктов. Мандаринов обязательно, Новый год же все-таки... И шоколадных конфет. Приготовит ужин и проведет весь вечер с сыном... Господи, она ведь в этой суматохе даже забыла проверить, пришел Ник домой или нет! Вот уж действительно мать-ехидна!..

Съехав на обочину, Алена набрала номер сына и слушала длинные гудки, пока вызов не прервался. Похоже, Ник все еще на нее обижен. А может, просто не слышит звонка, врубил звук на полную мощь и играет в свою стрелялку...

Однако когда Алена, отстояв в супермаркете огромную предпраздничную очередь, явилась с оттягивающими руки пакетами домой, сына там не оказалось. И телефон его по-прежнему не отвечал.

«Ну, совсем загулял парень... — думала Алена, разбирая купленные продукты и укладывая их в холодильник. — Впрочем, чему тут удивляться, сегодня же был предпоследний день перед каникулами. Может, праздник в школе какой-нибудь. Или просто затусили где-нибудь с друзьями, с девчонками... Я ведь даже не знаю, есть ли у Ника девочка, нравится ли ему кто-нибудь. Раньше он мне все рассказывал, но последнее время из него слова клещами не вытащишь...»

Зазвонил телефон, и Алена метнулась к нему, уверенная, что звонит сын. Но на дисплее высветилось имя Артема.

— Звоню узнать, определилась ли ты со своими планами на вечер, — деловито осведомился он.

— Э... — Алена уже хотела привычно отказаться от встречи, сославшись на занятость, но вдруг подумала — а почему бы и нет? Раз у нее внезапно выдался свободный вечер, а Ника все равно нет дома, почему бы этим не воспользоваться? Почему бы не встретиться с Артемом, ненадолго, всего на пару часов? Она вернется не поздно и успеет еще пообщаться с сыном...

— У меня есть немного времени, — сообщила Алена в трубку. — Но только немного, час-два, не больше.

— Тогда встретимся в половине восьмого. — Артем назвал адрес японского ресторана, распрощался и повесил трубку.

Алена вихрем метнулась к одежному шкафу. Японскую кухню она не любила, но разве сейчас это важно? Главное, что у нее совсем мало времени на то, чтобы выбрать наряд и привести себя в порядок. Хотелось и произвести впечатление, и не замерзнуть, так что в итоге она остановилась на коротком шерстяном платье серебристо-серого цвета с соблазнительным вырезом. Волосы заколола на затылке, оставив по обеим сторонам лица крупные пряди, которые выглядели слегка небрежно — но сколько же пришлось с ними провозиться ради этой легкой небрежности! Накладывая макияж, Алена решала, как будет добираться до ресторана. Своя машина отпадает, не отказывать же себе в бокале-другом вина из-за того, что она за рулем? Вызвать такси или поехать на общественном транспорте? Пожалуй, второе — и дешевле, и, может быть, даже быстрее.

От первого свидания с Артемом Алена почему-то ждала многого. Отчасти в этом было виновато предпраздничное настроение, хотелось верить в чудо и встретить Новый год, ощущая себя не измученной матерью-одиночкой, а *женщиной в отношениях*. Ей хотелось чувствовать надежного человека рядом, хотелось вновь ощутить себя нужной, любимой и желанной...

Телефон Никиты все еще не отвечал. Алена написала сыну записку, прикрепив ее на зеркало в прихожей, надела пальто и поспешила на свидание.

В ресторан она приехала раньше назначенного времени. Это все глупости, что женщина должна опаздывать, а мужчина терпеливо ее дожидаться. Подобное кокетство и прочие романтические заигрывания хороши в семнадцать лет. Женщина, имеющая серьезные намерения, опаздывать не должна. А у Алены были более чем серьезные намерения. И у Артема, судя по их переписке, тоже, он неоднократно намекал, что рассматривает Алену как кандидатуру на роль будущей жены...

Несмотря на специализацию, японский ресторан был по-новогоднему украшен в абсолютно российских традициях. И, конечно же, почти что битком набит в честь предпраздничного дня, точнее вечера. Алене чудом удалось найти свободный столик, она уселась за ним и принялась ждать. Артем задерживался, и она уже начала волноваться. Позвонить ему или не нужно? А что, если он не придет совсем? Или, может, они не узнали друг друга и разминулись? Они ведь еще ни разу не встречались в реале, видели друг друга только на фотографиях...

— Алена? — послышался голос рядом, она подняла голову и улыбнулась.

— Да, Артем, это я. Добрый вечер.

— А ты выглядишь еще лучше, чем на фото, — сообщил он, опускаясь на стул напротив.

Увы, вернуть комплимент Алена не могла. На фото, которое она видела в Интернете, Артем был, как выражалась Дашка, «моложе килограмм на пятнадцать». Но разве это главное в человеке?

— Спасибо, — она улыбнулась.

— Знаешь, я до последнего не верил, что на фотке именно ты, — сообщил он, пристраивая куртку на спинку стула. — Так часто бывает: дернут из Сети фотку какой-нибудь модели и выдадут за свою. Договоришься встретиться с красоткой, а она окажется крокодил крокодилом...

Алена не знала, что на это сказать. Сама бы она никогда не стала так делать, но понимала этих женщин и в глубине души сочувствовала им. Ведь не всем же дана от природы красивая внешность! А выложишь свое настоящее фото, так, глядишь, тебе вообще никто не напишет...

— Ты уже заказала? — поинтересовался Артем.

— Нет, решила подождать тебя.

— А, хорошо.

Артем подозвал официанта и сделал заказ, почему-то сразу на двоих, даже не поинтересовавшись у Алены, что она предпочитает. От алкоголя отказался, потому что он за рулем. Выбрал какие-то сашими, роллы, суп Том Ям... Алена не любила острое, но Артем не спросил у нее об этом. Это было странно, но она решила промолчать. Мало ли, может, это от волнения, как-никак первое свидание...

Однако и после заказа странности не прекратились. Перечислив официанту все, что он хотел съесть, Артем принялся говорить. Он не задал Алене ни одного вопроса о ней, просто рассказывал и рассказывал о себе. О том, как хорошо учился в универе и окончил его с красным дипломом, как выбирал работу, как успешно построил карьеру. Свои хобби и привычки, и как у него организован быт. Что можно и что нельзя в его квартире. Сколько он хочет детей. Алене сначала казалось, что она сидит на собеседовании, только в качестве рекрутера, а не соискателя. Затем это ощущение переросло в то, словно ей пытаются что-то продать. И в конце концов просто возникло чувство, что ей рассказывают, как она должна жить и что делать начиная с этого момента. Поначалу Алена пыталась вставить хоть слово в его монолог, но быстро поняла, что это бессмысленно. Во-первых, ее просто-напросто не услышат, а во-вторых, ее мнение тут вообще никому не интересно. Когда им принесли еду, Алена молча поела суши, так и не притронувшись к острому супу, чего Артем даже не заметил.

Трижды за этот скучный вечер Алена, улучив момент, когда рассказчик ненадолго замолкал, извинялась, набирала номер Никиты и слушала уже не длинные гудки, а информацию, что телефон абонента выключен или находится вне зоны действия сети. Сначала она предположила, что Ник уехал куда-то далеко и теперь возвращается домой на метро. Или произошел сбой связи. Иногда телефоны теряют сеть. Но это ненадолго, скоро Никите придет отчет о том, что она звонила. А ей самой придет эсэмэска, что абонент снова в сети. Но когда прошло уже больше получаса, а ситуация не изменилась, Алена начала беспокоиться.

— Прости, но мне пора, — сообщила она, дождавшись очередной паузы.

— Уже? — Артем удивился и, похоже, был сильно недоволен.

— Ну да, я же сказала, что смогу выбраться только ненадолго. А уже поздно, сын дома ждет.

— Ладно, — нехотя согласился Артем.

Алена предполагала, что мужчина отвезет ее домой, но он только сказал:

— Тогда пока. А я, пожалуй, еще посижу. Позвоню тебе сразу после Нового года.

— Договорились, — вяло улыбнулась Алена. — Спасибо за ужин!

К счастью, Артем хотя бы оплатил счет сам. Алена уехала из ресторана в совершенно расстроенных чувствах — еще один кандидат в мужья оказался полнейшим разочарованием. Только зря наряжалась и причесывалась. Возвращаясь домой на метро, Алена даже жалела, что не выпила — хоть на душе стало бы веселее. А так получилось, что чудом выпавший свободный вечер прошел совершенно впустую. Надо хоть с Никитой помириться... Что ж он трубку-то не берет? Наверное, забыл зарядить телефон с утра, и села батарея. А может, украли смартфон, в транспорте или в школе. Если так, то жалко, конечно, но бог с ним, со смартфоном, лишь бы у Никиты все было в порядке.

Да и новый смартфон она уже купила ему в подарок, а то этот уже совсем на ладан дышит, и батарея постоянно садится.

Подходя к своему парадному, Алена увидела на лавочке темную фигуру и удивилась — кому это вздумалось сидеть здесь на ночь глядя? Да еще в такую погоду — к вечеру снова поднялся сырой ветер, а с неба начала сыпаться мелкая колючая крупа. Но еще больше изумилась Алена, когда узнала свою соседку и клиентку.

— Антонина Николаевна, что это вы тут делаете? — поинтересовалась она.

Пожилая женщина точно вышла из оцепенения, подняла голову и недоуменно взглянула на Алену.

— Да вот… — пробормотала она. — Сижу… Я из больницы недавно. Лене хуже стало.

— Да что вы? — ахнула Алена, на миг забыв обо всех своих переживаниях — и о неудачном свидании, и даже о тревоге за сына. — И… И как он?

— Да вроде откачали пока… — вздохнула Антонина. — В реанимацию перевели. Да вот только надолго ли? Как бы не помер до Нового года.

— Да что вы такое говорите, Антонина Николаевна! — искренне возмутилась Алена. — Так не только говорить, так даже думать нельзя. Надо надеяться на лучшее и верить, что все будет хорошо. Тогда ваш муж обязательно поправится!

— Ох, твои бы слова, Аленка, да Богу в уши… — пробормотала соседка.

Налетевший порыв ветра осыпал их мокрым снегом, и Алена заволновалась.

— Ну что ж вы тут сидите? Холодно же, еще сами простудитесь. Почему домой не идете?

— Сама не знаю... — пробормотала в ответ Антонина Николаевна. — Сижу вот... Думаю...

— Идите домой! — решительно приказала Алена. — Вас проводить?

— Да нет, что ты, я сама... — Она тяжело, с трудом стала подниматься со скамейки. У Алены защемило сердце — она еще никогда не видела свою жизнерадостную и энергичную клиентку такой слабой и беспомощной.

— Давайте помогу, — Алена подала старушке руку. — Вот так. Обопритесь на меня. И пойдем потихонечку.

Подхватив другой рукой старомодную сумку соседки, она осторожно повела Антонину Николаевну к ее парадному. Помощь оказалась старушке кстати — в довершение всех бед еще и подморозило, мокрый асфальт покрылся тонкой коркой льда. Антонина Николаевна поскользнулась и могла бы упасть, если бы спутница ее не поддержала.

Доведя соседку до квартиры, Алена помогла ей раздеться и переобуться. Она первый раз была здесь и невольно отметила, что все выглядит именно так, как ей и представлялось — обстановка самая разномастная, от старинного столика с гнутыми ножками и полированного серванта «привет из шестидесятых» до ноутбука и большого плоского телевизора. Квартира Антонины Николаевны была аккуратной и чистой, но в ней уже ощущалось некое запустение, словно здесь уже некоторое время никто не жил или дому волшебным образом передалось настроение хозяйки.

О ноги Алены потерся, громко и жалобно мяукая, большой пушистый кот — серый, с белой «манишкой» и в белых «носочках» на задних лапах.

— Какой красавец, — восхитилась Алена.

— Ох, Васенька, а покормить-то тебя я и забыла… — засуетилась хозяйка.

— Я помогу, — вызвалась Алена. — Вон я вижу, у вас кошачий корм стоит. Да и вам самой тоже перекусить не помешало бы. Небось целый день ничего не ели?

— Да я не хочу, — отмахнулась старушка. — Какая уж тут еда…

— Есть все равно надо, — авторитетно проговорила Алена. — Хоть чаю попейте. Я сейчас поставлю чайник.

Из комнаты послышалось электронное «кваканье» — сигнал скайпа.

— Сын звонит, — сообщила Антонина, и впервые за это время ее лицо несколько прояснилось. Она поспешила к ноутбуку, а Алена осталась хозяйничать на кухне, невольно прислушиваясь к громкому мужскому голосу.

— Мама! — взволнованно говорил Алексей. — Ну слава богу! А то я звоню, звоню, а ты не отвечаешь. Мы уже подумали невесть что… Как ты? Как отец?

В результате Алена ушла от соседки уже в одиннадцатом часу. После разговора с сыном Антонина Николаевна хоть немного, но воспряла духом, выпила чаю, съела бутерброд и согласилась принять успокоительное. Закрывая за соседкой дверь, она уже совсем засыпала, и Алену это радовало. По крайней мере, старушка поспит до утра, сил наберется. А там уж что будет — то будет. Человек над судьбой не властен, он властен только над своим отношением к ее капризам.

Едва выйдя за дверь квартиры Антонины, Алена первым делом набрала номер сына, но Ник по-прежнему был недоступен. Наверное, забыл зарядить телефон. Ох, ну сейчас она ему задаст!.. Алена шагнула в подошедшую кабину лифта и устало привалилась спиной к стене. Общение с Антониной напомнило ей тот период жизни, который начался сразу после развода с Владом...

Беременность тогда оказалась для нее полной неожиданностью. И, что греха таить, сначала Алена твердо решила сделать аборт. Но от этого шага ее отговорила Кира Ильинична, старушка, за которой Алена тогда ухаживала. Она недавно перенесла инсульт и потихоньку восстанавливалась после него, была еще очень слаба, но боролась и не собиралась сдаваться. На другой же день после больницы начала вставать, ходить, сначала осторожно, держась за мебель, а потом все более уверенно.

— Что вы делаете, разве можно? — испугалась, увидев это, Алена. — Лежите! Скажите мне, что нужно, я вам все принесу.

— Не только можно, но и нужно, деточка, — слабо улыбнувшись, ответила старушка. — В моей ситуации только так и надо. Если позволишь себе расслабиться, то все. Считай, что села в трамвай и едешь до конечной остановки под названием «Кладбище». А я еще хочу поездить по другим маршрутам. Не накаталась пока.

Та работа у Киры Ильиничны стала для Алены подарком судьбы. Оба ее родителя выросли в детдоме, и слово «бабушка» было знакомо ей только по книгам, кино и чужим семьям. А тут в ее жизни неожиданно появился добрый и мудрый старый человек, который пусть и нуждался в ее заботе, но и вознаграждал за нее сполна — душевным отношением, вниманием, долгими разговорами, которые согревали теплом и открывали Алене такие стороны мира, такие его богатства, о существовании которых она раньше даже не подозревала. Интеллигентная, начитанная, коренная петербурженка, Кира Ильинична рассказывала о своем довоенном детстве, трудном, небогатом, но счастливом, потому что в ее жизни были любящие родители, книги, театры, Эрмитаж и Летний сад. Рассказывала об аресте отца-архитектора, которого репрессировали лишь за дружбу с неугодными власти людьми, об ужасах блокады, которую горожане сумели пережить лишь потому, что оставались людьми, что помогали друг другу и, несмотря ни на что, ждали, верили и надеялись. Раньше Алена не интересовалась такими вещами, все это проходило мимо, казалось далеким и потому чуждым, — но теперь она жадно впитывала, как губка, рассказы о судьбе, в которой отразилась вся история страны, как в капле воды отражается небо. Когда Кира Ильинична немного окрепла, Алена стала ходить с ней сначала на прогулки, по улицам, а потом и по музеям, и «новообретенная бабушка» учила девушку понимать искусство, видеть красоту во всем, мимо чего Алена раньше просто пробегала, не обращая внимания и не замечая деталей.

Но это было уже позже. А придя от врача, сообщившего о беременности, Алена не выдержала и расплакалась. Кира Ильинична, тогда еще лежачая, усадила девушку рядом с собой на кровать, обняла, стала расспрашивать, и Алена рассказала ей в тот вечер всю свою незатейливую историю.

— И что ж ты думаешь делать? — ласково спросила старушка.

— Видимо, придется избавиться от ребенка, — всхлипнула Алена. — Я не хочу, но... Но как я буду растить его одна?

— А как всегда женщины растили детей? — пожала плечами Кира Ильинична. — Как мама вырастила нас с сестрой? Сколько мужчин не вернулось с войны... Женщины оставались не с одним, а с двумя, тремя, а кто и с двенадцатью детьми. И ничего — растили.

— Да, конечно... Но я не уверена, что смогу дать ребенку все, что ему нужно...

— Ты можешь дать ему самое главное — жизнь. И любовь. А все остальное уже приложится, — отвечала Кира Ильинична. — Да, сделать аборт нетрудно. Но как бы не пожалеть потом...

И рассказала свою историю. Человек, которого она всю жизнь любила, женился на другой, и Кира с горя тоже вышла замуж за своего давнего поклонника. Муж души в ней не чаял, он был хорошим человеком, и она надеялась, что со временем начнет испытывать к нему нечто большее, чем просто симпатию и дружескую привязанность. Когда Кира узнала о своей беременности, то была на седьмом небе от счастья. И вдруг, как гром среди ясного неба, заключение врачей — плод неестественно большой. Ни о каком ультразвуке и подобных методах тогда и не слышали, диагностику делали только что не «на глазок». «Водянка, — заключила врач. — Нужно прерывать беременность». Кира пришла в отчаяние, откладывала решение до последнего, но муж стал настаивать на аборте. «Дети у нас с тобой еще будут, — уверял он. — А если я потеряю тебя, то не переживу». И Кира, наконец, согласилась на операцию... лишь после которой стало известно о врачебной ошибке. Оказалось, что никакой водянки не было и в помине — просто Кира ждала близнецов...

— С тех пор я уже больше не могла стать матерью, — закончила она свой печальный рассказ. — Как ни старалась. Видимо, Господь наказал... И знаешь что, детка... Всю жизнь потом, глядя на мужа, нет-нет да припоминала, как он тогда повел себя, и думала: «А вот не послушалась бы его тогда...»

После этих слов Алена снова расплакалась. Но это были уже совсем другие слезы — она приняла решение.

Это случилось в апреле — а в январе появился на свет Никита. Ее сыночек, ее радость, ее смысл жизни. Тот, ради которого Алена работала по шестнадцать часов в сутки. И тот, кому она собиралась сейчас хорошенько надрать уши за то, что он забыл зарядить телефон и заставил ее волноваться.

Квартира встретила Алену темнотой и непривычной тишиной. Обычно по вечерам в комнате Ника всегда гремела музыка или раздавался грохот видеоигры — но сейчас из-за закрытой двери не доносилось ни звука. Первое, что бросилось Алене в глаза, когда она включила свет в прихожей, был пустой крючок на вешалке, где обычно весела куртка сына. Синие пластиковые тапки, в которых Ник ходил дома, стояли в углу так, как Алена поставила их, уходя из дома. Зимних ботинок сына не наблюдалось.

Похолодев от ужаса, Алена, как была в пальто и сапогах, подбежала к комнате Ника и распахнула дверь. Так и есть — темно и тихо. Никита сегодня не вернулся домой.

Глава 12.
Даша.
Три тысячи сто двенадцать

Самая неприятная часть предпраздничной суматохи — это генеральная уборка. По крайней мере, Даша считала именно так. Она где-то слышала, что по своим склонностям все женщины делятся на «горничных» и «кухарок», то есть тех, кто предпочитает наводить порядок и не любит готовить, и тех, кто, напротив, с удовольствием стряпает, но терпеть не может уборку. Помнится, она как-то даже устроила в своем блоге опрос на эту тему и выяснила, что среди ее читательниц примерно поровну «горничных» и «кухарок». Но больше всего тех, кому ни та ни другая домашняя работа не доставляет никакого удовольствия.

Что до самой Даши, то она являлась типичной «кухаркой». Готовить ей нравилось с детства, и еще больше нравилось угощать своей стряпней, когда все уплетают за обе щеки, нахваливают и просят добавки. Но вот уборка для Даши становилась сущим наказанием. Каждый раз, когда настало время взяться за нее, приходилось вступать в тяжелую борьбу со своим злым альтер-эго, которое ненавидело пылесос, вытирание пыли и мытье полов настолько, что готово было мириться с беспорядком. Но к счастью, внутри Даши жили еще как минимум две сущности. Одна из них являлась настоящим эстетом, ей нравилась чистота, нравился вид аккуратно прибранной ухоженной квартиры, где все вещи лежат на своих местах. А вторая сущность обладала большим жизненным опытом и понимала, что при наличии трех детей расслабляться в таком деле, как уборка, ни в коем случае нельзя, иначе скоро в квартире уже негде будет ступить. Впрочем, имея маленьких детей, во всех остальных делах расслабляться тоже нежелательно. И Даша все-таки заставила себя взяться за уборку. Провозилась с ней несколько часов, и по окончании недоумевала, что пропавшие вчера две миски так и не нашлись. Куда же она могла их деть? И, главное, совершенно этого не помнить. Но кроме Даши, в доме никто не готовил, а значит, не взял бы миски...

С комнатой мальчишек пришлось особенно повозиться. Ее сыновья, такие непохожие друг на друга, сходились, по крайней мере, в одном — чувствовали себя в обстановке полного бедлама как рыбы в воде. Но в этот раз Тимур и Руслан превзошли сами себя. На ковре какие-то пятна и остатки присохшей каши и творога, по всему полу клочки разодранной бумаги, в углу валяется старый резиновый тапок, который выглядит так, словно его кто-то грыз зубами… Ох, и задаст она им, когда мальчишки вернутся из школы! Вообще-то Даша была не строгой матерью, даже, пожалуй, напротив, более мягкой и снисходительной, чем нужно. Но изредка — вот как в подобных случаях — и она тоже могла выйти из себя.

Но вот наконец с уборкой было покончено. Удовлетворенно вздохнув, Даша убрала пылесос и швабру, налила себе чаю с молоком, сделала два бутерброда с сыром и уселась за кухонный стол. Руки сами потянулись к оставленному тут ноутбуку. Она откинула крышку и обновила страницу с информацией о конкурсе. Ого, ничего себе! Целых две тысячи девяносто девять голосов! Почти три тысячи. За время уборки она успела здорово продвинуться вперед. Даша кинула взгляд на висевшие над столом часы в виде гжелевского чайника и увидела, что уже настало время возвращения Руськи из школы. Выглянула в окно — и точно, вон топает ее младший сынишка, торопится, чуть не бежит, обе лямки рюкзака с картинкой — человеком-пауком — накинуты на одно плечо, куртка застегнута кое-как... И шапки, как обычно, нет и в помине. Ох, Руська, Руська... Даша покачала головой и поспешила, пока у нее еще оставалась пара минут до прихода сына, просмотреть цифры своих конкурентов. Результаты порадовали — с седьмого места она перешла на пятое, при этом один из соперников обгонял ее всего на несколько десятков голосов. Зато остальные трое шли с большим отрывом. Так что как это ни грустно, но переиграть их вряд ли получится...

Даша подняла глаза и посмотрела на холодильник, где висела, придерживаемая магнитиком, бумажка с надписью «10035». Любопытно, сумеет ли она достичь такой цифры? И какие же тогда цифры окажутся у ее конкурентов? Надо посмотреть, названо ли где-нибудь на сайте общее число его пользователей... Интересно, сколько еще осталось непроголосовавших? Будут ли они голосовать? Хотя что это она, какая разница! Ведь голосовать могут не только те, кто зарегистрирован на портале, а все желающие, лишь бы IP-адрес не повторялся. Так объяснила Лариса, а она в подобных вещах хорошо разбирается...

Странно, а что же это Руськи до сих пор нет? Ведь с тех пор как он вошел в подъезд, прошло уже почти пятнадцать минут — более чем достаточно времени, чтобы подняться на четвертый этаж. Может, ему пришлось долго ждать лифта? Думая об этом, Даша машинально допила чай и доела бутерброд, но мальчик так и не появился. Это уже начинало тревожить. Может, застрял в лифте? Или, господи, сохрани, что-нибудь случилось в подъезде… Даша открыла дверь на лестницу. В подъезде оказалось шумно, но это был спокойный «мирный шум» — мерно гудел лифт, этажом выше разговаривали соседки, в соседней квартире бубнил телевизор, где-то весело тявкал и повизгивал щенок.

— Руслан! — громко позвала Даша. — Руслан, ты где?

— Чего? — услышала она, к своему немалому облегчению, откуда-то издалека голос сына. — Я тут.

— Ну так иди домой. Чего ты там застрял? — крикнула Даша и вернулась на кухню — разогревать Руське его любимую куриную лапшу.

Пока сын обедал и рассказывал ей, как прошел день в школе, Даша успела почистить картошку и провернуть фарш для котлет к ужину. Потом помыла посуду и стала одеваться, чтобы идти за Майкой. Сегодня у дочки не было в саду занятий, а в такие дни Даша стремилась забрать ее пораньше.

Некоторые работающие мамы, у которых был всего один ребенок, спрашивали у Даши почти с возмущением: «Зачем ты водишь Майю в садик? Ты же не работаешь…» Подобные вопросы раздражали, а порой и бесили. Но Даша сдерживалась и, как правило, выдавала в ответ что-нибудь психологически грамотное насчет важности общения со сверстниками и необходимости адаптации к детскому коллективу еще перед школой. Но это было правдой лишь отчасти. Даша действительно полагала, что детский сад дает некоторые бонусы в плане воспитания. Ребенок привыкает общаться с ровесниками, получает азы необходимых знаний, которые потом можно развивать, а также успевает постепенно переболеть всеми детскими хворями, которые на «домашнюю» ребятню обрушиваются в младшей школе все разом. Во всяком случае, и с Тимуром, и с Руськой вышло именно так. Оба они не ходили в сад ни одного дня, и Даша хоть и уставала, и крутилась как белка в колесе, но успевала уделять внимание обоим. Но когда появилась Майка, Даша поняла, что не только «два ребенка — это тебе не один». Выяснилось, что трое детей — это тоже совсем не то, что двое. Тем более что Майя оказалась более активным ребенком, чем ее оба брата, вместе взятые. С мальчиками Даша, конечно, тоже переживала весь набор проблем молодой мамы — бессонные ночи, плач по неизвестной причине, прорезающиеся зубы, болезни, капризы... Но и с Руськой, и с Тимуром всегда можно было договориться, им как-то и в голову не приходило делать то, что нельзя, или лезть куда-то, где опасно. А Майя хоть и являлась чудесной девочкой, милой, доброй и очень хорошенькой, но относилась к той категории детей, которые не спят ни днем ни ночью, постоянно отказываются есть и, стоит отвернуться, сначала ползут, а потом уже бегут в сторону того, что может им навредить. В основном те непростые времена уже ушли в прошлое, но Даша до сих пор переживала за дочь больше, чем за других. Вовсе не потому, что любила ее сильнее, чем сыновей, она любила всех троих детей по-разному, но одинаково сильно, — а потому, что с Майей вечно случались какие-нибудь неприятности.

И поэтому детский сад стал для Даши просто спасением. Пока Майка находилась там, а мальчики в школе, их мама успевала не только переделать в тишине и спокойствии большую часть домашних дел, но и даже написать заметки для своего блога. Кстати, темой одной из них стал именно детский сад как решение проблем для «неработающей» мамы. После этого поста несколько читательниц отписались от Даши, но гораздо больше, напротив, добавили ее блог в избранное.

Дочка вышла к ней почти сразу же, но была подозрительно тихой. Не тараторила, не бесилась и одевалась так долго, что Даша в конце концов не выдержала и стала ей помогать, чего обычно старалась не делать — из педагогических соображений.

— Солнышко, случилось что-нибудь? — спросила Даша, когда они вышли за ворота.

В ответ Майка только насупилась. Когда она дулась, то выглядела совершенно умилительно — хмурилась, надувала губы и походила на капризную принцессу, какими их рисуют в мультиках и иллюстрациях в книжках.

— Так что такое? — продолжала расспросы Даша.

Помолчав немного, Майка наконец выдала:

— Юпка…

— Юбка? — удивилась Даша. — Что за юбка?

— Длинная.

— И что такое с длинной юбкой?

— У меня-я-я-я ее не-е-ет! — Майка наморщила нос и выпятила нижнюю губу еще дальше. — А у Алисы е-е-есть…

Из ее глаз покатились крупные слезы, и дело закончилось рыданиями. Пришлось остановиться, не дойдя до подъезда. Пока Даша успокаивала дочку, ей удалось кое-как разобраться в ситуации и выяснить, что Алиса собирается прийти на завтрашний утренник в «платье принцессы» — с длинной юбкой. И теперь ничто не могло поколебать Майкину уверенность, что она проигрывает Алисе по всем статьям. Потому что у костюма Красной Шапочки (который Даша, кстати, так и не успела подшить, все откладывала и откладывала) юбка была короткой.

— Но у тебя тоже замечательный наряд, — попыталась убедить дочку Даша, но этот аргумент не возымел должного действия. Майя лишь мотала головой и твердила как заведенная:

— Мое платье короткое. А у Алисы длинное... Алиса завтра будет красивой. А я не-е-е-е-т!..

— Это не так... — вздохнула Даша и задумалась.

Отношения дочери с Алисой ее уже слегка беспокоили. Между девочками установилось такое соперничество, в котором Даша никогда бы не заподозрила детей детсадовского возраста, если бы не наблюдала все своими глазами. Девочки соревновались во всем — кто лучше одет, у кого красивее рюкзачок и больше заколок в прическе, кто выучил стихотворение длиннее, кто лучше считает и читает... Иногда Даша даже одобряла их странные взаимоотношения, потому что они заставляли Майку двигаться вперед и чего-то достигать. Но когда дело касалось соперничества из-за вещей, в этом Даша уже не видела ничего хорошего.

Когда Майка станет хотя бы чуть-чуть постарше, Даша обязательно объяснит ей, что одежда, вещи и все тому подобное — совсем не главное в жизни. Что существуют другие по-настоящему значимые ценности. Но сейчас Майя еще не в состоянии этого понять. Она выслушает, кивнет, успокоится, может, даже отвлечется и на сегодня забудет о своих переживаниях. Но завтра на утреннике все равно будет чувствовать себя некрасивой и несчастной, потому что у Алисы длинная юбка, а у нее короткая. В ее годы человек еще не способен абстрагироваться от ситуации, он мыслит эмоциями. И все бы ничего, но порой, как раз вот в такие моменты, эти эмоции на всю жизнь оставляют на сердце шрамы. А Даша совсем не хотела, чтобы у ее детей были душевные травмы — по крайней мере, те, от которых она могла их уберечь.

Да и что греха таить — дело было не только в Майке. Даша прекрасно помнила свое детство и все переживания из-за одежды, выпавшие на ее собственную долю. В семье, где детей восемь человек, пятому по счету ребенку нечасто покупают обновки. Практически все Дашины девчачьи вещи уже носила до нее либо старшая сестра Маша, либо одна из двоюродных сестер. Донашивала маленькая Дашка одежду и за братьями, причем тоже всю, от зимних курток и кроссовок до пижам и нижнего белья. Неудивительно, что все детство она мечтала о том, как они с мамой поедут в большой магазин и купят ей, персонально ей, красивую одежду. Тип, цвет, фасон и стиль одежды менялись вместе с Дашкиным возрастом и вкусами, порой кардинально, но сама мечта долго оставалась неизменной. И так и осталась несбывшейся. Первое «только ее» платье у Даши появилось лишь к выпускному вечеру. И оно было не менее прекрасно, чем в мечтах, но в магазине его никто не покупал — его сшила специально для подруги рукодельница Алена.

И что теперь? Позволить, чтобы дочка пережила то же, через что прошла ее мама? Майка постоянно донашивает за старшими братьями и Машиными детьми одежду. И даже обувь, хотя детские врачи говорят, что это вредно... К тому же у Даши еще остались деньги от суммы, выделенной Ренатом на новогодние подарки...

Привычным движением достав салфетку, которых у нее всегда было с собой полно — и в сумке, и в карманах, — Даша насухо вытерла дочке слезы и высморкала нос.

— Ну все, малыш, успокойся. Не надо плакать. Пойдем-ка сейчас домой, покушаем, соберемся. А потом поедем в магазин и купим тебе к завтрашнему празднику красивое платье.

— С длинной юпкой? — Глаза Майки сразу засветились, а слезы мгновенно высохли. Точно солнышко в летний день выглянуло из-за тучи сразу после дождя.

— А это уж как сама выберешь, — улыбнулась Даша. — Мы купим то, что тебе понравится.

Выйдя из лифта, Майка сразу навострила уши.

— Слышишь, мама? Где-то собака лает.

— Наверное, кто-то из соседей завел щенка, — предположила Даша. Ключи за что-то зацепились в кармане и никак не хотели вылезать.

— Кто? — тут же заинтересовалась дочь.

— Ну я-то откуда знаю? Будут с ней гулять — увидим.

— Мама, а давай мы тоже заведем собаку! — оживилась Майка.

— Ну уж нет, — покачала головой Даша. — Мне только еще собаки не хватало!..

К ее удивлению, дверь квартиры оказалась не заперта. Но не успела Даша понять, как на это реагировать, как за спиной послышались шаги и из-за угла появился Руська, в домашней одежде и тапочках.

— Ты куда это ходил? — удивилась Даша.

— Я... Я это... Мусор выбрасывал... — пробормотал младший сын, пряча глаза.

Даше его ответ не очень понравился — парень явно что-то скрывал. Не иначе, сломал или разбил что-нибудь, вот и поспешил выкинуть, да не просто в ведро, а в мусоропровод, чтобы подольше не заметили… Ну ладно, с этим она разберется позже. А сейчас надо быстренько покормить Майку и ехать в магазин, пока еще не закончился рабочий день и не набежали толпы покупателей.

Даша как раз успела снять куртку и переобувалась в тапочки, когда зазвонил телефон.

— Ма, я сегодня приду поздно, — скороговоркой сообщил Тимур. — Не волнуйся.

— Что-то случилось? Почему у тебя такой странный голос?

— Ну что ты сразу паникуешь: «случилось, случилось»? Все в порядке! Просто хотим с Максом кое-куда смотаться.

— И куда же это?

— Ма, ну какая тебе разница? Мне уже тринадцать лет, в конце концов, а ты все еще надо мной, как над мелюзгой трясешься. Тренировку посмотреть. У Макса один друган фехтованием занимается, хотим заскочить к нему в спортзал.

— И далеко этот спортзал?

— Не, не очень. К девяти точно буду дома. Все, ма, пока, я побежал!..

То, что Тимур сегодня задерживался, не входило в Дашины планы. Оставлять Руську дома одного ей не очень хотелось. Мало ли, сколько времени они с Майкой проведут в магазине… Не то чтобы Даша не доверяла младшему сыну, но все-таки девять лет — это всего девять лет.

Пока Майка лениво ковырялась в тарелке с лапшой, Даша пыталась уговорить Руслана поехать с ними.

— Можем зайти по дороге в книжный, — соблазняла она. — Или даже в зоомагазин.

— Так все равно ж ничего там не купим, — скептически хмыкнул Руслан, совсем как взрослый.

— Не купим, — вынуждена была признать Даша. — Но ты сможешь вдоволь налюбоваться на своих любимых зверюшек.

— А чего толку на них любоваться, если все равно купить нельзя? — не сдавался Руська. — Не, не поеду я с вами. У меня уроков много.

— Разве? — усмехнулась Даша. — Прям вот так задали много уроков на последний день?

— Ну… Да. И потом, там дождь начался, — Руська указал на окно. — А у меня чего-то горло побаливает…

Даша выглянула наружу и убедилась, что сын прав — погода и впрямь испортилась. Пошел не просто дождь, а дождь со снегом. И к тому же налетел сильный ветер — у идущих по улице прохожих выворачивало зонты. Выбираться из дома и куда-то ехать в такую погоду не было никакого желания. Но Майка так рвалась в магазин, что даже лапшу доела, и теперь умоляюще глядела на мать поверх пустой тарелки.

Пришлось снова одеваться и собираться в путь, прихватив с собой два зонта — Дашин огромный прозрачный купол с нарисованным на нем улыбающимся солнышком и маленький Майкин зонтик с единорогами. Единорогов Майка тоже любила, хотя и не так пылко, как Джингликов.

«Пожалуй, я все-таки закажу такси», — решила Даша.

«Оператор ноль-одиннадцать, слушаю вас», — проговорил приятный женский голос в трубке. И названный диспетчером номер снова напомнил Даше о конкурсе и пресловутом количестве голосов. Интересно, насколько еще выросло их число? Очень хотелось выйти в Интернет и посмотреть, но сейчас было некогда этим заниматься, такси обещали подать всего через десять минут.

По магазинам они ходили долго, гораздо дольше, чем планировала Даша. Но зато и платье купили просто роскошное. Действительно как у сказочной принцессы — розовое, но не приторно-кислотного цвета, который Даша терпеть не могла, а нежного оттенка утренней зари в погожий летний день. Лиф платья был с красивой вышивкой, что привело Майку в восторг. Ну и, конечно, юбка. Не просто длинная, а еще и пышная, кружевная на розовом же чехле. Когда Майя померила платье, выяснилось, что оно сидит как влитое, точно шилось специально на нее, ничего не нужно ни расставлять, ни укорачивать. Сияя от счастья, девочка покрутилась перед зеркалом, и Даша поняла — они наконец нашли именно то, что искали.

Когда мама с дочкой вышли на улицу со своей добычей, там уже стемнело. В воздухе еще чувствовалась сырость, но дождь со снегом прекратился. Они подошли к остановке, и пока ждали автобус и ехали на нем, взгляд Даши невольно цеплялся за цифры — номера маршрутов, автомобилей, домов, телефонов на рекламных плакатах и билбордах… Цифры опять напоминали ей о голосовании, и в конце концов Даша все-таки не выдержала. Достала смартфон, подключила Интернет и обновила страницу с голосованием. На этот раз сайт грузился что-то очень уж долго, Даша вся извелась в ожидании.

Три тысячи сто двенадцать. Всего лишь.

Со времени ее последнего посещения прибавилось всего тринадцать голосов.

Глава 13.
Лариса.
Киномарафон и ужин в итальянском стиле

Все еще чувствуя себя не очень уверенно в квартире клиента, да еще в его отсутствие, Лара отправилась ближе знакомиться с обстановкой. Ей до сих пор трудно было смириться с происходящим и принять, что нет никакой возможности выбраться отсюда. Может, где-то в недрах огромной квартиры обнаружится запасной мобильник? Впрочем, даже если он где-то и лежит, то вряд ли на видном месте — а рыться в ящиках и тумбочках не хотелось. Тогда, может быть, тут где-нибудь есть стационарный компьютер, ноутбук или планшет с выходом в Интернет? Это решило бы разом все проблемы.

Планировка апартаментов Лару удивила — тут не было комнат в привычном понимании, со сплошной стеной и дверями. Просторные помещения располагались как бы по кругу и отделялись друг от друга не перегородками, а углами. Дверей (за исключением тех, которые захлопнулись и, конечно, ванной) тоже не наблюдалось.

«Непривычно, хотя и оригинально», — заключила Лара, переходя из кухни-столовой в другую, столь же огромную комнату, явно служившую гостиной. За гостиной обнаружился и кабинет — не менее стильный, сочетающий в себе классическую строгость и современное удобство. Размеры помещения и наличие нескольких кресел позволяли с комфортом расположиться для переговоров небольшой делегации. Имелся тут и домашний офис, оборудованный полным комплектом современной оргтехники, включая и моноблок, однако же подойти к нему Лара все-таки не решилась. Вернувшись к Александру, загружавшему чашки в посудомоечную машину, она радостно сообщила:

— Я нашла способ выбраться отсюда!

— Вот как? — Он заинтересованно поднял голову. — И что же за идея тебя посетила?

— Надо воспользоваться Интернетом. В кабинете твоего шефа есть компьютер, и я решила… — начала было Лара, но замолкла на полуслове, увидев выражение, которое приняло лицо Александра.

— Очень сомневаюсь, что мы смогли бы войти в его комп, — покачал головой тот. — Наверняка он запаролен. Но дело даже не в этом, а в том, что Интернета тут пока нет. Шеф его еще не подключил.

— Вот черт! — вырвалось у Ларисы. — Ладно, пойду осматриваться дальше. Может, еще что-нибудь придумаю.

Думала Лара очень старательно, но в голову, как назло, больше ничего не приходило. Досадуя на свою несообразительность, Лариса перебирала в уме разные варианты «спасения», однако ни один из них не казался реальным. Неужели Александр прав, и они застряли здесь как минимум на несколько дней? И Лара осталась не только без корпоратива, но и без Доминиканы? Денег за поездку турагентство ей наверняка не вернет… Ну да бог с ними, с деньгами, не в этом даже дело, а в сложившейся ситуации. Окажись на месте Лары другая женщина, она, возможно, восприняла бы такое вот совместное заточение с незнакомым мужчиной как приключение. В конце концов, она еще молода и одинока, да и он совсем не стар и, будем называть вещи своими именами, весьма привлекателен. Осуждать свободную женщину, которая воспользовалась бы подобной ситуацией, Лара бы точно не стала. И уж тем более — мужчину. Как любит повторять Дашка, в наше время если мужчина неравнодушен к женщинам — это хорошо. Плохо, когда он ими не интересуется или интересуется не ими…

Однако ж Лариса по природе своей совсем не была авантюристкой. И сейчас, в тридцать четыре, она, как в юности, слишком серьезно относилась к физической близости, чтобы пойти на нее со случайным знакомым — пусть даже и симпатичным. Она принадлежала к тому типу женщин, для которых слова «секс» и «любовь» — синонимы. И не собиралась отступаться от своих принципов под влиянием неожиданных обстоятельств.

В том, что и Александр думает о возможном сексе, Лара почти не сомневалась. Правда, пока он не сделал ни одного намека, но это, конечно же, ничего не значит. Может, просто решил не торопить события, времени-то у них впереди еще ого-го… Или он ждет, что она сама сделает первый шаг. Ну, тогда ему долго придется дожидаться! Хотя, может быть, ничего он и не ждет. Может, Лара не в его вкусе. Или Саша преданно любит свою жену и хранит ей верность. А может, вообще равнодушен к сексу, Дашка вон уверяет, что сейчас у мужиков такое сплошь и рядом…

Но дело было не только в пикантности ситуации, но и в том, что элементарная вежливость требовала общения. А о чем ей, Ларе, говорить с человеком, о существовании которого она узнала только сегодня утром? Они очень непохожие, живут в разных городах, вращаются в различных кругах, вряд ли у них найдется много общих тем. А поддерживать столько времени пустую светскую беседу невозможно. Меньше всего Ларе хотелось стать обузой для «соседа», который вынужден будет долгие три дня развлекать ее все из той же вежливости. Нужно придумать, как дать ему понять, что это совсем не обязательно. И лучший для этого способ — найти себе какое-нибудь занятие. Потому она и отправилась бродить по квартире. Может, отыщется какая-нибудь книга или хотя бы журнал, чтоб хоть скоротать время…

Как ни странно, в кабинете книг не оказалось, на полках виднелись только толстые папки. Тогда Лариса перешла в гостиную. Здесь царил стиль ар-деко: натуральная кожа, пустые напольные вазы и фарфоровые статуэтки в нишах, дорогие ткани и картины, мебель из ценных пород дерева совмещает в себе комфорт и роскошь. И, конечно же, современная техника: здоровенная плазменная панель, домашний кинотеатр и музыкальный центр. Рядом обнаружилось несколько стоек с лицензионными дисками. Судя по ним, из музыки олигарх предпочитал старый рок — как отечественный, так и зарубежный. А вот в выборе фильмов трудно было проследить какую-либо тенденцию, тут наблюдалась настоящая сборная солянка от черно-белой классики до последних отечественных и голливудских новинок.

Однако ни единого печатного издания, даже завалящей газеты с каким-нибудь кроссвордом Лариса не обнаружила. «Видимо, крупным бизнесменам некогда читать, — заключила Лара. — А может, просто еще не успели перевезти библиотеку? В любом случае жаль. Было бы интересно узнать о литературных пристрастиях нашей финансовой элиты».

— И как тебе жилище моего шефа? — спросил, появившись из-за угла, Александр. — Все еще продолжаешь обвинять его в безвкусице?

В ответ Лариса пожала плечами:

— Странно видеть дом, где нет ни одной книги. Ни художественной, ни нон-фикшн. Что ж получается, твой Александр Михайлович ничего не читает? Ни книг, ни бизнес-литературы, ни даже журналов?

— Или хранит свою библиотеку в электронных носителях? — ответил вопросом на вопрос Саша. — Кстати, в этом отношении я его понимаю. Зачем захламлять квартиру книжными шкафами, когда все, что в них содержится, может поместиться на одной флешке? Вот увидишь, не пройдет и десяти лет, как бумажные книги исчезнут из обихода.

— Ну уж нет! — возмутилась Лара. — Электронные книги никогда не заменят бумажных. Бумажная книга, она… Она живая. У нее свой запах, своя энергетика… Даже своя история. В старых книгах словно остается часть души того, кто читал ее до тебя…

— Звучит весьма поэтично, — Лара не поняла по его тону, говорит он серьезно или дразнит ее. Но во взгляде, которым Саша смотрел на Ларису, уж точно не было ничего обидного. Он глядел на нее, пожалуй, с симпатией, но так внимательно, что она невольно вспомнила о синяке на скуле и поспешила развернуться другим боком.

— А ты часто бываешь в Москве, Лара? — вдруг спросил он. Его «Лара» прозвучало так по-свойски, доверительно, будто они давно знакомы, а не встретились несколько часов назад.

Она покачала головой.

— Нет. Редко и в основном проездом, на выставках. Несколько раз приезжала на концерты — в «Олимпийский», в Тушино. Но мне хватило, чтобы составить представление о вашем городе.

— И, судя по твоему тону, не очень-то лестное, — усмехнулся он.

— Ну, как сказать... У вас тут вечная беготня, суета, ярмарочное многолюдье. Настоящая болезнь мегаполиса. Вы, москвичи, слишком беспокойны... И, прости уж, ничего личного, не всегда хорошо воспитаны.

Произнося эти слова, она чувствовала себя истинной петербурженкой, жительницей культурной столицы, считающей своим долгом смотреть на москвичей свысока. И вдруг услышала в ответ:

— Насчет невоспитанности москвичей вынужден с тобой согласиться. Но сейчас, к сожалению, и Питер стал уже не столь интеллигентным. И более суетливым. Хотя я еще помню его другим. Моя бабушка жила на Васильевском острове. Когда я приезжал к ней, то словно попадал в иной мир. Раньше люди там были спокойнее, держались невозмутимо, с достоинством. Даже ходили медленнее. И еще — все хорошо знали и любили свой город. Спросишь первого встречного, как попасть куда-то, так он не только дорогу объяснит, но еще и расскажет историю тех улиц, по которым тебе предстоит пройти. А теперь это почти исчезло. Слишком много приезжих, которые привозят с собой свою провинциальную культуру... Вернее, ее отсутствие. Этим и Москва страдает, и Питер...

После этих слов Ларисе стало слегка неловко, и она мысленно отругала себя. Ну что это ей вздумалось выделываться перед ним? Она ведь тоже больше приезжая, чем петербурженка... Чтобы скрыть смущение, она поинтересовалась не без ехидства:

— А ты, получается, из коренных москвичей? И голубая кровь дает право презирать приезжих?

— Скорее, наличие культуры заставляет недолюбливать бескультурье, — спокойно отвечал мужчина, проигнорировав ее издевку. — Дело ведь не в том, коренной ты или, как сейчас говорят, «молочный». А в том, как ты себя ведешь, как общаешься и что у тебя за душой, прости уж за такое пафосное выражение.

— С этим не поспоришь, — вынуждена была согласиться Лара.

— Ну да, Москва — город энергичный, тут ты права на все сто, — продолжал Александр. — Но могу тебе с полной уверенностью сказать, что на самом деле мы не любим суету. Мы ценим тишину и покой не меньше деревенских жителей. Просто в Москве не так легко найти тишину. Но, поверь, возможно, если этого по-настоящему захотеть…

— Похоже, ты любишь свой город, — невольно заметила она.

— Люблю, — согласился Саша. — Где бы мне ни доводилось бывать, неизменно тянет вернуться в Москву. Пройтись по бульварам, от Кропоткинской до Яузского, свернуть на Хитровку… Кстати, ты знаешь, что Гиляровский несколько погорячился, уверяя, что в советское время ее всю снесли с лица земли? На самом деле многие дома остались, знаменитый дом-утюг, например. Да-да, и у нас, как в Питере, тоже есть дом-утюг! Недавно Хитровскую площадь реконструировали и нашли на одной из стен рисунок полуторавековой давности, возможно, сделанный кем-то из обитателей ночлежек. А может, и профессиональным художником, там неподалеку была художественная мастерская. И, что очень здорово, рисунок не замазали краской, а оставили на всеобщее обозрение… Лара, чего ты улыбаешься? Я тебя совсем заболтал, да?

— Нет-нет, что ты. Просто… интересно. Из тебя, наверное, получился бы хороший гид.

— Да ладно… — заскромничал Саша. — Всякий, кто любит свой город и знает его историю, способен исполнить роль экскурсовода. Не сомневаюсь, что будь мы сейчас с тобой в Питере, ты столько бы мне рассказала и показала! А пока мы в Москве… Вот иди сюда.

Он взял ее за руку и подвел вплотную к окну. Подойдя, Лариса охнула и инстинктивно прижалась к Александру: вблизи ощущение окна исчезло, появилось чувство парения над землей, и казалось, что облака совсем рядом — протяни руку и дотронешься.

— Не бойся, — он слегка приобнял ее за плечи, но в этом жесте не было ничего фамильярного. — Эти стеклянные стены по прочности не уступают кирпичным. Говорю тебе как человек с техническим образованием.

Впереди, насколько хватало глаз, простиралась городская панорама. Лара узнала Белый дом, «раскрытую книгу» здания Мэрии, колокольню Ивана Великого в Кремле и несколько сталинских высоток.

— А это что такое? — Она показала на расположенную совсем близко, почти у них под ногами, группу невысоких кубических зданий современного вида.

— «Экспоцентр». Не узнала?

— В таком ракурсе нет. Хотя бывала там, и неоднократно, последний раз этой весной. Наша компания участвовала в выставке. — Лариса сделала шаг в сторону, чтоб он не дышал в макушку. Его близкое присутствие плохо сказывалось на ее и без того неустойчивом душевном равновесии. От Саши еле слышно пахло каким-то чуть терпковатым, с полынным оттенком, парфюмом, наверняка очень дорогим. И Лара поймала себя на том, что ей хочется вдыхать и вдыхать этот запах...

— Ой, как же высоко, даже голова закружилась! — Она торопливо отошла от окна и присела на диван. — И как это твой шеф может жить на такой высоте?

— Говорит, что ему нравится. — Саша тоже сел на диван, но не рядом, а на деликатном расстоянии. Интересно, он всегда и со всеми так вежлив или специально старается для нее? И если старается, то надолго ли его хватит?

— Знаешь, я поняла, чего не хватает этим апартаментам, — заговорила Лара, чтобы избежать неловкой паузы.

— И чего же?

— Натуральной зелени. То ли упущение дизайнера, то ли... Твой шеф не жалует живые растения?

Саша осмотрелся, как будто впервые увидев гостиную, и пожал внушительными плечами:

— Надо же, я как-то никогда не обращал внимания... А ты, я так понимаю, любишь цветы?

— Очень, — не стала скрывать Лариса. — У меня вся квартира в комнатных растениях, и даже лестничная площадка. Это мое хобби еще со старшей школы. Срезанные цветы тоже люблю, но лучше всего, когда они растут в естественных условиях: в саду, в лесу, на лугу. Прошлой весной я была в Крыму, на Керченском полуострове, и знакомые отвезли меня в заповедник. Представляешь... — От нахлынувших воспоминаний у нее на миг даже перехватило дыхание. — Необъятная степь, зеленый ковер душистого разнотравья, сплошь усыпанный цветами. Белыми, желтыми, фиолетовыми, красными, черными — вплоть до смешивания всей цветовой палитры на атласных лепестках одного тюльпана. Ощущаешь себя как в сказке и не можешь поверить, что вот так просто, практически из ничего — целинной потрескавшейся земли — природа создала уникальную красоту. В такой пейзаж можно влюбиться, как... — задумалась она, подбирая сравнение, — как в мужчину!

Увлекшись рассказом, она не сразу заметила, что Саша слушает ее, не скрывая улыбки. Но в этой улыбке не было иронии или насмешки, ничего обидного. Напротив, он глядел на Лару с явной симпатией.

— А что ты делала на Керченском полуострове? — спросил он, и в его голосе прозвучал искренний интерес. — Ездила по работе или?..

— Или. Я там отдыхала. В горы поднималась, загорала. В море не плавала — было начало мая, и вода еще не прогрелась. Нашлись храбрецы, которые купались, но для меня девятнадцать градусов — это слишком мало. Зато я удила рыбу! Впервые в жизни. Ты небось и не знаешь, какое это удовольствие, а оказывается...

Ее прервал приступ его веселья.

— Господи, Лариса!.. — Саша смеялся чуть до слез. — Ты так говоришь, словно я родился в офисе и понятия не имею, что делается за его стенами. К твоему сведению, я не то чтобы опытный рыбак, но забрасывать удочку доводилось не раз и не два. А еще я страстный грибник. Моя бы воля, так каждый год с июля по октябрь так и жил бы в лесу. Если б не дела... Не работа.

— Это да, — кивнула Лара. — Я собирать грибы тоже люблю. Но уже и не вспомню, когда последний раз выбиралась.

— Тоже много работаешь?

— Да, много. Не то что на поездки за грибами — на театр и кино времени не остается.

— Это печально, — покачал головой Саша. — Знаешь, а у меня идея. Раз уж мы с тобой оказались взаперти на несколько дней, может, нам устроить киномарафон? Тут у шефа, я знаю, большая коллекция дисков, наверняка мы сможем выбрать несколько фильмов, которые придутся по вкусу обоим. Как ты на это смотришь?

— С энтузиазмом. — Лара действительно была рада его предложению, ведь коротать время за интересным фильмом ничуть не хуже, чем за книгой.

Не откладывая дело в долгий ящик, они тут же занялись изучением фильмотеки, и, к удивлению Лары, их пожелания во многом совпали. Было выбрано несколько новинок, которые ни тот, ни другая еще не видели, но оба хотели посмотреть, и несколько старых фильмов, или любимых обоими, как «Легенды осени» и «Покровские ворота», или незнакомых одному, но настоятельно рекомендуемых к просмотру другим. В отдельную стопку легли новогодние картины: «Эта замечательная жизнь», «Карнавальная ночь», «Реальная любовь», «Вечера на хуторе близ Диканьки».

— Посмотрим их тридцать первого числа, — заявил Саша. — Для создания праздничного настроения.

И Лара согласилась с ним, хотя сама, признаться, до сих пор все еще не верила в то, что останется здесь до послезавтра, а может быть, и дольше. Ей все казалось, что такого просто не может быть, что происходящее с ними — нелепая шутка, вот-вот кто-то придет и выпустит их отсюда. Но никто не являлся, чтобы прервать их вынужденное заточение, поэтому Лариса и Саша с комфортом устроились на диване, для удобства подставив под ноги пуфики и придвинув поближе журнальный столик, на котором выстроились вазы и вазочки с фруктами, печеньем и орешками. Оба нашли, что это гораздо лучше попкорна — который, как вскоре выяснилось, никто из них терпеть не мог и не понимал, что в нем находят другие.

Идея киномарафона полностью себя оправдала. Закончив с просмотром фильма, они тут же принялись обсуждать увиденное, делились впечатлениями, анализировали, спорили — но вполне мирно, так как, несмотря на разные вкусы и взгляды, им легко удавалось понимать друг друга. Очень быстро разговор вышел далеко за рамки кино, и к приятному удивлению Лары, Саша оказался на редкость интересным собеседником. Со времени их встречи прошло всего лишь несколько часов, но они уже беседовали непринужденно, как старые приятели, словно были знакомы не первый год. Конечно, они мало что еще знали друг о друге — но тем интереснее оказалось общаться и узнавать.

За просмотром кино и разговорами они не заметили, как пролетело время. После третьего фильма Лара словно очнулась, посмотрела на окна, за которыми давно уже стемнело, потом на свои часы. Судя по ним, их корпоратив на Большой Морской уже был в самом разгаре. И Иван — если, конечно, он все-таки ждал Ларису, — уже понял, что она не приедет. Понял — и переключился на кого-то еще, благо в их фирме нет недостатка в женщинах, которые с радостью примут его внимание…

Но вот что странно — эти мысли почти не огорчили Ларису. Несмотря на всю нелепость ситуации, она чувствовала себя на удивление хорошо. Ну действительно — когда еще выпадет возможность вот так спокойно, никуда не торопясь, посмотреть в комфортной обстановке хорошие фильмы и поболтать с интересным собеседником? Напрасно она боялась, что день покажется бесконечным и унылым...

— Лара, ты не проголодалась? — спросил Саша, тоже поглядев на часы. — А то мы не только обед пропустили, но и ужинать давно пора.

— Так мы же вроде ели... — Она показала на порядком опустевшие вазы на журнальном столике.

— Ну какая ж это еда? — возмутился он. — Так, перекус. В общем, ты как хочешь, а я иду готовить ужин.

И, не дожидаясь ее ответа, поднялся и отправился в соседнее помещение, где располагалась кухня-столовая. Ларе ничего не оставалось, как последовать за ним и предложить свою помощь, но Саша, рывшийся в этот момент в холодильнике, отказался:

— Я не великий специалист, но кое-что умею... И не надо так ехидно улыбаться.

— Откуда ты знаешь, что я улыбаюсь? — удивилась Лариса. — Ты же стоишь ко мне спиной.

— А я затылком чувствую твою иронию... — от холодильника Саша переместился к кухонным шкафам. — Что скажешь насчет пасты с соусом болоньезе? Тут, в шкафу, есть спагетти, спагеттини, тортильони, фарфалле... Что ты предпочитаешь?

— Спагетти, наверное. Я даже не знаю, что такое фарфалле.

— Вот эти, похожие на бабочек, — он ловко управлялся с макаронами, опуская их в кипящую воду. — Ты же вроде была в Италии.

— Была, но не так долго, чтобы изучить все тонкости их кухни. Всего десять дней... Саша, ну так нечестно, я чувствую себя как ненужная мебель! Можно хоть чем-то тебе помочь?

— Так и быть, можешь нарезать помидоры для соуса, — милостиво разрешил он. — И натереть сыр. Но обжаривать фарш я тебе не доверю, и не проси.

— А вот и не буду просить! — рассмеялась Лариса, повязывая кстати нашедшийся фартук. — Слушай, Саш, а зачем твоему шефу столько продуктов дома? Он что, принципиально не ходит в рестораны?

— Почему не ходит? — Саша быстро и сноровисто орудовал ножом. — Ходит, конечно. Просто, насколько я знаю, когда выпадает возможность, предпочитает питаться дома. И, по-моему, для нас это большой плюс. На одном чае или кофе нам пришлось бы туго.

— Да уж, что верно, то верно...

Вскоре высокая сковородка, в которой готовился соус, начала испускать головокружительный аромат, и Лара почувствовала, как у нее в буквальном смысле потекли слюнки.

— Ну вот и готово, — объявил Саша, выключая плиту. — Лара, будь другом, найди пару тарелок. Думаю, они вон в том шкафу.

Он не ошибся — в шкафу с посудой действительно отыскались тарелки и даже несколько соусников разного размера. Пока Лариса накрывала на стол, Саша открыл винный холодильник, извлек оттуда несколько бутылок и принялся их изучать.

— Так, что это у нас... Пожалуй, вот это подойдет. Кьянти с «Черным петушком».

— Саша, а тебе не кажется, что это уже слишком? — ахнула Лара. — Ну ладно, еда. Думаю, с ней ты прав — твой шеф действительно не обрадовался бы, если б мы тут умерли с голоду. Но вино... Оно же наверняка дорогущее, может, коллекционное.

— Да нет же, никакое оно не коллекционное, — возразил он. — Обычное вино, правда, довольно приличное. Сама подумай — что это за паста без вина? Итальянцы бы нас не поняли.

— Пусть итальянцы думают что хотят, — решительно возразила Лариса. — Но я пить вино твоего шефа не стану.

Она ожидала, что он начнет спорить, приводить какие-то аргументы или шутить — мол, не думай, я не собираюсь тебя спаивать. Но вместо этого Саша как-то странно взглянул на нее... Словно даже с любопытством, а может, и с удивлением. И вернул бутылку на место.

— Как скажешь, — покладисто проговорил он. — Нет, так нет. Давай есть просто так, всухомятку.

С сухомяткой он, впрочем, погорячился. Ужин получился действительно вкусным, и Лариса не могла не признать этого. У нее неожиданно прорезался зверский аппетит, и когда Саша предложил добавку, Лара не отказалась. Видимо, он тоже проголодался, потому что ел столь же активно. Говорили за столом мало, тишину нарушало лишь позвякивание приборов. Но, как ни странно, это совсем не напрягало, и неловкости Лара не испытывала. «С ним даже молчание не в тягость», — отметила она про себя.

Наевшись до отвала, Лара с трудом держала глаза открытыми и боролась с зевотой. Суматошный насыщенный день, полный неожиданностей и новых впечатлений, а также практически бессонная предыдущая ночь сделали свое дело: Ларису неудержимо клонило ко сну.

— О, да ты уже клюешь носом, — тут же заметил Саша. — Значит, пора укладывать тебя спать.

— Надо еще убрать за собой и вымыть посуду, — возразила Лариса, чувствуя, что ей уже трудно даже ворочать языком.

— Я сам уберу, не беспокойся. Тем более тут есть посудомоечная машина. Идем устраивать ночлег.

Лара собиралась было прилечь на диване, но ее «сосед» и слушать об этом не хотел. Зачем терпеть дискомфорт, когда в спальне удобная кровать?

— А что скажет твой шеф, если вдруг вернется и увидит меня на своей кровати? — вяло сопротивлялась Лариса.

— Сомневаюсь, что он так быстро вернется с Мальдив, — усмехнулся в ответ Саша. — Даже ради подобного зрелища. Так что иди в спальню, укладывайся и не думай ни о чем.

Он сам провел ее в спальню, рассматривать обстановку, которой у Лары уже не было сил. Она видела только кровать — большую и по виду весьма удобную.

— Кстати, белье там свежее, — сообщил Александр. — Домработница всегда стелет новый комплект сразу после отъезда шефа, это одна из его прихотей.

Но разбирать постель, как и раздеваться, Лариса не собиралась. Она присела на кровать и почувствовала, что навалилась такая усталость — едва хватило сил стянуть ботильоны и с блаженным стоном вытянуться поверх покрывала. Тем временем Саша, наклонившись над абажуром лампы на прикроватной тумбочке, регулировал освещение, приглушая его до тусклого ночного режима.

— Надеюсь, ты не боишься темноты? — спросил он.

Лара хотела что-то ответить, но у нее не получилось. Или получилось нечто нечленораздельное. Потому что в этот момент она уже спала и даже не слышала, как Саша вышел из комнаты.

Глава 14.
Алена.
Никита пропал!

В первые мгновения Алена еще не могла заставить себя поверить в очевидное. «Этого не может быть, просто не может быть... — молоточком стучало в голове. — На самом деле все в порядке. Никита в ванной. Или вышел покурить на лестницу. Или выбежал на минутку в магазин...» Но она сама понимала, что все эти объяснения выглядят нелепо. Будь Ник на лестнице, она увидела бы его, выходя из лифта. В ванную в куртке и теплой обуви никто не ходит. Да и в магазин в такое время Нику идти совершенно незачем.

Конечно, Алена осмотрела всю квартиру, конечно, снова набрала номер сына, а потом сбросила ему эсэмэску: «Ты где??? Немедленно перезвони!!!» И, конечно, это не дало никакого результата. Ник по-прежнему был недоступен и не ответил на сообщение.

Воображение уже рисовало жуткие картины, одна страшнее другой. От ужаса хотелось плакать, кричать, биться об стену... Но Алена волевым усилием взяла себя в руки.

«Немедленно соберись! — приказала она самой себе. — Истерика тут не поможет. Надо рассуждать трезво».

Первым делом она позвонила Игорю, лучшему другу Никиты еще с начальной школы. Алена была уверена, что если кто-то и знает, где сейчас Ник, то это наверняка Игорь.

— Привет, извини за поздний звонок, — сказала она, стараясь, чтобы голос звучал как можно спокойнее. — Это Алена, мама Никиты. Ник случайно не у тебя?

— Нет, теть Ален. — Игорь заметно удивился.

— А где он?

— Не знаю.

Однако Алене показалось, что голос парня звучит не вполне искренне, и она еще больше заволновалась. Что они такое скрывают?

— Игорь, ты и правда не знаешь, где Никита? — настойчиво повторила Алена.

— Правда не знаю. Мы сегодня не виделись... Я хотел сказать — вечером не виделись, — торопливо поправился он. — И не связывались.

— Игорь, я тебя очень прошу! — взмолилась Алена. — Ника до сих пор нет, телефон не отвечает... Утром он ушел и ничего не сказал... Я волнуюсь!.. Если ты что-то знаешь о нем, пожалуйста, расскажи мне.

В трубке послышался вздох

— Ну что такое? — У Алены было такое ощущение, что в животе лежит тяжелый камень. Руки дрожали, а ладони стали неприятно липкими. — У него неприятности, да? Он начал пить? Связался с плохой компанией? Забрали в полицию? Или у девушки ночует? Пожалуйста, скажи мне, что бы это ни было! Обещаю, я не стану ругать Никиту, что бы ни случилось! Только скажи, где он, что с ним?

— Но я не знаю! — продолжал упираться Игорь.

— Игорь, пожалуйста! — Она сама не заметила, что повысила голос. — Вдруг с ним что-то случилось? Если ты что-то знаешь и не скажешь мне сейчас, то потом будешь виноват! — почти кричала Алена.

В трубке послышался невнятный шум — похоже, Игорь

кому-то что-то объяснял, прикрыв микрофон ладонью. Потом шум стал громче, и раздался недовольный женский голос: «Дай мне трубку, я сказала!»

— Але, кто это говорит? — сердито поинтересовался женский голос в телефоне.

— Здравствуй, Оля, — торопливо объяснила Алена. С матерью Игоря они не дружили, но знакомы были давно. — Это Алена, мама Никиты Рябова. Извини за поздний звонок, но Ник до сих пор не пришел домой, я не знаю, что и думать. Надеялась, хоть Игорь в курсе...

В отличие от нее, Оля была мамой строгой, решительной и авторитарной. У такой не забалуешь...

— Игорь?! — жестко проговорила она.

— Но я уже сказал, что ничего... — начал было парень, но Ольга его прервала:

— Не ври! Я же вижу, что ты врешь. Ну-ка признавайся немедленно, что вы там с Никитой натворили?

— Да ничего мы не натворили! — оскорбился Игорь. — Что пристала? Я тут вообще ни при чем!

— А Никита? Что с ним такое? Быстро расскажи все тете Алене!

После этих слов трубку снова взял Игорь.

— Только, пожалуйста, не говорите ему, что это я вам сказал... — попросил он.

— Не скажу, конечно, — заверила Алена с замиранием сердца.

— Никиты сегодня не было в школе, — выдал наконец Игорь. — Но где он, я действительно не знаю. Он мне ничего не говорил. Я ему и звонить пытался, и в соцсеть писал, он не отвечает.

Алена не знала, плакать ей или смеяться. Какие же они еще дети… Она уже готова была услышать невесть что, а оказалось, что Игорь так героически защищает друга всего лишь из-за пустякового прогула.

— Не переживай, Игорь, — вздохнула она. — Я это и так знала, что Ник не ходил сегодня в школу, он проспал. Но сейчас не это важно. Скажи, с кем он еще дружит? Из класса… И не из класса? Кто может знать, где он?

— Ну… — замялся Игорь. — Может, Карась, то есть Сеня Карасев. Или Пахом, ну, в смысле Петька Пахомов. Еще у него пара друзей по лагерю есть…

— Дай мне телефоны всех, кого знаешь, — попросила Алена.

— Сейчас мы перешлем тебе номера, — пообещала Ольга, снова взяв у сына трубку. — У меня есть список домашних телефонов всего класса.

Домашние — это хорошо, заключила Алена. Если Ник обиделся на нее и ушел к кому-то ночевать, то больше шансов, что в этом ей признаются взрослые, а не сами ребята.

— Спасибо, Оля. Только поскорее, ладно?

— Да вот, я уже… — заверила Ольга. — И ты не паникуй. Все будет хорошо. Придет, никуда не денется. Пошляется — и придет. Они сейчас такие, сама ж знаешь… Переходный возраст, чтоб его!..

Обзвон Алена начала прямо по списку, в алфавитном порядке. Было неловко — все-таки поздний час, предпраздничный день, все отдыхают после трудовой недели, некоторые уже легли спать. Когда сонный и недовольный голос отвечал ей в трубке:

«Да?» — Алена, постоянно извиняясь, торопливо объясняла, кто она и зачем звонит:

— Здравствуйте, это родители Насти? Меня зовут Алена, я мама Никиты Рябова из вашего класса. Понимаю, что это такой странный вопрос ближе к ночи... но у вас случайно нет Никиты? А Настя случайно не знает, где он может быть? Он до сих пор не пришел домой, и я беспокоюсь...

Большинство родителей ей сочувствовали и пытались помочь. Будили своих детей, чтобы расспросить про Никиту, говорили что-то ободряющее. Было совсем немного таких, кто разговаривал грубовато, но даже те все равно ответили на ее вопросы. Однако ж ни один из двадцати трех звонков не дал результата. Ни у одного из одноклассников Никиты не оказалось. Более того, никто понятия не имел, куда он мог пойти.

Алена потратила на эти звонки больше часа и под конец оказалась близка к истерике. Видимо, пора обращаться в полицию... Она набрала «112», уверенная, что слишком торопится — сейчас ее отфутболят, скажут, что раньше, чем через три дня, с ней никто и разговаривать не станет. Но, к удивлению Алены, молодой женский голос поговорил с ней вежливо и даже с сочувствием. Дежурная советовала позвонить в бюро регистрации несчастных случаев и продиктовала номер, а также рекомендовала срочно написать заявление в полицию.

— Юридически действительно надо ждать три дня, — согласилась она. — Но вы не ждите, идите в свое отделение прямо сейчас. Возьмите с собой хорошую фотографию из последних, опишите, в чем сын одет, его приметы. Настаивайте, они обязаны принять у вас заявление. И постарайтесь не волноваться. Статистика на вашей стороне.

— Спасибо… — пробормотала Алена и распрощалась. Легко сказать — не волноваться! Но как можно держать себя в руках, когда пропал твой ребенок?

Алена набрала номер бюро несчастных случаев. Выслушав описание внешности и одежды Ника, дежурная сказала, что никого похожего у них нет, и тоже посоветовала обратиться в полицию.

Очень хотелось позвонить Дашке или Ларисе, но, поглядев на часы, Алена отказалась от этой затеи. Не нужно беспокоить подруг среди ночи, достаточно того, что она сама уже не находит себе места… Только сейчас Алена запоздало сообразила, что до сих пор не разделась, так и сидит, как пришла, в пальто и сапогах, только машинально сбросила шапку и размотала шарф, даже не заметив, как это сделала. Ну что ж, оно и к лучшему, быстрее соберется, чтобы идти в полицию… Вот только куда идти-то? Алена понятия не имела, где находится их отделение — раньше никогда не доводилось сталкиваться.

Что ж, в таких ситуациях современного человека всегда выручает Интернет. Достав ноутбук, Алена поспешно его включила. Браузер открылся вместе со всеми вкладками, и в глаза бросилось мигание — кто-то прислал ей сообщение в соцсеть. Может, Никита? Алена открыла нужное окно, и сердце забилось в груди часто-часто — писал действительно Ник. Судя по дате, сообщение было отправлено сегодня около восьми вечера:

«Привет, мам. Я нашел своего отца и ушел жить к нему. Домой не вернусь».

Алена несколько раз ошалело перечитала сообщение. Потом метнулась в комнату сына, внимательно ее осмотрела и только сейчас обнаружила, что некоторых вещей Ника действительно не хватает. Не было его планшета, телефона, игровой приставки, кое-чего из одежды и большого рюкзака, с которым Никита обычно ездил в летний лагерь.

Какая же она дура! Могла бы сразу обратить на это внимание и понять, что он ушел из дома сам... Алена не знала, как на все это реагировать. Вернувшись к компьютеру, она стала писать ответ — набирала, стирала, печатала снова... Наконец составила такое сообщение: «Никита, включи телефон, пожалуйста. Или позвони мне. Давай просто поговорим». После отправки высветилось, что Никиты нет в Сети, последний раз он был там четыре часа назад. Алена вздохнула. С одной стороны, немного отлегло от сердца: с Ником ничего не случилось, он не валяется где-то пьяный, не попал под машину, не принял наркотик, его не избили, не пырнули ножом в темной подворотне... Все-таки он жив, здоров, не в вытрезвителе, не в морге, не в больнице, не в обезьяннике... И это уже счастье. Но с другой стороны — что за бред Ник несет про отца и уход из дома? Что значит «нашел своего отца»? Как он мог найти человека, которого никогда не видел?

Отца Никита действительно никогда не видел. Он знал только маму и «бабушку» Киру Ильиничну — «бабушку Кию», как называл ее в детстве. Никита уверял, что помнит ее до сих пор, хотя та умерла, когда ему сравнялось всего четыре года. В детстве он был очень привязан к Кире, хотя, конечно, даже не подозревал, что своим появлением на свет обязан именно ей. Если бы не участие и поддержка Киры Ильиничны, Алена вряд ли решилась бы родить. Даже подруги, Лариса и Даша, не были уверены, что Алена поступила правильно, оставив ребенка. А Кира ни минуты в этом не сомневалась, и ее уверенность передалась Алене.

После первого инсульта Кира Ильинична восстановилась на удивление быстро, всего за несколько месяцев. И вскоре уже стало непонятно, кто за кем ухаживает — Алена за старушкой или она за беременной Аленой. Уставшая от постоянного одиночества, от невозможности излить на кого-то те запасы доброты, что долгие годы копились в ее душе, Кира Ильинична заботилась о своей сиделке как о родной внучке, следила за ее самочувствием, заставляла есть творог и фрукты, гуляла с ней, ходила в парки, в театры, в музеи. «Тебе надо любоваться прекрасным и радоваться жизни, — постоянно твердила она. — Тогда ребенок родится здоровым и счастливым». И Алена с удовольствием ей подчинялась. Потому что очень хотела, чтобы ее ребенок был здоров и счастлив. Но еще и потому, что вот так вдруг, совершенно неожиданно, обрела семью и получила ту заботу и любовь, которой ей так не хватало в детстве.

Из роддома Алену встречала целая толпа: Кира Ильинична и ее подруги, Лариса с тогдашним ее кавалером, Дашка с будущим мужем Ренатом... Родителей Алены не было. Накануне появления Никиты Алена написала им письмо, но ответа не получила. Не было, конечно, и Влада. Все еще обиженная на него, Алена не собиралась бывшему мужу сообщать о рождении сына, но Кира Ильинична настаивала:

— Ты не права, детка. Отец имеет право знать, что у него есть ребенок. А уж сын тем более имеет право на отца, если Владислав захочет с ним общаться.

— Но я против! — возражала Алена, чья душевная рана была еще слишком свежа. — Он так меня обидел... Я не хочу его видеть!

— Вот только Никита тут совсем ни при чем, — мудро возражала Кира.

И в конце концов Алена с ней согласилась. Звонить Владу она не стала, написала ему, как и своим родителям, письмо, в котором сообщила о рождении сына и дала свой новый адрес. Но, как и родители, Влад ничего не ответил. После чего Алена еще больше оскорбилась и решила окончательно вычеркнуть из своей жизни всех троих: и мать, и отца, и бывшего мужа.

К радости Алены, Никита рос здоровым и спокойным ребенком. Кира Ильинична всей душой привязалась к нему, гуляла с мальчиком, читала ему книги, рассказывала сказки, терпеливо и доходчиво отвечала на все его детские «почему». Жили они втроем, как настоящая семья, вот только материально было тяжело, поскольку Марина, племянница Киры, узнав, что тетушка больше не нуждается в услугах сиделки, сразу же прекратила платить Алене. Марине совсем не нравилось, что Алена живет в завещанной ей, Марине, квартире, но поделать она ничего не могла — Кира Ильинична защищала «своих детей», как коршун — птенцов.

Чтобы не стать нахлебницей у старушки, Алена старалась подрабатывать, в основном шитьем, но заказов было мало. И как только Никита немного подрос, Кира завела разговор, что Алене надо учиться, получать профессию, которая сможет прокормить их с сыном.

— Иди учись! — настаивала она. — Пока есть такая возможность. Пока я еще в силах, я посижу с Никитушкой. Но я ведь не вечна. И что тогда с вами будет? Оставить тебе квартиру я не могу, формально она уже принадлежит Марине. Тебе придется снимать жилье и поднимать сына — а на какие деньги? Ты ведь не хочешь возвращаться в Лугу?

— Нет, — твердо отвечала Алена.

— Тогда прислушайся к моим словам.

Алена прислушалась, пошла на парикмахерские курсы и успешно их окончила. Когда она принесла домой новенький, хрустящий, еще пахнущий типографскими ароматами диплом, Кира Ильинична вздохнула с облегчением:

— Ну слава богу, теперь я могу быть спокойна. Осенью Никитушка пойдет в сад, а ты найдешь работу.

Все так и вышло. Алена нашла работу в салоне неподалеку от дома и стала прилично зарабатывать — хватало на жизнь, и даже откладывать немного получалось. Но тут пришла новая беда — у Киры Ильиничны случился второй инсульт, гораздо сильнее первого. И с ним мужественная старушка уже не справилась.

На другой же день после похорон «бабушки Кии» Алене с Никитой пришлось освободить квартиру. К счастью, Кира Ильинична оставила им немного денег из своих сбережений, их оказалось достаточно, чтобы снять комнату на первое время. Но работать в салоне с ребенком на руках стало трудно: «плавающий» график, нужно было выходить и вечерами, и в субботу, а куда деть на это время Никитку? Нельзя же вечно подкидывать его Даше или просить посидеть Ларису... В итоге Алена нашла выход, она постепенно набрала клиентуру и стала работать на дому. Было тяжело, даже очень, приходилось крутиться, как уж на сковородке, — но зато Никита ни в чем не нуждался... Кроме отца.

Ему было три года, когда, придя из сада, мальчик в первый раз спросил, почему у него нет папы. У Артема есть, у Вики есть, у Марата есть... А у него нет. Алена не стала выдумывать нелепые байки, объяснила все честно, на том уровне, который доступен пониманию малыша — что папа у него был, у всех людей есть папы, но не всегда папы и мамы живут вместе, иногда они ссорятся и расстаются.

— Вы поссорились из-за меня? — вдруг на удивление серьезно спросил малыш.

— Что ты! Нет! — заверила Алена. — Мы поссорились потому, что твой папа меня сильно обидел.

— Тогда хорошо, что его с нами нет, — заключил Никита и обнял ее за шею. — Я никому не дам тебя обижать!

С тех пор он больше не заговаривал на эту тему, и Алена немного успокоилась. Но шло время, Никита рос, и она сама понимала, что мальчику очень не хватает отца, мужчины рядом, который мог бы являться для него примером, который играл бы с ним в футбол и клеил бы модели, учил бы, как постоять за себя и за других, как бриться и как починить кран... Правда, починить кран Алена и сама могла научить Ника, она овладела подобными навыками, еще живя в родительском доме. Но оба, и мать и сын, отлично понимали, что это совсем не то.

Конечно, и после рождения сына Алена не перестала пользоваться успехом у мужчин. На нее по-прежнему оглядывались, подходили знакомиться на улицах и в метро, с ней заигрывали посетители салона и водители маршруток. Хотели познакомиться, просили «телефончик», предлагали встретиться... Но Алене некогда было бегать на свиданки, ее ждал сын. А это нравилось не всем ухажерам. Завести интрижку с красивой мамой-одиночкой были не прочь многие — но Алена не хотела легких интрижек. Она хотела замуж, хотела найти своему сыну отца.

Такого, который по-настоящему полюбил бы Никиту и который пришелся бы по душе и ей самой. И не какого-нибудь сантехника Алика из местного ДЭЗа, который, может, и хороший парень, и рукастый, и явно неравнодушен к ней, но глуповат и двух слов связать не может...

Когда Ник был во втором классе, у нее все же случился роман с братом одной из клиенток. Миша приехал забрать сестру после стрижки и с первого же взгляда запал на Алену. Ей он тоже был симпатичен, и она решила — почему бы и нет? Тем более что Миша, поняв ситуацию Алены, сразу предложил съехаться и жить вместе. Некоторое время все шло хорошо, они жили втроем, как семья, ходили в выходные в кино и гулять в парк. Вот только Нику Миша почему-то не нравился. Ревновал, наверное... Несколько раз заявил, однажды даже при Мише, что тот им совсем не нужен. «Зачем ты его привела? — упрекал Никита. — Нам что, вдвоем было плохо?» Разумеется, Мише это не понравилось, он стал придираться к Нику. Алена разрывалась между мужчиной и сыном, пытаясь их помирить и надеясь, что со временем неприязнь сгладится. Но она только обострялась, и в конце концов дело дошло до того, что как-то раз Миша, объясняя Нику математику, закричал на него: «Ну что ж ты такой тупой!» — и отвесил мальчику тяжелую затрещину. Того, что кто-то ударил ее ребенка, Алена простить не могла. Ей самой еще слишком памятны были драки в родительском доме. Она указала Мише на дверь и отныне стала очень внимательно приглядываться к мужчинам, появляющимся на ее горизонте. Допустить повторения истории с Мишей Алена не могла.

С тех пор они с Никитой так и жили вдвоем. О «настоящем» отце сын давно уже не расспрашивал, знал, что ей эта тема очень неприятна. Алена действительно до сих пор злилась на Влада, не могла ему простить уже даже не измену с Дианой, а того, что он не откликнулся на письмо, не приехал взглянуть на сына и даже ни разу не позвонил. Где он и что с ним, как он живет, Алена не знала и принципиально не интересовалась. И вдруг Ник его нашел. Но как, как это могло получиться?

Несмотря на весьма поздний час, Алена после некоторых колебаний все-таки позвонила Дашке. Та взяла трубку почти сразу, после второго звонка, похоже, еще не спала.

— Даш, извини меня, ради бога... — начала было Алена, но подруга решительно ее прервала:

— Аленка, нечего извиняться! Что случилось?

Алена все рассказала, и Даша не стала медлить с ответом:

— Так... Ну, во-первых, успокойся. Ничего страшного с Ником не произошло, это уже хорошо. Видимо, он действительно у Влада...

— Но как Никита мог его найти? — недоумевала Алена.

— Да наверняка через Интернет.

Внезапно в голову Алене закралась тревожная мысль:

— А это вообще точно Влад? Может, какой-нибудь маньяк связался с Ником, наплел ему, что он его отец, а ребенок и поверил...

— Так, Алена, спокойно! — снова прервала Даша. — Только без паники. Думай головой. Если Ник нашел Влада, то либо через соцсети, либо через поисковик. Скорее через соцсети. У тебя комп далеко? Поищи Влада сама. Или даже лучше так: посмотри у Ника в друзьях.

Алена склонилась над клавиатурой ноутбука. Снова открыла соцсеть, перешла на страничку сына...

— Нашла! Дашка, нашла! Действительно, есть в друзьях Владислав Калинин, 1980-го года рождения. И фото его, Влада…

Кинув взгляд на фотографию бывшего мужа, Алена невольно отметила, что тот выглядит не менее интересным, чем в молодости. Судя по снимку, Влад из симпатичного юноши превратился в по-настоящему красивого мужчину. Но сейчас ей некогда было его рассматривать.

— К сожалению, у Влада тут минимум информации, — сообщила она Даше. — Доступ закрыт.

— Ну, по крайней мере, Ник нашел именно его, это уже хорошо, — заключила Дашка. — Позвони Владу.

— Как? — растерялась Алена. — У меня нет его номера.

— А твой старый мобильник не сохранился? — тут же предложила выход подруга. — Там может быть в памяти.

— Дашка, ты гений! — ахнула Алена. — Точно, там должен быть! Сейчас я его найду.

— Удачи, — от души пожелала Даша. — И держи меня в курсе. Если что, звони в любое время, ладно? Я все равно пока не сплю.

Распрощавшись с подругой, Алена тотчас полезла на антресоли. Там, в одной из коробок, хранился старый, еще кнопочный, телефон. Самый первый ее мобильник, который подарил ей Влад. Аппарат служил ей долго и был исправен, поэтому Алена сохранила его на всякий случай, чтобы не остаться без связи, если вдруг сломается смартфон. В памяти того сотового точно есть номер Влада… Если, конечно, Влад не сменил его за эти годы.

Вообще-то Алена была аккуратным человеком и ненавидела беспорядок. Но сейчас, перерывая антресоли, она раскидывала вещи как попало. Ну где же этот проклятый телефон, он точно должен лежать в этой коробке?! Наконец аппарат нашелся. Старый, немного побитый, но вполне рабочий. Алена воткнула в розетку зарядный шнур. Экран засветился зеленым, а затем затребовал пин-код.

— Вот черт! — ругнулась Алена.

Пин-код она не помнила и сомневалась, что он был где-то записан.

В памяти всплыла картинка, как Влад преподнес ей этот телефон. Купить ей мобильник он предлагал чуть ли не с первых дней знакомства, но Алена упорно отказывалась, считала неудобным принимать такой дорогой подарок. Но однажды, придя домой из института — они тогда уже жили у него, — Влад сказал: «У меня есть кое-что для тебя» и протянул ей коробку.

Теперь, этой тревожной ночью, сидя одна в пустой квартире, Алена вспомнила, как они, молодые и счастливые, вместе изучали обновку, как Влад учил ее пользоваться телефоном, как она придумывала пин-код… Ну конечно же! Она сама придумала код, и это была какая-то дата… Дата, казавшаяся очень значимой, чем-то необычайно важным, главной вехой в ее жизни. Это был ее тогдашний код счастья…

Глава 15.
Даша.
Четыре тысячи девятьсот сорок семь

О том, чтобы повесить новое платье в шкаф, Майка и слышать не хотела. Целый час вертелась в нем перед зеркалом, пока Даша наконец не уговорила дочку все-таки поберечь наряд до завтрашнего дня и переодеться в домашнее. Но и после этого чудесное розовое платье осталось лежать на кровати, играя, Майка то и дело бросала своих кукол и подбегала, чтобы полюбоваться обновкой.

Готовя ужин, Даша слушала доносящиеся из детской смех и веселое щебетание Майки и радовалась за нее. А заодно и за себя — не придется возиться с переделкой наряда Красной Шапочки. Положа руку на сердце, ей совсем этого не хотелось, вот и откладывала все время на потом.

Кто беспокоил Дашу — так это Руська. Сегодня младший сын вел себя как-то уж очень странно. Несколько раз спросил, что будет на ужин, потом стянул из холодильника творог, который раньше терпеть не мог, и постоянно выходил куда-то из квартиры, причем делал это украдкой. Судя по тому, что Руська при этом не обувался и не одевался, да и отсутствовал не подолгу, минут по десять-пятнадцать, Даша заключила, что ходит он не на улицу, а куда-то неподалеку. Но куда? В подъезде у Руськи не было друзей, как-то так получилось, что на всех девяти этажах ни одного его ровесника, все дети либо намного старше, либо младше. Не ходит же Руська к взрослым соседям!.. Тогда куда? На лестничную площадку? И что он там делает? Да еще так часто? Может, что-то опасное, чего нельзя делать в квартире? Балуется с огнем или чем-то взрывающимся... Мальчишка же! Или пробует курить? Ничего другого в голову как-то не приходило. После очередной отлучки Руслана Даша позвала сына на кухню и, не переставая нарезать огурцы для салата, спросила, что происходит. А сама в это время принюхивалась — нет, дымом вроде не пахнет, ни сигаретным, никаким другим... Но внятного ответа от сына, зачем он то и дело совершает вылазки из квартиры, Даша так и не получила. Тут позвонил Ренат, сообщил, что сможет прийти сегодня домой пораньше, и Даша на время отвлеклась от Руськи и переключилась на картошку и котлеты. Она всегда стремилась подать на стол горячий ужин точно к тому моменту, когда вернувшийся с работы усталый и голодный муж переоденется и вымоет руки.

Незадолго перед Ренатом пришел наконец и Тимур, возбужденный, явно переполненный эмоциями — видимо, под впечатлением от тренировки, которую они с Максом ездили смотреть. Что ж, не исключено, что старший сын тоже захочет теперь заниматься фехтованием, — размышляла Даша, сливая воду с картошки. Интересно, сколько стоят такие занятия? Ладно, об этом она подумает потом, ближе к делу. И число голосов под своим конкурсным списком тоже посмотрит потом, после ужина. Как бы ни хотелось сделать это вот прямо сейчас, сию минуту.

Когда-то совместная трапеза была в их семье обязательной. Каждый будний вечер они непременно собирались за столом, вместе ужинали и обменивались новостями, а в выходные этот ритуал повторялся даже три раза в день. Но чем старше становились дети, тем сложнее получалось сохранить традицию. Кружки, секции, экскурсии, походы в гости к друзьям, прогулки и прочие дела все чаще заставляли мальчиков находиться вне дома. Да и Ренат иногда работал в выходные или задерживался допоздна, и даже Даша, хоть и крайне редко, позволяла себе иногда куда-то выбраться, вот как на днях — отметить новоселье Лары.

Но сегодня им удалось собраться всем впятером, и это было маленьким чудом. А в чудеса Даша до сих пор в глубине души верила. Пусть и не в Деда Мороза или неожиданное наследство от неизвестного дядюшки-миллионера, но хотя бы в возможность все-таки победить в конкурсе. Тем более что когда еще мечтать о чудесах, если не под Новый год?

— А я сегодня на работе ел бутерброды с бумагой, — сообщил детям Ренат, когда все уселись за стол.

— Как это? — удивилась Даша, перемешивая в Майкиной тарелке пюре со сливочным маслом.

— А вот так, — хмыкнул муж. — В контейнере вместе с завтраком оказалось меню нашего новогоднего стола.

— Так вот куда оно делось, — покачала головой Даша. — А я его ищу, ищу… Совсем с ума сошла.

— А мама сошла с ума! — проговорил Тимур с интонацией из мультика. — Какая досада!

— Какая досада, какая досада, какая досада… — тут же подхватила Майка.

— Цыц! — беззлобно прикрикнула на них Даша и посетовала: — Сама не знаю, почему я такая рассеянная последние дни.

— У меня есть предположение, — улыбнулся муж, щедро накладывая себе салат.

— Да?.. — немного с испугом поинтересовалась Даша.

— Да, — кивнул ее муж. — Это же все из-за праздников, правда?

— Ну конечно! — радостно согласилась Даша. — Но зато у нас все гото…

Договорить она не успела, — ее прервал долгий и решительный звонок в дверь. Ренат стал подниматься, с сожалением поглядев на тарелку, к которой только-только успел притронуться.

— Да сиди, я открою, — остановила его Даша. — И вы сидите ешьте, — это было сказано уже детям.

Открыв, она увидела на пороге Нелли Федоровну, соседку из квартиры напротив. В их подъезде жили очень разные люди, но все они, с первого по девятый этаж, сходились в одном — терпеть не могли Нелли Федоровну.

— Даша, да заберите уже наконец вашу собаку к себе в квартиру! — сразу же заголосила соседка, обойдясь без приветствий и прочих лишних предисловий. — Что это такое, в самом деле? Зачем вы держите ее на площадке? Это же антисанитария! Может, у нее вши, блохи... Или еще что-нибудь похуже! А лестничная клетка — между прочим, коллективная собственность!

— Постойте-постойте... — растерялась Даша. — О какой собаке вы говорите? У нас никогда не было собак!..

За спиной послышался какой-то шум. Даша невольно оглянулась и увидела, что все семейство бросило ужин и выстроилось в прихожей. У Майки был оживленно-заинтересованный вид, у Рената — скорее озадаченный. А вот оба мальчишки выглядели подозрительно смущенными. Особенно Руська.

— У нас нет никаких собак, — повторила Даша. — Вы что-то путаете. Это не наша собака.

— Да как же это не ваша, когда ваш Руслан целый день с ней возится? — соседка уже почти орала на нее. — Что ж вы за мать такая, если не знаете, чем заняты ваши дети!

Услышав такое, Майка даже топнула ногой от возмущения.

— Моя мама самая лучшая! — заявила она. — А вы... Вы дура, вот!

Хорошо еще, соседка кричала так громко, что не услышала Майку за собственным ором. А то бы Дашу еще обвинили и в том, что ее дети плохо воспитаны.

— Все, Нелли Федоровна, успокойтесь, пожалуйста, — Ренат произнес это тихо, но, как ни странно, на соседку подействовала его невозмутимость, и она слегка сбавила обороты. — Сейчас мы во всем разберемся. Руслан, потрудись объяснить, в чем дело. Что еще за собака?

— Это не собака… — еле слышно пробормотал Руська, уставившись в пол.

— А что тогда?

— Это щенок… Он мальчик.

— Щенок! Щенок! Хочу щенка! — запрыгала Майка.

— И где он? — продолжал настойчивые расспросы Ренат.

— Там… На площадке…

Майка первая сорвалась с места, Руслан и Тимур метнулись за ней. Ренат пожал плечами, бросил выразительный взгляд на жену и отправился следом за детьми. А Даша осталась успокаивать соседку и обещать ей, что больше никакой собаки на лестнице не будет.

Наконец, возмущенная Нелли Федоровна, высказав все, что она думает о Даше и ее семействе, удалилась к себе. А посреди прихожей в недавно убранной Дашиной квартире появилась большая и уже порядком изгрызенная картонная коробка. Внутри нее обнаружились все пропавшие тряпки и обе исчезнувшие миски. В одной была вода, а в другой — остатки нелюбимого Руськой творога. А еще в коробке мирно спал, свернувшись клубочком, пушистый рыжий щенок. Совсем маленький, что по размеру, что по возрасту — никак не старше двух, максимум трех месяцев. И явный «дворянин». Скорее всего, плод внеплановой страсти двух каких-то небольших и не слишком породистых родителей.

— Руслан, ты можешь объяснить, откуда он взялся? — строго спросил Ренат.

— И как оказался у нас на лестнице? — почти хором с мужем поинтересовалась Даша.

— Но вы бы все равно не разрешили держать его дома... — бормотал Руська. Он крепился из последних сил, чтобы не зареветь.

— Это точно, — кивнула Даша. — Мне только собаки не хватало...

Она вдруг почувствовала, что окончательно лишилась сил. Усталость, потихоньку наваливавшаяся на нее все эти дни небольшими порциями, вдруг разом обрушилась на плечи. И весила не меньше нескольких тонн. Ноги подогнулись, и Даша опустилась, почти упала, на тумбочку для обуви.

— И что мы будем делать? — жалобно спросила она у Рената, глядя на него снизу вверх.

— Сначала доедим пюре с котлетами, — рассудительно ответил муж. — Пока ужин совсем не остыл. А потом решим.

Она была уверена, что дети сейчас зашумят и наперебой примутся просить оставить щенка. Однако же все трое вели себя подозрительно тихо, даже Майка. Вернулись в кухню, расселись по своим местам и чинно принялись за еду, как самые примерные дети на свете. Но Даша, которой ничего не оставалось, кроме как присоединиться к остальной семье, отлично понимала, что надолго их не хватит.

Первой, конечно же, не выдержала дочь.

— А мы можем оставить щенка себе? — спросила она. — Мама, папа, скажите, что можем! Он такой милый!

Даша ответила не сразу и этим, очевидно, вселила надежду в сердце Руськи. Младший сын поднял голову и выразительно посмотрел на мать.

— Никаких щенков! — отрезала Даша. — Руслан, и дай мне слово, что больше никогда не будешь приносить в дом животных без разрешения!

— Но почему? — Глаза Руськи все-таки наполнились слезами. — Почему ты не разрешаешь мне завести щенка?

— Ну, опять двадцать пять... — Даша только вздохнула. — Слушай, Руслан, сколько можно повторять одно и то же? Щенок — живое существо, а не игрушка. Собаку надо кормить, выгуливать, убирать за ней. Кто все это будет делать?

— Я буду! — Глаза Руськи снова засветились. — Я буду, честное слово!

— Перестань, — отмахнулась Даша. — Ты даже не знаешь, о чем говоришь.

— Знаю! — горячо возразил Руслан. — Я уже второй день... Тимур, скажи им!

— Ну да, этот пес у нас уже второй день, — без особой охоты признал Тимур. — Руська все это время ухаживал за ним сам. И, кстати, хорошо справлялся. Я ему и не помогал почти. Только в Интернете посмотрел, ну там, чем кормить и все такое...

Видимо, детям два дня уже казались огромным и внушающим уважение опытом. Но Даша считала иначе.

— И что с того? — возмутилась она, вспомнив, как убирала сегодня в комнате мальчишек. Так вот в чем было дело — в щенке! А в ее занятую конкурсом и предновогодними хлопотами голову такая мысль даже не пришла... — Раз я сказала нет, значит, нет!

— Папа, ну пожалуйста! Можно нам оставить щеночка? — Хитрая Майка перевела стрелки на отца в надежде, что тот не откажет своей любимице.

Ренат, который вернулся за стол, подцепил на вилку кусок котлеты и ответил, не глядя ни на дочку, ни на жену:

— Будет так, как скажет мама.

Для детей его слова прозвучали как выражение родительской солидарности. Но только не для Даши. Она слишком хорошо знала мужа, чтобы не уловить в его голосе нотки сомнений. Неужели и он против нее? Даша недоуменно посмотрела на Рената, но тот был занят едой и не заметил ее взгляда.

Остаток ужина прошел в молчании, если не считать тихого перешептывания мальчишек, которые сразу же замолкали, стоило кому-то из родителей посмотреть в их сторону. Только когда тарелки опустели, а вишневый компот был полностью допит, Тимур, очевидно уже уставший от Руськиных подталкиваний локтем и пинаний под столом, наконец поинтересовался демонстративно-равнодушно:

— И что вы будете делать со щенком?

— Сегодня ничего, — спокойно ответил Ренат, старательно вычищая свою тарелку кусочком хлеба. — Уже слишком поздно. Так что ночь щенок проведет здесь. А утром решим.

Руська шумно вздохнул, а Майка тут же подскочила с места:

— Ура! А можно я с ним поиграю?

— Он спит, — сердито пробурчала Даша.

— Уже не спит! Слышишь, он шевелится!

Из прихожей и впрямь доносился шорох, шуршание и недовольное сопение. Щенок проснулся и, скорее всего, норовил выбраться из коробки.

— Да идите, идите, — улыбнулся Ренат.

Младших детей как ветром сдуло. Вылетев в прихожую, Майка схватила щенка в охапку и уволокла к себе в детскую, Руська помчался за ней. Один лишь Тимур счел себя слишком взрослым для подобных малышовых забав и с важным видом удалился в свою комнату.

— Вот тоже еще забота на мою голову… — ворчала Даша, убирая со стола. — И где он его только подобрал? Вдруг щенок блохастый или больной какой-нибудь? А ты так легко разрешил детям с ним возиться…

— Так они уже второй день с ним возятся, — Ренат собрал детские тарелки и подал жене, которая загружала посудомоечную машину. — Запрещать уже поздно. И потом, я посмотрел — щенок чистый, шерстка блестящая. Судя по всему, не бездомный, за ним ухаживали.

— Так, может, хозяева его ищут? — Даша с надеждой оглянулась на мужа. — Может, он сбежал? Надо объявление дать…

Ренат с сомнением покачал головой.

— Такой маленький? Нет, что ты. Не мог он сбежать. Выбросили, наверное.

— Ну что за люди пошли! — возмущалась Даша, запечатывая пленкой миску с остатками салата и убирая ее в холодильник. — Как так можно? Неужели не жалко, такого малыша — и выкинуть на улицу, да еще зимой! И как рука-то поднялась! А он действительно очень милый, понимаю, почему дети так хотят его оставить… Рыженький такой… Ты чего улыбаешься?

— Да так...

— Не вижу ничего смешного! — Даша смахнула крошки со стола и последний раз оглядела кухню. Вроде все в порядке. — Ты смеешься, а я голову ломаю, что мы будем завтра делать с этим щенком. Находились бы мы в Луге, там я бы его моментально пристроила. Небось даже родители бы взяли, им собакой больше, собакой меньше — без разницы. Но мы не в Луге живем, а в Питере! И не в частном секторе, а в квартире. Так что пойду посмотрю в Интернете, что люди делают в таких случаях. Должны же быть какие-нибудь приюты для животных или что-то такое... Может, кто-то из знакомых согласится взять. Алена точно откажется, но, может, Лара... Впрочем, не обязательно ведь знакомые, правда? Можно просто объявление запостить. На каком-нибудь сайте о животных, наверняка таких много...

— Послушай, Даша, — Ренат дотронулся до ее руки, прекратив тем самым взволнованный монолог. — А может, все-таки дать детям шанс? Они уже действительно не маленькие и в состоянии ухаживать за щенком, если так хотят.

— Это кто не маленький? — тут же вскинулась Даша. — Майка? Или Руслан?

— Тимур уже точно не маленький, — спокойно ответил Ренат. — Да и Руслан, если на то пошло, вполне в состоянии заботиться о собаке.

— Да перестань, — отмахнулась она. — Это же дети. Ну, поиграется Руська в хозяина еще день-другой, а потом ему надоест. И все заботы о щенке лягут на меня. А мне вот только их еще недоставало! Странно, что ты не понимаешь таких элементарных вещей!..

Ренат немного помолчал, что-то обдумывая.

— Видишь ли, Дашуль... — заговорил он наконец. — Я сужу по себе, а это, наверное, неправильно... Но слишком хорошо помню, как сам мечтал в детстве о собаке. Ну, ты знаешь, я тебе об этом сто раз рассказывал. Вот просто до дрожи хотел, не мог спокойно видеть на улице собаку, чтобы не подойти. И я бы точно ухаживал за питомцем, если б он у меня был. И гулял бы, и дрессировал, и лечил, если понадобилось... Не только я, и брат, и сестры. Они тоже хотели собаку. Но мы понимали, что в наших двух комнатах ни о каком питомце не может идти и речи...

— И что ты предлагаешь? — нахмурилась Даша. — Оставить собаку и самому с ней гулять?

— Я предлагаю устроить детям испытательный срок. И щенку заодно. Через три дня мы едем в Лугу, к твоим родителям. Пусть до этого времени щенок останется у нас. Когда поедем — возьмем его с собой. Времени, чтобы посмотреть, насколько Руслан действительно готов заниматься собакой, будет достаточно — все каникулы. И если мы поймем, что это несерьезно и положиться на Руслана нельзя, то просто оставим щенка у твоих родителей. Ну, или пристроим соседям в хорошие руки.

— Ох... — только и вздохнула Даша. — А эти три дня до отъезда, значит, я...

— Ну почему ты? — Ренат, как это часто бывало, понял ее с полуслова. — Прежде всего, Руслан. Да и я ему помогу.

— И я, — послышалось от двери.

Родители обернулись и увидели вошедшего в кухню Тимура.

— Я тоже готов с рыжим гулять, — заявил старший сын. — Он такой прикольный собакен...

— Да вы что, все сговорились против меня, что ли?

У Даши уже накопилось достаточно контраргументов, но только она собралась их предъявить, как из детской послышался сначала шум и крики, а потом оглушительный рев. Все трое старших членов семьи тотчас прервали спор и бросились туда.

В детской их глазам предстала такая живописная картина: посреди комнаты щенок со счастливым писком, который, наверное, должен был имитировать рычание, увлеченно драл какой-то розовый лоскут. Рядом, склонившись над ним, стоял совершенно обескураженный Руська. Майка отчаянно рыдала, сидя на полу, и в руках у нее было платье для новогоднего утренника... Вернее, то, что осталось от платья, потому что все оно оказалось изорвано в клочья.

— Ни фига себе! — присвистнул Тимур. — Надо сфоткать и в Сеть выложить...

— Как это получилось? — ошалело спросила Даша, которая все еще не могла поверить своим глазам. Вернее, могла. Но очень уж не хотела.

Понадобилось немало времени, чтобы понять из сбивчивого объяснения младшего сына, что же такое произошло в детской. И выяснить, что ребята возились со щенком, тот сумел добраться до платья и схватить его зубами. Руслан испугался, что песик порвет праздничный наряд сестры, вцепился в платье, пытаясь его отнять, Майка стала помогать брату... Щенок же решил, что с ним играют в веселую игру, и с удовольствием ее поддержал. После чего платье уже окончательно погибло.

— Уходи, плохой, я тебя больше не люблю! — всхлипывала Майя, отмахиваясь от щенка розовыми лохмотьями, которые еще недавно были ее праздничным нарядом. — Мое платье!.. Мое платье с длинной юпкой…

Даша тяжело вздохнула и почувствовала, что тоже готова разрыдаться за компанию с дочкой. Ее жизнь порой напоминала сумасшедший дом, и сейчас был как раз такой момент.

— Ну, вот как быстро все решилось, — усмехнулся Ренат.

— Да, похоже, испытательный срок рыжий не прошел, — тут же подхватил Тимур.

Но Даше оказалось не до смеха. Для нее случившееся было катастрофой. И полбеды, что ей все же придется перешивать наряд Красной Шапочки, потратив на это полночи. Беда кроется в том, что Майка теперь ни за что не захочет надеть тот костюм, ей он никогда особенно не нравился, а уж теперь и вовсе…

Нужно было срочно что-то придумать. Даша уже собиралась впасть в отчаяние, но тут ее озарило. Новогодний подарок! Ну конечно же! Ведь она приготовила для дочки под елку платье Фроси из «Джингликов»!

— Алиса завтра будет красивая! — всхлипывала Майка. — А я нет…

— Успокойся, солнышко, — Даша обняла девочку. — Вот увидишь, ты будешь самая красивая. Как Фрося из «Джингликов».

— Как… это?

— А вот так. Сейчас увидишь.

Быстренько сбегав за смартфоном, Даша вернулась в детскую, для виду потыкала в кнопки, притворившись, будто набирает номер, и поднесла аппарат к уху:

— Алло, это Дед Мороз? Дед Мороз, помоги нам, пожалуйста! У нас неприятность — щенок порвал дочкино платье. А Майе обязательно нужно быть завтра самой красивой, как

Фрося из «Джингликов». Что? Правда? Спасибо большое, это просто здорово. До свидания.

— Что он сказал? Что сказал Дед Мороз? — Майка нетерпеливо прыгала вокруг Даши.

— Сказал, что сейчас пришлет тебе платье Фроси, — отвечала Даша, быстро перемигнувшись с мужем.

— Настоящее платье Фроси?

— А почему бы и нет? Ведь Дед Мороз волшебник, ему это нетрудно. Сейчас кто-нибудь из его помощников привезет платье Фроси, а мы пока пойдем умываться...

И она повела дочку в ванную, но, проходя мимо Рената, на секунду задержалась и шепнула: «Спальня, нижний ящик комода, коробка с голубым бантом». И муж даже ничего отвечать не стал, только кивнул.

Едва Майка закончила умываться, как раздался звонок в дверь. На площадке никого не было — видимо, помощник Деда Мороза очень спешил, ведь у него столько дел накануне Нового года. Но зато перед дверью лежала плоская серебристая коробка, перевязанная лентой. И в ней обнаружился голубой наряд Фроси, который Майка, забыв обо всем, тут же помчалась мерить.

Топик и юбка с широким поясом-бантом пришлись точно впору. И смотрелись, с точки зрения всех домашних, очень красиво. Вот только сама Майя почему-то не улыбалась, разглядывая себя в зеркале.

— Тебе не нравится? — спросила Даша, чувствуя, как все внутри уже начинает закипать.

— Нет, нравится... — отвечала дочь. — Только никто не поймет, что я Фрося.

— Это еще почему?

— Потому что Фрося — Джинглик.

— И что с того?

— А у всех Джингликов шапочки с бубенчиками. Они же Джи-иинглики...

Господи, этот сумасшедший день хоть когда-нибудь закончится? Еще немного — и Даша начнет выть волком...

— Обещаю, завтра утром и у тебя тоже будет шапочка, — заверила она. — Точно такая, как у Фроси. И все поймут, кто ты. А сейчас надо ложиться спать. Уже очень поздно. Мальчики, вы слышали? — крикнула она в сторону комнаты сыновей. — Вас это тоже касается.

— Да-да, уже ложимся, — послушно заверил Руська, выглядывая из-за своей двери. — Мама, а можно щенок на ночь останется в нашей комнате? Я буду за ним следить, чтобы он еще чего-нибудь не натворил. А то вдруг он еще и это, новое, платье порвет?

— Типун тебе на язык! — в сердцах воскликнула Даша. — Только этого еще не хватало! Так и быть, забирайте этого разбойника к себе, только не вздумайте пустить в постель.

Когда все улеглись, она вернулась в кухню, включила ноутбук и полезла смотреть в Интернете, как выглядит шапочка Фроси. Но не удержалась от соблазна, зашла на сайт конкурса, который не посещала весь этот долгий вечер, и чуть не ахнула. Четыре тысячи девятьсот сорок семь голосов! Ничего себе она рванула вперед! Теперь Даша уверенно держалась на третьем месте. Конечно, это не имело большого значения, так как два более успешных соперника намного опережали ее. Их, скорее всего, Даше уже не догнать. Но все равно приятно, что стольким людям понравились ее пост и список тем...

— Даша, тебе бубенчики нужны? — спросил Ренат, заглядывая в кухню. — Я правильно понял?

От неожиданности она аж подскочила на месте и торопливо захлопнула ноутбук.

— Что такое? Я тебя напугал? — удивился муж.

— Нет, но... То есть да. Ты вошел так неожиданно...

— Ну, извини, не хотел. Только пришел сказать, что вспомнил, где можно среди ночи взять бубенчики. Помнишь, у Руськи был тряпичный клоун? По-моему, он до сих пор где-то в кладовке валяется.

— Да, помню. Пойдем поищем, — Даша хотела подняться, но Руслан жестом остановил ее.

— Сиди, я сам найду. А ты отдохни пока.

Он направился было к двери, но вернулся и обнял жену.

— Забыл сказать самое главное. Дашка, вот честное слово — ты у меня просто гений! Это ж надо было такое придумать — с Дедом Морозом! Я бы никогда... Да что я — никто не смог бы. А ты можешь. Сколько лет с тобой живу — а все не устаю тобой восхищаться.

Даша прижалась к мужу и улыбнулась. Все-таки этот ужасный день заканчивался не так уж плохо. И, что бы там ни было, почти пять тысяч голосов — это тоже хорошая цифра.

Глава 16.
Лара.
Второй день заточения

Лариса уже и не помнила, когда последний раз получалось так хорошо выспаться. Обычно она просыпалась тяжело, медленно, с трудом разлепляла веки и буквально заставляла себя вылезти из постели, а тут сразу открыла глаза и моментально ощутила себя бодрой и отдохнувшей. Удивленно осмотрелась, недоумевая, почему то, что она видит, так мало похоже на ее новую квартиру. И уже только потом, спустя некоторое время, сообразила, где находится, и снова оглядела спальню, на этот раз уже с интересом. Спальня выглядела чудесно. Стильный интерьер, мебель светлого дерева, на полу мягкий ковер приятного серого цвета с легким, еле уловимым серебристым оттенком. Сквозь портьеры, подобранные в точности в тон к ковру, смотрело сплошь затянутое облаками зимнее небо. Но в такой уютной обстановке было приятно проснуться даже в самую пасмурную погоду.

«Да, это не «Харлей-Дэвидсон» посередине комнаты!» — усмехнулась Лара, вспоминая вчерашний день. Как же все-таки нелепо то, что с ними произошло! И угораздило же Сашу перепутать код... Конечно, он клялся и божился, что ввел те же цифры, но все-таки Лариса ему не верила, поскольку больше не видела ни одного возможного объяснения.

250

Но вот что странно — сегодня мысли о вынужденном заточении неизвестно на какой срок уже не внушали ужаса и отчаяния. Корпоратива с Иваном и Доминиканы было, конечно, жаль... Но не до слез, как вчера. Наверное, все дело в том, что Лариса хорошо отдохнула.

Откинув теплый плед в бело-серую клетку, Лара машинально отметила, что вчера его не было. Значит, Саша укрыл ее, пока она спала? Надо же, как это мило с его стороны...

Рядом со спальней обнаружилась еще одна ванная комната, в теплых золотисто-коричневых тонах и с джакузи королевских размеров, уставленным по бортам многочисленными гелями и шампунями. При взгляде на огромную ванну тут же захотелось искупаться, и соблазн оказался настолько велик, что Лара с трудом перед ним устояла. Для этого стоило все-таки спросить разрешения хозяина, точнее, его и.о.

Результаты придирчивого осмотра собственной персоны в зеркале не дали ничего хорошего. Волосы всклокочены, синяк на скуле, вопреки ожиданиям и надеждам, за ночь не потускнел, а как будто даже стал еще заметнее. Брюки и кофточка на Ларе были из немнущегося материала — но все равно сложно оставаться чистым и свежим, не снимая одежду двое суток кряду. Зато на мраморной столешнице рядом с раковиной нашелся новенький тюбик зубной пасты, несколько запечатанных зубных щеток и запечатанная же расческа. Интересно, они тут так и хранятся всегда на виду — для гостей? Или это Саша позаботился о них, как и о пледе?

Зачем он со мной нянчится? — пронеслось в голове. — Хочет понравиться? Но стоит ли стараться ради случайной знакомой? Или такое вот отношение к людям для него привычно и естественно? Может быть, что и так. Она ведь ничего о нем не знает… В конце концов, они знакомы всего один день. Хотя этот день и был очень насыщенным, они провели его вместе и много разговаривали. Но все равно это лишь шапочное знакомство, разговоры от нечего делать, как у двух попутчиков в поезде… Бр-р! Вспомнив своих недавних попутчиков, Лара невольно поежилась. Да уж, Саша куда симпатичнее, чем они, ничего не скажешь. С ним легко и весело, и в то же время интересно, он весьма неглуп, с ним можно обсудить множество разных тем и найти немало точек соприкосновения. А еще он действительно очень мил. Им даже можно не на шутку увлечься… если отпустить вожжи. Но делать этого ни в коем случае нельзя. Рано или поздно поезд прибудет на конечную станцию, случайные попутчики сойдут на перрон и отправятся каждый своей дорогой. Саша вернется к жене и детям, а Лара — к своему одиночеству…

Выйдя из ванной, Лариса прислушалась и замерла на пороге: из гостиной доносились посторонние звуки. «Александр Михайлович вернулся с Мальдив!» — вихрем пронеслось в голове, и сердце неожиданно ухнуло. От радости или разочарования — Лара и сама не смогла бы ответить. На цыпочках она осторожно прокралась по комнате и заглянула в гостиную, чтобы узнать, что шум, который она приняла за голос олигарха, рассерженного тем, что в его квартире хозяйничают посторонние люди, оказался всего лишь звуками, доносящимися из телевизора. На экране плазменной панели длинноволосый атлет в одних только синих шортах приседал под ритмичную музыку, а в комнате, спиной к Ларе, повторял его движения Саша, одетый столь же легко — лишь в черные боксеры. И Ларе трудно было не заметить, что сложением он ничуть не уступает телевизионному атлету.

«Молодец, держит себя в отличной форме! — с одобрением заключила про себя Лариса. — Собственно, почему бы и нет? У них же здесь фитнес-центр, он сам упоминал. Наверное, заглядывает туда перед работой...»

Покончив с приседаниями, оба спортсмена перешли к наклонам. Потом настала очередь отжиманий. Приняв упор лежа, Саша легко, словно играя, опустил и поднял тренированное тело раз, наверное, пятьдесят — Лара уже давно сбилась со счета. Но все не решалась выдать свое присутствие, стояла тихонько и смотрела на Сашу.

«В конце концов, это неприлично — так подглядывать за человеком! — ругала себя Лариса. — Веду себя, словно только что из монастыря сбежала и никогда мужиков не видела...» Но все равно не могла отвести от него глаз.

Лишь приняв снова вертикальное положение и потянувшись за висевшим на спинке кресла полотенцем, Саша наконец заметил ее присутствие, но нисколько не смутился.

— А, Лара, доброе утро! — Он промокнул лоб полотенцем и повесил его на шею. — Я тебя не разбудил?

— Нет, что ты. Я прекрасно выспалась, спасибо. — Теперь она старательно отводила глаза. Смотрела куда угодно — выше его плеча, на телевизор, в окно — только не на полуобнаженного мужчину. — Я... Я хотела спросить. Можно я приму душ?

— Конечно! Будь как дома, — милостиво разрешил он с такой интонацией, словно и впрямь являлся хозяином этих хором. — Поищи, там в шкафах должны найтись халаты и тапочки. И не только душ, можешь и в джакузи поплескаться. Показать тебе, как оно включается?

— Спасибо, думаю, разберусь сама. Не у одного тебя здесь высшее техническое образование, — усмехнулась Лара и вернулась в ванную.

Королевский мини-бассейн искушал и манил, но сначала Лариса позаботилась о насущном. Дома она, естественно, воспользовалась бы стиральной машиной, но идти спрашивать, где в этом филиале «Эрмитажа» дизайнер спрятал бытовую технику, привлекать Сашу к поискам и устраивать в чужой квартире банно-прачечный комбинат… Это как-то уж слишком. Лара пробежалась взглядом по мебели, открыла наугад выдвижные ящики комода и, к своей безмерной радости, нашла там твердое мыло. Жидкое — в диспенсере, удобно расположенном над раковиной, — не очень-то подходило для стирки. Решив, что брюки еще потерпят, а все остальное уже не ждет, Лариса разделась и простирнула кофточку, колготки и белье прямо в глубокой раковине. В дальнем углу, за шкафом со стопками белоснежных халатов и полотенец, к стене крепился ряд полотенцесушителей. Развесив свои вещи, Лара стыдливо прикрыла их полотенцем от посторонних глаз. В ванной тепло, высохнет быстро, и не придется смущаться и краснеть от сознания, что под халатом на ней ничего нет.

В просторной душевой кабине Лара вымылась до скрипа. Как ни собиралась экономить хозяйские принадлежности, не устояла, распечатала массажную варежку-мочалку и флакончик с душистым гелем, а шампунь для волос и бальзам-ополаскиватель из натуральных компонентов — это уж сам бог велел.

Как мало нужно женщине для счастья! Всего лишь, придерживаясь за поручни, погрузиться в прозрачную бирюзовую воду, откинуть голову на подголовник, закрыть глаза и отдаться на волю бурлящих потоков и вспенившихся пузырьков, ощущая под собой бархатистость покрытия роскошной ванной. Умная электроника поддерживала заданную температуру, климат-контроль обеспечивал оптимальную влажность. Перед этим, правда, Ларе пришлось немного поколдовать над пультами дистанционного управления, но это такая мелочь, она быстро разобралась что к чему. От мечтаний о собственном джакузи в собственном доме, откуда не надо съезжать по первому требованию, и размышлений о преимуществах обитания в элитном небоскребе, випжителям которого наверняка неведомы сезонные отключения горячей воды, мысли плавно перетекли к одному из обитателей этого стеклянно-бетонного рая.

Интересно, а Саша тоже живет здесь, в Москва-Сити? Нет, вряд ли. Он сам говорил, что квартиры здесь безумно дорогие. А он, скорее всего, все-таки наемный работник, хотя зарплата у него явно повыше Лариной… Наверняка даже в разы. Можно себе представить, что при такой зарплате его жена готова мириться со многим. В том числе с тем, что муж пропадает на долгое время и даже не звонит. Хотя Лариса ни за что бы так не смогла… А жена у него красивая. И детишки прелестные. Сашу легко представить отцом, легко вообразить, как он возится с малышней, играет, дурачится… Наверняка детки его обожают. В нем много мальчишеского, хотя на самом деле он не так-то уж молод, лет сорок-то ему есть… Или еще нет? Не поймешь, он прекрасно выглядит. Впрочем, чему удивляться? Средств наверняка хватает, здоровый образ жизни, отсутствие вредных привычек. И постоянный оптимизм… Его улыбка… а его тело… Стоп! Так можно дофантазироваться неизвестно до чего… Нет, как раз таки известно до чего. Очень даже известно. Вот только не испортит ли физическая близость того замечательного общения, которое возникло вчера? Вдруг после секса им вообще не захочется смотреть друг на друга? Такое, увы, нередко случается. А им еще оставаться под одной крышей как минимум несколько дней...

Халат Лариса запахивала и завязывала очень долго, так, чтобы при взгляде на нее у Саши не возникло и мысли, что его провоцируют. Но опасения оказались напрасны — полнотой Лара не страдала, а в вытащенный из шкафчика широкий махровый балахон поместилась бы парочка таких, как Лариса. Так что с халатом было все в порядке, но вот с тапочками повезло меньше. Все они оказались мужского размера, наверное сорок пятого, если не больше.

«Не рассчитаны, видно, холостяцкие апартаменты олигарха даже на краткосрочное женское общество, — усмехнулась Лариса, распечатывая упаковку и погружая в тапок свою ножку стандартного женского тридцать седьмого размера. — Или не успел обзавестись...» Ступни болтались в тапочках, и ходить было неудобно, но все же приличнее, чем босиком.

В кухне-столовой снова, как и вчера утром, пахло свежесваренным кофе. Сидевший за столом Саша поднялся ей навстречу, и Лара не без облегчения заметила, что он уже оделся — натянул джинсы и футболку.

— Извини, не дождался тебя, — он показал на пустую кружку с остатками гущи на дне. — Не могу с утра без кофе. Пока не выпью, толком не проснусь, даже гимнастика не очень-то помогает.

Он улыбнулся, от глаз к вискам разбежались лучики морщинок, и Лара решила, что отросшая за ночь щетина ему идет, она только подчеркивает мужественные черты. Его волосы были еще влажными — видимо, пока она сибаритствовала, успел принять душ в другой ванной.

— А где ты спал? — запоздало поинтересовалась Лариса. Саша как будто даже удивился ее вопросу.

— В гостиной, на диване, — недоуменно проговорил он. — А какие еще могли быть варианты? Или ты думаешь, что я вылез в окно, спустился по стене, как человек-паук, смотался к себе домой, поспал, а к утру вернулся?

— Нет, конечно, — хихикнула она, усаживаясь за стол.

Пока она плескалась в джакузи, Саша приготовил полный завтрак — омлет, сэндвичи, апельсиновый фреш.

— Знаешь, я уже начинаю чувствовать себя неловко, — призналась Лара, откусывая кусочек от бутерброда с красной рыбой. Хлеб уже немного зачерствел, но все еще оставался вкусным. — Ты все время готовишь на двоих, а я только пользуюсь твоими трудами, как барыня. Так дело не пойдет. Давай договоримся, что обед я готовлю сама.

— Могу быть у тебя на подхвате, — легко согласился Саша, который уже успел покончить со своей половиной омлета.

— Нет, я как-то не привыкла работать в четыре руки. Я сама, ладно? — отказалась Лариса, а про себя подумала: «С моей стороны стало бы черной неблагодарностью не ответить на его старания... Хотя, похоже, он действительно не намеренно старается. Просто для него это в порядке вещей».

— Как скажешь, — не стал противиться Саша. — А поскольку до обеда еще далеко, у меня есть к тебе предложение... — Он на миг запнулся, быстро взглянул на нее и поспешно продолжил: — Давай нарядим елку? Как-никак, завтра Новый год.

— Елку? — Лара изумленно оглянулась. — Но откуда она тут возьмется? А, поняла. Ты шутишь.

— Да нет же, не шучу! — заверил он. — Елка действительно есть. Ну, не живая, конечно. Искусственная. Пока ты спала, я искал кое-что в квартире и наткнулся на коробки. В них елка и игрушки. Может, возьмемся за это? По-моему, самая пора готовиться к празднику, как ты считаешь? До поздравления президента и боя курантов осталось каких-то несчастных тридцать семь часов.

— Ох... — Лара только вздохнула и поделилась:

— Знаешь, мне все еще как-то не верится, что все это происходит с нами на самом деле... Постоянно жду, что вот-вот откроется дверь и кто-нибудь войдет.

— И кто же?

— Не знаю... Охрана. Или твой шеф. Или толпа с телекамерой и криками: «Поздравляем, вы попали в программу «Розыгрыш»!»

— Ни в одном из этих случаев наряженная елка не помешает, — заверил Саша. Он сказал это очень серьезно, но в его серых глазах так и плескался смех.

Не откладывая дело в долгий ящик, они быстро убрали со стола, после чего Саша торжественно выволок откуда-то большую коробку с изображением елки и несколько коробок поменьше.

— Очень красивая! — оценила Лара, когда разобранную на части елку извлекли из упаковки. — С двух шагов ни за что не отличить от настоящей. И как удобно собирается! Знаешь, у меня тоже дома уже стоит елка, не елка даже, а канадская сосна. Живая. Нарядила ее еще в выходные. Надеюсь, достоит до моего возвращения...

После непродолжительного обсуждения было решено поставить елку в гостиной. У Лары сперва мелькнула мысль загородить елкой дурацкий мотоцикл, но она вспомнила, как горячо вступился вчера Саша за увлечение своего шефа, и деликатно промолчала. Мужчины — что с них взять! Как говорится, мальчишки на всю жизнь остаются мальчишками, меняется только стоимость их игрушек... Хотя, — остановила сама себя Лариса, — а разве женщины в этом сильно отличаются от мужчин? У них точно так же есть свои игрушки, свои увлечения, которые человеку, не разделяющему их, могут показаться нелепыми. Над ее страстью к комнатным цветам посмеиваются даже Дашка с Аленой... Интересно, а как у них сейчас дела, как они поживают накануне Нового года? И ведь даже позвонить им нельзя, что обидно...

Елка оказалась огромной, два с половиной метра. Не под потолок, потолки в апартаментах были намного выше, но, чтобы украсить верхушку, Саше пришлось взгромоздиться на стул.

— Осторожнее, не упади! — предупреждала Лара, подавая ему шарики.

— Не упаду, — заверял Саша. — Но мне приятно, что ты обо мне беспокоишься.

Когда елка была готова, Лара оставила Сашу в гостиной — отдыхать от трудов праведных, а сама отправилась в ванную, проверить, не высохли ли ее вещи. Но, увы, несмотря на то что прошло уже часа три, спрятанное под полотенцем белье оставалось влажным, не говоря уже о кофточке. Что ж, придется потерпеть и еще немного походить в халате и этих огромных шлепанцах, в которых она чувствует себя как Маленький Мук из мультфильма.

Увидев, что Саша смотрит по телевизору новости, Лара не стала его отвлекать, а отправилась в кухню-столовую сообразить, что можно приготовить к обеду. Кухонную зону квартиры Лариса еще до сих пор толком не изучила, поскольку все время их пребывания здесь готовил один только Саша. И теперь Лара с упоением занялась исследованиями и пришла в восторг от увиденного. Да и какая женщина, если, конечно, она хозяйка и способна оценить красоту, комфорт и функциональное разнообразие, останется равнодушной к мебели и встроенной технике, предназначенной превратить рутину в удовольствие? Отдав должное индукционной варочной панели, Лариса открыла двухдверный холодильник и едва сдержала возглас удивления. У нее дома обычно из трех полок всегда пустовало минимум две. Много ли еды надо привыкшей к одиночеству молодой женщине, которая к тому же значительную часть своей жизни проводит на работе? Здесь же и холодильник, и морозилка оказались забиты, будто хозяин квартиры не просто готовился принять делегацию представителей фирмы-партнера, но и стремился угодить каждому именно на его придирчивый кулинарный вкус. Да уж, Саша был прав — даже если они заперты тут на все каникулы, вплоть до одиннадцатого января, голодная смерть им точно не грозит. Но что бы приготовить сейчас? Пожалуй, подойдет вот этот кусок говяжьей вырезки. Можно сделать из него миньоны и подать с сырно-грибным соусом, по Дашкиному рецепту.

Пока микроволновка размораживала мясо, Лара занялась поисками специй. Точнее, соли. Перец искать было не нужно, мельничка оказалась полна чуть не до краев, а вот соль в солонке почти закончилась. Но вряд ли в этом доме, где не было разве что птичьего молока, не оказалось запаса соли! Безрезультатно изучив содержимое шкафов пониже, Лариса перешла к навесным. В отсеке под мойкой она нашла складную лесенку-стул, взобралась на нее, чуть не потеряв при этом неудобные тапочки, открыла дверцу. В поле зрения сразу попала прозрачная баночка, осталось протянуть руку и взять. Дальнейшее произошло одновременно. Тренькнул звоночек микроволновки, оповестив, что мясо разморозилось, и тут же за спиной послышался Сашин голос:

— Лара, ты чем занимаешься?

От неожиданности Лариса вздрогнула, повернулась, зацепилась несоразмерной тапкой за ступеньку и потеряла равновесие. Неловко взмахнув руками, пытаясь хоть за что-нибудь удержаться, Лара уже падала... Но вместо этого очутилась в крепких мужских объятиях.

— Испугалась, да? — Он сжимал ее крепко, словно большую ценность.

Неизвестно, кто из них сильнее испугался, его сердце билось не менее часто, чем ее, и Лариса прекрасно чувствовала это сквозь халат.

За огромными окнами падал снег, наряженная елка сияла огоньками гирлянды, из телевизора доносилась мелодия «Песенки о пяти минутах», а для Лары время на миг остановилось. Она замерла в безмолвии у пограничной черты перед пропастью, куда так хочется упасть... вдвоем. Лариса подняла глаза и встретила взгляд Саши. Господи, когда последний раз мужчина так на нее смотрел? Никогда, наверное...

«Да!» — сказало... да что там сказало — закричало ее тело.

«Нет! — решительно заявил разум. — Ни в коем случае! Вы же больше никогда не увидитесь. Он вернется к своей жене, а ты, если это произойдет, никогда не сможешь его забыть... Тебе мало переживаний, мало было в жизни потерь?»

И разум, как всегда, победил. Собрав всю волю в кулак, Лара решительно высвободилась из объятий, и Саша, хоть и явно неохотно, ее выпустил.

— Ты в порядке? — спросил он дрогнувшим голосом и скупо улыбнулся.

— Да, все хорошо, — кивнула она. — Спасибо тебе.

— Лара, но чего тебя вдруг наверх понесло, да еще и в этих лыжах? — У него был тон, которым любящие родители отчитывают напугавшего их ребенка, когда самое страшное уже позади.

— За солью, — спокойно объяснила она, принимаясь за готовку. Руки все еще предательски дрожали, и дело было совсем не в страхе перед падением с лесенки.

— Ты что, не могла меня позвать? Зачем было лезть самой?

— Затем, что я привыкла решать свои проблемы сама.

Видимо, она слегка перестаралась, пытаясь скрыть свои чувства. Слова прозвучали слишком резко, даже, пожалуй, жестко. Саша отступил на пару шагов и поднял руки в примирительном жесте:

— Все понял. Не стану больше мешать.

И удалился в сторону гостиной.

Лара хотела было его остановить, но передумала. Не стоит. Пусть идет. Ей сейчас лучше остаться одной и собраться с мыслями... Хотя, по-хорошему, эти мысли стоило бы гнать от себя поганой метлой. Потому что они наконец все же озвучили то, о чем уже давно намекало сердце... А именно то, что Лариса влюбилась. Вот так нелепо. Чуть ли не с первого взгляда. В женатого мужчину, с которым волею судеб оказалась заперта в незнакомой квартире на несколько дней. Может, всего только на три дня, и второй из них уже приблизился к своей середине...

С приготовлением обеда Лара провозилась долго — уж очень старалась, чтобы все вышло как можно лучше. И вроде бы получилось, во всяком случае, Саша ел ее стряпню и нахваливал, а Ларису так и подмывало спросить, кто готовит лучше — она или его супруга? Но Лара не стала этого делать, во-первых, потому, что правду ей все равно не скажут, хотя бы из вежливости. А во-вторых... Во-вторых, она дала себе слово все эти дни, сколько бы им их ни выпало, вообще не упоминать о его жене.

«Пусть хоть на это время, но он будет со мной, и только со мной, — решила она. — А потом... Потом будет потом».

Теперь она наслаждалась каждой минутой, проведенной рядом с ним. Так как понимала — с каждым мгновением этих минут становится все меньше и меньше. Сегодня тридцатое декабря, через несколько часов улетит ее самолет в Доминикану... И черт с ней, с Доминиканой! Никакой отпуск даже не сравнится со временем, проведенным с вот этим человеком.

— И чем бы ты хотела сейчас заняться? — поинтересовался Саша, когда с обедом было покончено. — Продолжим киномарафон? У нас еще много осталось непосмотренного.

— А может, просто так посидим, поговорим? — с надеждой предложила Лара. — В конце концов, раз мы оказались соседями, нам стоит узнать друг друга получше.

— Гм... Это предложение надо обдумать, — очень серьезно ответил Саша.

Вопреки правилам хорошего тона, он поставил локти на стол, положил подбородок на сплетенные пальцы и смотрел на нее, а у Лары упало сердце.

«Ему наскучило мое общество. Ему все надоело, он устал... Ведь именно так трактуют эту позу психологи... — Лара вспомнила, что Дашка недавно рассказывала ей о невербальном общении. — Я ему неинтересна... Он не хочет со мной общаться...»

— Так уж и быть, я согласен, — все так же серьезно продолжал Александр. — Но только при одном условии.

— Каком же? — Она очень старалась не выдать своего волнения.

— Если мы все-таки откроем бутылку вина, — Саша кивнул в сторону винного холодильника. — А то что это за разговоры по душам без бокала? Это как-то даже... не по-русски. Ты не находишь? Да и Новый год уже на пороге.

И на этот раз Лара, немного поколебавшись, сдалась. Пусть все будет так, как он хочет.

Глава 17.
Алена.
Пин-код от ушедшего счастья

В ту ночь Алена спала не больше трех часов. И видела во сне Никиту и Влада. Не юного Влада, не из той поры, когда он был ее женихом и мужем, а такого, как сейчас на фото в Интернете — возмужавшего, взрослого, зрелого мужчину. А вот Ник почему-то во сне был маленьким, лет пяти, не больше.

Они гуляли втроем на детской площадке, утопающей в зелени и настолько красивой, как бывает только во сне. Алена и Влад вместе сильно-сильно раскачивали Ника на качелях, он взлетал высоко в небо и визжал от восторга. И Алена чувствовала себя в том сне очень счастливой. А потом вдруг вместо детской площадки она оказалась на берегу залива. Там было холодно, над свинцово-серой водой нависли тяжелые облака, а далеко, у самого горизонта, виднелась маленькая точка, и Алена знала, что это — лодка, в которой уплывают Никита и Влад. И если она прямо сейчас их не догонит, то больше никогда не увидит сына. Она заметалась по берегу, ее отчаянный крик перекликался с криками чаек. Но тут появилась Кира Ильинична, только почему-то в облике молодой женщины, немного похожей на мать Алены со старой, еще черно-белой, свадебной фотографии. Но Алена знала, что перед ней именно Кира, а не кто-то другой. И Кира Ильинична ей сказала: «Не волнуйся, Аленушка. Они вернутся. Но для этого надо подобрать код счастья». Алена проснулась в слезах, с отчаянно колотящимся сердцем и, осознав, что все это было лишь сном, в первую минуту облегченно вздохнула. Приснится же такая ерунда!

Впрочем, не все плохое осталось в царстве сновидений. Вспомнив события вчерашнего дня, Алена тихонько застонала — Никита ушел из дома… Цифры на светящихся в темноте часах показывали без пяти шесть. Скоро подаст голос будильник — на семь у Алены была записана клиентка. Позвонить и отказаться от встречи? Но Алена и так уже в эти предпраздничные дни потеряла кучу денег по милости Милены...

В довершение всех бед саднило горло. Похоже, вчерашний сон с открытым окном и стресс последних дней дали о себе знать. Алена чувствовала себя совершенно разбитой. Неужели заболела? Вот только этого еще не хватало...

Переведя будильник на шесть десять, Алена сунула под мышку градусник и легла, натянув одеяло до самого подбородка. Снова заснуть нельзя, да, наверное, и не получится... Но, по крайней мере, можно хотя бы полежать еще целых десять минут.

Вчера она так и не сумела вспомнить пин-код от старого телефона, хотя уже не сомневалась, что это действительно была какая-то очень значимая для нее дата. Первое, что приходило в голову, — дата их свадьбы, 6 января. Но Алена хорошо помнила, что перед свадьбой уже пользовалась телефоном, и в тот Новый год тоже. Значит, Влад подарил его раньше, и дату для пин-кода она выбрала какую-то другую. Может, день их первой встречи с Владом? Это число Алена запомнила на всю жизнь — 12 августа двухтысячного года. Удивительно теплое, даже жаркое утро, когда Влад впервые появился в их кафе. Он тогда расспросил ее обо всем меню, сверху донизу, — не потому, что собирался плотно поесть, а лишь для того, чтобы она подольше задержалась у его столика. Потом спросил, может ли он сейчас угостить ее кофе, и, получив отказ, уточнил:

— А не в рабочее время? У вас до которого часа смена?

— До десяти, — ответила Алена. — Но пить с вами кофе мне все равно нельзя, нам категорически запрещено присаживаться за столик к клиентам.

— Жаль, — огорченно сказал Влад. Позавтракал и ушел, оставив щедрые чаевые. В суматохе дня Алена вскоре забыла о симпатичном молодом человеке. Но случайно взглянув на улицу перед окончанием рабочего дня, увидела, что Влад стоит напротив входа в кафе с большим букетом алых роз.

— Я подумал, — сказал он, вручая ей цветы, — что раз тебе нельзя присаживаться за столик здесь, значит, нам надо пойти куда-нибудь еще.

И отвез ее в ресторан, дорогой и фешенебельный, Алена еще ни разу в жизни не бывала в столь роскошном месте. Она немного смущалась, что одета неподобающе для такого заведения, но было очень приятно, после того, как весь день обслуживала клиентов, получить обслуживание самой, причем такого высокого качества. А потом они пошли гулять по городу. Белые ночи к тому времени уже закончились, но и без них прогулка получилась восхитительной и на редкость романтичной. Они с Владом тогда болтали обо всем на свете, словно были друзьями с детства. Алена рассказала ему о себе почти все. Как росла с родителями-алкоголиками, как мечтает о профессии дизайнера одежды, как переехала с подругами в Питер, как не смогла набрать нужный балл, не попала в институт и пошла работать, но обязательно поступит в следующем году. Влад оказался отличным слушателем. Мягкий и приятный в общении, с отличным чувством юмора, он сразу произвел на нее самое лучшее впечатление. А еще в нем не было и тени той заносчивости, которую богатые жители крупных городов часто демонстрируют перед провинциалами. Он не скрывал, что Алена ему понравилась, но вел себя с ней исключительно по-джентльменски, не позволяя ничего лишнего. Даже не поцеловал, проводив до парадного, только задержал ее руку в своей и предложил снова встретиться завтра — если, конечно, она не против...

Да, это было именно 12 августа, в ночь с двенадцатого на тринадцатое. Вспомнив дату, Алена торопливо ввела пин «1208», но код не подошел. Телефон давал ей еще всего две попытки, и Алена решила не спешить.

Может быть, она выбрала кодом счастья дату их первой близости? Это произошло в конце сентября, всего через полтора месяца знакомства. Наверное, слишком быстро... Но тогда все выглядело естественным развитием событий. Они были влюблены, им казалось, что они знают друг друга всю жизнь. И уж конечно, оба были уверены, что никогда не расстанутся, никогда не разлюбят, а так и проживут вместе до конца своих дней...

Влад настойчиво приглашал ее к себе, но Алена никак не решалась познакомиться с его матерью. И первая их близость случилась в той коммуналке, где она жила с подругами. Даша работала, Лара училась, а у Алены был выходной, и Влад сбежал с пар, чтобы побыть с ней. Это произошло днем, когда большинство соседей по квартире находились на работе, но парочка пенсионерок все равно оставалась дома. Комната одной из них располагалась за стеной, и Алена боялась даже вздохнуть громче обычного — вдруг соседка догадается, что именно у них происходит... Нет, вряд ли она выбрала бы для пина дату первой близости. Тот первый раз, честно говоря, получился не очень. Даже Влад, имевший уже опыт в интимных делах, волновался и нервничал, что уж говорить об Алене, для которой все происходило впервые. Она ужасно стеснялась и всего боялась. Боялась сделать что-то не так, боялась, что кто-то войдет, боялась забеременеть... Но больше всего боялась, что не понравится Владу как женщина и он больше не захочет ее видеть. Тогда это представлялось вполне вероятным. Это сейчас, с высоты прожитых лет, понимаешь, что переживания юности, которые кажутся огромными, как гора, на самом деле не более чем пылинки.

Так что дату первой близости в качестве кода Алена отмела. Может, она имела в виду дату подачи заявления и своего переезда к Владу? Это произошло перед праздниками, третьего ноября. С утра они отправились в ЗАГС, прямо к открытию, пришли даже раньше и оказались одними из первых. Заполнили анкеты, выбрали день свадьбы, потом заехали к ней, взяли вещи, которые Алена собрала еще накануне, и свалились, как снег на голову, его матушке, будущей Алениной свекрови... Да, тот знаменательный день вполне мог стать ее кодом. Тогда она была невероятно счастлива... Алена ввела «0311», но телефон снова выдал ошибку. Оставалась всего одна попытка. Нужно вспомнить наверняка, иначе аппарат заблокируется. Конечно, в мастерской его все равно смогут вернуть к жизни, но это потребует времени. Алене хотелось поговорить с Владом сейчас же, немедленно.

Она просидела еще очень долго, перебирая воспоминания, точно старые фотографии, которые все недосуг разложить по альбомам. Но, как назло, ничего подходящего на ум так и не пришло. Зато то и дело вспоминались недавние посиделки с подругами на новоселье у Лары и Дашин тост про «код счастья». Какая ирония, невольно подумалось Алене, — код от ее телефона тоже можно назвать кодом счастья... Былого счастья. Но оно ушло навсегда, и теперь Алена уже не помнит его кода.

В ту ночь она долго не ложилась спать, сидела на кухне, курила, пила чай, потому что от кофе уже горчило во рту и бешено стучало сердце, и напряженно думала, думала, думала... Но пин-код так и не вспомнила.

Не только о пин-коде думала вчера Алена. Ее мысли постоянно возвращались к сыну. Что с ним произошло? Почему Ник вдруг принял такое решение? Получается, Никита искал своего отца, а мать об этом даже не подозревала... Впрочем, в этом нет ничего удивительного, она слишком занята работой, чтобы уделять много внимания сыну. Так, конечно, нельзя. Как только Ник вернется домой, ей обязательно нужно будет перестроить свой график, чтобы больше времени проводить с сыном. Ничего, что это отразится на их доходах, всех денег все равно не заработаешь. Лучше обойтись без какой-нибудь дорогой покупки, но остаться друзьями с Никитой. Если, конечно, он вообще вернется домой...

Но как же Ник все-таки нашел Влада, откуда узнал фамилию и отчество? Хотя это как раз понятно. Наверное, в документах посмотрел, в свидетельстве о разводе, Алена не прячет его далеко. Никита увидел свидетельство, нашел в Сети Влада, написал ему, попросился в друзья... Скорее всего, для Влада это было как гром среди ясного неба. У него наверняка своя семья, дети... А тут — раз и: «Здравствуй, папа, ты обо мне не знаешь, но я твой сын». Интересно, как Влад воспринял такую новость? Получается, что нормально — раз Ник ушел к нему жить. Значит, знал, и что отец не против, и где отец живет, бывал у него дома... И как его там приняли? Как отнеслась к этому семья Влада, его жена, его мама, эта мерзкая Виктория Анатольевна, чтоб ей ни дна, ни покрышки... Если семья Влада до сих пор живет с ней, бедному Никитке можно посочувствовать. Эта мегера устроит ему такой прием — мало не покажется...

Впрочем, как бы там ни было, она, Алена, никак не могла допустить, чтобы Никита оставался у отца. И собравшись наконец лечь спать, решила, что завтра с утра позвонит Дашке. Вместе они обязательно придумают, как найти Влада без этого проклятого кода в телефоне. Хорошо бы еще Ларе позвонить посоветоваться, она такая умная, наверняка подскажет что-нибудь дельное. Ну а если ничего не получится, Алена завтра с утра съездит к Владу домой. Вряд ли его мать рассталась с квартирой, в которой жил еще ее дед, наверняка живет там же...

Вот с такими мыслями Алена вчера уснула — а проснулась вся разбитая и с больным горлом. Десять минут, отведенные на то, чтобы померить температуру, пролетели как одно мгновение. Но градусник показал тридцать шесть и восемь, и Алена слегка успокоилась. Она прополоскала горло ромашкой, выпила горячий чай, и это слегка взбодрило. Завтракать не хотелось, и Алена привычно обошлась сигаретой. А потом начался трудовой день — в дверь позвонила первая клиентка. Но не успела Алена посадить ее в кресло, как запиликал телефон. На экране высветилась фотография улыбающейся Дашки.

— Привет! — затараторила подруга. — Извини, что так рано. Не разбудила тебя?

— Что ты, у меня уже клиентка.

— Тогда я быстренько. Только скажи, какие новости, а то я за вас волнуюсь.

— Никаких, — призналась Алена. — От Никиты больше ни слуху ни духу. Старый телефон я нашла, но он запаролен, а я пин-код не помню. Так что как искать Влада, ума не приложу...

— Ну ничего, я тут нашла домашний телефон твоей бывшей свекрови, — порадовала Даша. — У друга Рената есть в компе старая телефонная база... Впрочем, неважно. Думаю, твоя мымра экс-свекровь все еще живет на прежнем месте. Так что

Олег Рой

записывай номер. А хочешь, я ей позвоню, если тебе уж очень неприятно с ней общаться.

— Нет, что ты, я сама, — благодарно отозвалась Алена. — Спасибо, Дашка. Ты настоящий друг.

— Ну так! — весело согласилась Даша. — Друзья для того и нужны, чтоб друг другу помогать. Я всегда говорила, что дружба — это главное изобретение человечества, колесо уже на втором месте. Пока-пока, держи меня в курсе.

«Ну, вот как все просто, — подумала Алена, откладывая телефон. — И никакого «кода счастья» вспоминать не надо. Надо только решиться и позвонить Виктории. Объяснить ситуацию, попросить телефон Влада, если он живет не с ней. Но придется, конечно, немного повременить со звонком. В такую рань, в начале восьмого, бывшая свекровь уж точно мне не обрадуется...»

Алена вернулась к работе и занималась ею старательно, но думала совсем о другом. Мысленно она готовилась к разговору с Викторией Анатольевной и Владом, подбирала слова, прикидывала, как лучше вести речь, чтобы бывшая свекровь не стала вредничать и сообщила бы координаты сына, а с Владом удалось бы избежать ссоры со взаимными обвинениями.

Телефонного звонка она не услышала — его заглушил звук работавшего фена. Но клиентка привлекла внимание Алены, указав на ее смартфон, который от вибрации подпрыгивал на комоде. Извинившись, Алена выключила фен и увидела, что на экране высветился незнакомый номер.

— Да?

— Привет, Ален, — раздался в трубке мужской голос.

Алена не слышала его уже пятнадцать лет, но сразу же узнала. Так что прозвучавшее дальше представление оказалось совершенно излишним.

— Это Влад. Владислав Калинин. Твой бывший муж.

— Я еще помню, кто ты такой.

Против ее воли в голосе проскользнули стальные нотки обиды. И Влад, видимо, неправильно их истолковал.

— Слушай, Ален, извини, что не позвонил раньше. По-хорошему, конечно, нужно было сделать это еще вчера. Но Ник заявился поздно вечером, сказал, что ты в курсе, где он. Мы с ним проговорили полночи, и мне как-то даже в голову не пришло звонить тебе, будить...

— Не знаю, поверишь ли ты, но я не спала, — ехидно отозвалась Алена. — Я сходила с ума и обзванивала морги и больницы, разыскивая сына. А вы гоняли чаи, и ты даже не подумал...

От возмущения у нее перехватило дыхание. И было совершенно плевать, что клиентка сидит рядом и слышит весь их разговор, плевать и на то, что подумает о ней Влад... А он воспользовался паузой и очень спокойно проговорил:

— Ален, я не вижу смысла продолжать этот разговор по телефону. Нам надо встретиться и все обсудить. Ты согласна?

— Когда и где? — буркнула она.

— Давай в кафе на Витебском, — он назвал адрес. — Я правильно понимаю, что это недалеко от твоего дома?

— Десять минут пешком, — подтвердила Алена. — Могу быть там через полчаса.

— Не стоит спешить. — Она поняла, что он улыбнулся. И вдруг так ясно увидела эту улыбку, словно Влад был тут, рядом... Сердце болезненно сжалось.

— Во-первых, сейчас раннее утро, и кафе все равно еще закрыто, — продолжал тем временем Влад. — А во-вторых, сегодня у меня съемка, я занят целый день, и не знаю, когда освобожусь. Скорее всего, уже поздно ночью. Так что смогу пересечься с тобой только завтра. Скажем, часов в одиннадцать.

— Подожди, а как же Никита? — возмутилась Алена. — Ты что же, бросишь ребенка одного на целый день?

— Почему это брошу? — в свою очередь обиделся Влад. — Он после школы приедет ко мне в студию. Ему нравится у меня на работе. К твоему сведению, он уже кое-чему там научился и помогает нам и с компьютером, и с аппаратурой... Неужели он тебе не рассказывал?

— Нет, — вздохнула Алена. — Я до сегодняшней ночи вообще понятия не имела, что вы общаетесь.

— Зато теперь знаешь, — констатировал Влад. — Прости, но мне уже пора. Встретимся завтра в одиннадцать.

— Втроем с Никитой?— уточнила Алена.

— Нет, только мы двое. Ник на тебя здорово обижен и не хочет видеться с тобой.

— Ну что еще за глупости... — начала было она, но Влад быстро завершил разговор: — Пока, Ален, мне надо идти. Договорим при встрече.

— Влад, Влад! Подожди! — торопливо закричала в трубку Алена. — Ты же самое главное не сказал! Как там Никита?

— В смысле?

— Ну, он здоров? У него все в порядке?

— Да нормально с ним все, — судя по голосу, Влад рассмеялся. — Здоров, как бык, ел всю ночь за троих, холодильник мне опустошил подчистую. С утра, конечно, еле добудился его, чтобы в школу отвезти… Все, Ален, мне пора бежать. Прощаюсь до завтра.

И в трубке раздались короткие гудки. Рассерженная Алена с трудом взяла себя в руки и вернулась к клиентке, которая явно умирала от любопытства, что же такое происходит. Но расспрашивать, к счастью, не стала, может быть, постеснялась. А у Алены уж тем более не было сейчас желания обсуждать свою семейную ситуацию с посторонними людьми.

Как только Алена взялась за лак для волос, телефон снова зазвонил.

— Вы сегодня прямо нарасхват, — недовольно проговорила клиентка.

— Извините, — Алена немного смутилась. — Сами понимаете, предпраздничный день…

И потянулась к аппарату, в глубине души надеясь, что звонит сын. Но это оказался не Ник, а Милена.

— Але-е-на, — заныла она, даже не потрудившись поздороваться. — Ну когда же ты приедешь меня подстричь? Сколько раз тебе говорить, что мне очень надо?

Сидевшая в кресле клиентка демонстративно посмотрела на часы. Она уже опаздывала, так как стрижка сегодня продлилась дольше обычного.

— Я перезвоню, — заверила Алена в трубку. — Буквально через десять-пятнадцать минут. Только у меня к вам просьба: пожалуйста, подходите к телефону.

И заторопилась. Уже пора было прийти следующей клиентке, точнее, даже двум — матери и дочери. У дочки, ровесницы Ника, сегодня вечером планировалось выступление на рождественском концерте и, разумеется, требовались соответственные прически — и подающей большие надежды юной пианистке, и ее маме. Однако они почему-то задерживались. Освободившись и проводив опаздывающую клиентку, Алена позвонила маме пианистки и узнала, что ее дочка заболела и выступать сегодня не сможет, а ее маме без концерта прическа тоже не нужна, все равно они теперь останутся встречать Новый год дома. Болезни девочки Алена посочувствовала, но на ее мать рассердилась, хоть и не подала виду. Можно было позвонить! Алена терпеть не могла, когда вот так, неожиданно, срываются все планы, хотя при ее работе это и было в порядке вещей.

Нужно было связаться с Миленой, но не успела Алена протянуть руку к смартфону, как тот ожил сам. На этот раз звонила Лиза.

— Здравствуйте… То есть здравствуй. — Лиза смущалась, даже когда говорила по телефону. — Помнишь, мы договорились на тридцатое… Насчет магазина одежды…

Конечно, Алена этого не помнила. До того ли ей было последнее время!

— Знаешь, Лиза, ты меня извини… — начала было она, но девушка в трубке ее, похоже, не услышала.

— Так вот, я звоню сказать, что все отменяется, — продолжала Лиза. — Спасибо за желание помочь… Но мне ничего не нужно.

Алена машинально потянулась за сигаретами.

— Что случилось? — поинтересовалась она.

В трубке то ли вздохнули, то ли всхлипнули.

— Ну-ну, — мягко проговорила Алена. — Успокойся. Что стряслось-то?

— Тот мальчик... — выдала наконец Лиза, перемежая свою речь постоянными паузами и вздохами. — Он пришел сегодня к нам в пекарню... С другой девушкой.

— И что? — осторожно поинтересовалась Алена. — Почему ты решила, что они — пара? Они обнимались, целовались? Держались за руки?

— Нет, но она так на него смотрела... — Лиза снова замолчала, а потом выдала: — Они смеялись. И мне почему-то казалось, что смеются надо мной...

— Глупости, Лиза! — решительно прервала Алена. — Не спеши с выводами. Мало ли кто она ему. Сестра, кузина, подруга детства, однокурсница... Может, просто знакомая, случайно встретилась, он же не в изоляторе живет! Совсем не обязательно, что у них какие-то серьезные отношения. Даже если он этой девочке нравится, это еще ничего не значит. Не сдавайся! Не уступай его так легко!

— Как это? — удивилась Лиза.

— А вот так, — Алена уже увлеклась. — Ты ведь ничем не хуже ее! И тоже можешь ему понравиться.

— Я? — изумилась Лиза. — Ну что вы... Я же совсем не красивая. А эта девушка...

— Перестань! — одернула ее Алена. — Ты очень привлекательная. У тебя чудесная улыбка, и глаза...

— Мама так же говорит, — вздохнула в трубке Лиза. — Но я-то в зеркало вижу...

— А ты не обращай внимания на зеркало, — посоветовала Алена. — Ты все равно никогда не увидишь себя в нем такой, какой тебя видят другие. Уж поверь мне, я знаю, о чем говорю. Ты очень симпатичная. Просто нужно сделать так, чтобы твоя привлекательность стала заметнее. Сейчас я как раз свободна, так что отпрашивайся у мамы и беги ко мне. Мы с тобой идем по магазинам.

Повздыхав и поохав, Лиза наконец согласилась. Через полчаса они с Аленой уже встретились у магазина, и Лиза протянула большой промаслившийся пакет, от которого чудесно пахло ванилью, корицей и еще чем-то столь же вкусным и праздничным.

— Это тебе, с Новым годом, — пробормотала девушка. — Наше рождественское печенье. Надеюсь, понравится.

В магазине они провели больше двух часов, но в итоге подобрали именно то, что нужно. Когда Лиза, отдернув штору, в очередной раз выглянула из примерочной, Алена наконец с удовлетворением кивнула. Вещи были недорогие и даже, пожалуй, простенькие — но выглядели и сидели так, словно их специально сшили для Лизы. Мягкий голубой пуловер подходил к ее глазам и даже делал их цвет ярче, а широкий пояс юбки подчеркивал привлекательные формы. В таком наряде полнота Лизы превращалась из недостатка в явное достоинство.

— Вот теперь все хорошо. Да что там хорошо — шикарно! — похвалила Алена. — Вот так к нему и выйдешь в следующий раз.

Лиза посмотрелась в зеркало, улыбнулась, и Алена в очередной раз поразилась, как преображала девушку простая улыбка.

— И почаще улыбайся, — Алена подмигнула своей протеже. — Пойдем теперь за косметикой.

И хотя Лиза слегка сопротивлялась, говоря, что не пользовалась ничем таким ни разу в жизни, Алена все равно уговорила ее на легкий макияж. Приобретя все вещи и показав, как правильно накладывать косметику, Алена попрощалась с Лизой и только теперь вспомнила, что забыла позвонить Милене.

«Ну ладно, если б ей действительно требовалось, она бы перезвонила сама», — утешила себя Алена и поспешила домой. Вот-вот должна была прийти следующая клиентка.

Работая, она снова постоянно думала о сыне. Несколько раз мелькала мысль зайти к нему в школу, но Алена отказалась от этой затеи. Не зря Влад подчеркнул, что Никита обижен на мать настолько, что не хочет ни возвращаться домой, ни видеться с ней... Хотя как же глупо так обижаться из-за какого-то пустяка! Ну подумаешь, поссорились. Однако Алена и сама прекрасно понимала, что дело тут совсем не в поводе, а в причине. Никита расстроен не из-за того, что она на него накричала, а потому, что совершенно не чувствует себя с ней нужным, любимым, не видит ее внимания к нему и заботы. «Собственно, он ощущает себя таким же покинутым, как я в его годы, — с грустью осознала Алена. — Мои родители были заняты выпивкой, а я — работой. Это, конечно, совершенно разные вещи, но результат-то для ребенка один и тот же...»

Этот день оказался самым тяжелым из всего предпраздничного аврала. Последняя клиентка ушла в первом часу, когда Алена уже просто валилась с ног от усталости. Хорошо, что она еще вечером, в перерывах между работой, улучила момент и связалась с тремя дамами, записанными завтра на утро — извиниться за то, что не сможет их принять. Она решила полностью освободить себе первую половину дня. Встреча с Владом представлялась куда важнее работы, и Алена не знала, сколько она продлится. Может, все-таки удастся помириться с Никитой, тогда она посвятит сыну и весь праздничный день.

Сил на уборку и вечерний душ уже не осталось. Алена еле дотащилась до кровати, рухнула на нее и тут же вырубилась. Ей снились какие-то яркие, насыщенные, безумные сны, но в этот раз она ничего из них не запомнила.

Глава 18.
Даша.
Шесть тысяч четыреста восемьдесят два

Эту ночь Даша провела беспокойно, потому что тревожилась за подруг. Лара уже второй день не подходила к телефону, вернее, сначала не подходила, а потом стала недоступна. Не появлялась она и в Интернете, и Даше это уже совсем перестало нравиться. Уж не случилось ли чего-нибудь с Лариской? Хотя, наверное, просто закрутилась на работе перед отпуском. Ей же сегодня вечером в Доминикану лететь...

Болела душа и за Алену. Это ж надо, какой номер отколол Никита! Разыскал втихаря от матери отца и не придумал ничего умнее, чем уйти жить к нему... И Влад тоже хорош гусь! Мало того, что позволил мальчишке своевольничать, а не отправил домой, так даже не позвонил Алене. Неужели не понимает, что мать с ума сходит?! Хоть бы знать, дозвонилась ли до него Аленка, да и нашла ли вообще номер телефона?

Первое, что сказала Даша утром Ренату, это попросила позвонить другу, у которого имелась в компьютере база данных питерских телефонов. Кто-то говорил Даше, что эту базу можно найти и в Интернете, но у нее сразу не получилось, а времени не было. Муж отнесся к просьбе с пониманием, так что вскоре

Даша уже могла сообщить Алене номер телефона ее бывшей свекрови. После чего следовало приняться и за другие дела и идти будить все семейство. Но перед этим все-таки успеть заглянуть на сайт «Современной женщины» и увидеть, что за ночь ее рейтинг вырос еще почти на четыре сотни. Что было совсем не так плохо… Хотя и все равно не сдвинуло ее с третьего места.

К немалому облечению Даши, за ночь со щенком больше не случилось никаких неприятностей. Пес будто понял, что взят в дом на испытательный срок, и вел себя более или менее терпимо. За завтраком Руська не замедлил указать на это родителям, но Даша покачала головой:

— Подожди немного. Вот он научится выбираться из коробки, тогда никому мало не покажется…

Ей совсем не нравилось, что скоро они все разойдутся, и щенок останется дома один. Но с этим неожиданно выручил Ренат:

— У мальчиков сегодня в школе короткий день перед каникулами, так что я дождусь их и присмотрю за щенком.

— А как же твоя работа? — удивилась Даша.

— Да никуда она не денется. Парни отлично справятся несколько часов и без меня.

После этого Даша вздохнула спокойнее. Спровадила сыновей в школу, отвела Майку в сад. К счастью, утренник был назначен только на одиннадцать, и она сумела с пользой потратить несколько часов перед ним — а именно пробежаться по магазинам. Ведь вчера из-за этого щенка, будь он неладен, дочка осталась без новогоднего подарка. Впрочем, сегодня Майка уже напрочь забыла о вчерашнем происшествии и о своей обиде на его виновника. И потому, провожая маму, взяла с нее клятвенное обещание, что та никуда не денет щеночка, пока Майи нет дома. Даша заверила ее, что за это время щенок никуда не денется, и поспешила в ближайший магазин игрушек.

Через полтора часа она вернулась домой с большой празднично упакованной коробкой. Внутри лежал очаровательный радужный единорог. Даша хорошенько припрятала коробку, чмокнула Рената, который смотрел новости со спящим на коленях щенком, переоделась, накрасилась и поспешила на утренник. Но перед этим все-таки не смогла отказать себе в удовольствии на минутку выскочить в Интернет и убедиться, как стремительно растет число голосов за нее… И за ее конкурентов.

Торопливо закрыв ноутбук, Даша подняла глаза и встретила взгляд Рената. Она и не заметила, как он вошел в кухню.

— Послушай, Даша… — начал муж. — Тебе не кажется, что нам надо поговорить?

— О чем? — растерялась она. — О щенке? Но мы же вроде вчера все решили…

— Нет, не о щенке. О нас. О тебе. Что с тобой происходит, Даша?

Она невольно посмотрела на часы. До начала утренника остается всего ничего, нужно бежать в садик, чтобы причесать дочку и помочь ей переодеться. Более неподходящего времени для разговора с мужем трудно себе представить.

— Да все со мной нормально, — улыбнулась она, стараясь выглядеть и говорить как можно беззаботнее. — Просто захлопоталась перед праздниками. Обещаю тебе, что сразу после Нового года войду в колею, и все будет в порядке.

Убегая в детский сад, Даша и не заметила, каким взглядом проводил ее Ренат.

Код личного счастья

* * *

Ренат всегда был твердо убежден, что с женой ему необычайно повезло. Это факт, даже скорее аксиома. Он был так в этом уверен, что сумел передать свою уверенность и всем родным. Никому из них, даже самой дальней родне, живущей в деревне под Нижнекамском, не приходило в голову спросить, почему он женился на русской девушке, а не на «своей», не на татарке. Все знали, что Даша прекрасная жена и что у них настолько крепкая семья, которую можно назвать счастливой без особых преувеличений. И самое интересное, что это действительно было так. Их семья не являлась фикцией, одной лишь видимостью, этаким фасадом «Потемкинской деревни», как нередко случается, когда на людях муж с женой старательно имитируют идеальные отношения, а наедине готовы перегрызть друг другу глотки. Конечно, и у них всякое бывало: ссорились, обижались, порой кричали друг на друга, когда этого не слышали дети. Однажды, вскоре после рождения Майки, даже затронули тему развода. Правда, потом, когда помирились, оба признались друг другу, что говорили не всерьез, просто на эмоциях, а на деле и мысли не допускали о чем-то подобном.

Когда Даша спрашивала, любит ли он ее (такое иногда случалось), Ренат всегда отвечал утвердительно. Но в глубине души подозревал, что в этом отношении с ним что-то не так. Чувство любви, такое, как показывают в кино и поют в песнях, было ему незнакомо. Даже в молодости его не тянуло совершать ради любви какие-то безумства, петь ночью серенады под Дашиным окном или заваливать ее цветами, потратив на это всю зарплату. То есть если бы Даша его об этом попросила,

283

он бы сделал — чтобы доставить ей удовольствие. Ему всегда нравилось ее радовать. Но у самого Рената такой потребности не было и в помине. Он всегда считал, что с зарплаты лучше купить Даше не миллион алых роз, а добротную обувь, чтобы она не промочила ноги и не простудилась. Вот такой он был скучной личностью, напрочь лишенной романтики. Сам знал это за собой, даже сам над собой посмеивался — но меняться не собирался.

Вся многочисленная родня, и Дашины подруги, а возможно, и сама Даша считали, что он влюбился в нее с первого взгляда. И только сам Ренат знал, что в действительности все происходило не совсем так. Он не влюбился. Ренат просто почувствовал, что перед ним та девушка, с которой он хочет провести вместе всю жизнь. И ради которой готов расшибиться в лепешку, только чтобы она была довольна и счастлива.

Тогда, после первой встречи в коридоре теткиной коммуналки, он запомнил лишь отдельные черты. Он помнил ее смех, ее походку, помнил ее руки, державшие на отлете горячий чайник. Еще помнил, что у домашней блузки было расстегнуто несколько верхних пуговиц, но вырез все равно оставался целомудренным. Но при этом закрыть глаза и полностью представить себе ту девушку (он ведь даже не знал, как ее зовут) Ренат бы тогда не смог. Как не смог бы сказать, какого она роста, сложения, какого цвета у нее глаза или волосы. Да разве это важно? Зато он помнил ее запах, который его просто заворожил. Ренат потом спрашивал у Даши, как назывались ее духи, но она только засмеялась и сказала, что никакими духами не пользовалась и голову мыла чуть ли не хозяйственным мылом. Так что можно считать, что он был очарован запахом хозяйственного мыла.

Своих дядю и тетю, чьей соседкой стала Даша, Ренат любил и бывал у них нередко, но после той встречи стал заходить к ним все чаще и чаще. Чтобы снова увидеть Дашу, присмотреться к ней и убедиться, что интуиция его не обманула. Это именно та девушка, которая будет рядом с ним всю жизнь. Он не сомневался, что так в конце концов получится, несмотря ни на что. Потому и не особенно удивился, когда получилось.

Они стали мужем и женой не потому, что Ренат был влюблен, испытывал к Даше страсть, сходил по ней с ума или что еще говорят в таких случаях… А потому, что Даша была естественной и необходимой частью его жизни, без которой он просто не мог бы существовать. Как солнечный свет, как вода, как тепло. Как весна, которая всегда приходит на смену долгой мрачной зиме. Потому что иначе и быть не может. Потому что так и только так устроен мир. Потом точно такой же закономерностью стали дети. Стоило им появиться на свет — и жизнь уже стала невозможна без Тимура, Руслана или без Майки. Поэтому Ренат всегда чувствовал себя странно, когда кому-то вдруг приходило в голову спросить, доволен ли он своей жизнью, счастлив ли в семье, рад ли, что у него есть дети. По мнению Рената, это все равно что спрашивать человека, доволен ли он тем, что у него бьется сердце. Ну а как же иначе-то? Если с сердечным ритмом какие-то перебои, то тут дело уже не в том, доволен ты или недоволен, тут надо срочно врача вызывать.

До определенного времени Ренат думал, что и Даша смотрит на вещи если не так же, как он, то, во всяком случае, очень похоже. Их семья, дом, дети — все это для нее естественно, ей нравится ее жизнь, и она не хочет никакой другой. Однако с некоторых пор все неприятно изменилось. Сначала Даша заговорила о том, что хочет пойти работать. Когда Ренат привел вполне разумные и убедительные доводы, почему этого делать не стоит, жена вроде бы согласилась с ним, и он вздохнул спокойно. Но с тех пор у нее возникли какие-то тайны. Когда Даша вдруг страстно увлеклась Интернетом, он сначала не придал этому значения, решив, что она зависает в соцсетях и на женских форумах, и ничего особенного в этом нет. Но потом Ренат стал замечать, что жена не просто сидит где-то в Сети, но и старательно скрывает от него, чем там занимается, всегда норовит закрыть крышку ноутбука, если вдруг муж оказывается рядом и может заглянуть в экран.

Прислушиваясь к стуку клавиш, который то затихал, то вновь возобновлялся, Ренат спрашивал:

— Ты с подругами переписываешься?

— А? Н-нет... — рассеянно отвечала Даша.

— А что делаешь?

— Да так... Ничего...

Но она явно что-то делала, и он это слышал. Ренат повторял свои расспросы, но это привело только к тому, что Даша стала уходить со своим проклятым компом в кухню или сидеть за ним, когда мужа нет дома. Не выдержав, Руслан принялся тихонько подглядывать за ней. И увидел, что Дашка не просто что-то печатает — она еще и очень эмоционально реагирует на происходящее в Интернете. Иногда злится, читая, но чаще выглядит радостной, иногда смущенной, но довольной, точно ей наговорили комплиментов, а порой и вовсе такой счастливой, что, как ни старается, не может скрыть сияющей улыбки.

Тогда Ренат все понял. У жены начался роман. В лучшем случае, виртуальный, по переписке. А в худшем...

Будучи прямым человеком, он дождался подходящего момента и спросил в лоб:

— Даша, у тебя кто-то появился?

В ответ она вся залилась краской, смутилась и засмеялась:

— Да ты что! Не выдумывай...

Но почему-то он впервые в жизни не поверил жене.

Это случилось осенью, где-то в конце октября. После его вопроса Даша на некоторое время отвлеклась от Интернета, но хватило ее ненадолго. Вскоре после праздников у нее снова что-то произошло, и она стала сама не своя. Сделалась задумчивой, рассеянной, постоянно что-то путала, забывала, теряла и все время была занята своими мыслями. Ее переписка с неизвестным адресатом сделалась намного оживленнее. Теперь не только днем, но и ночью Ренат, случайно проснувшись, мог увидеть, что жена тихонько набирает что-то на ноутбуке. Более того, Даша, забыв всякую осторожность, уже перешла от Интернета к телефону. Несколько раз Ренат слышал, как она эмоционально говорит с кем-то, закрывшись в кухне или в ванной. Не удержавшись, он спрашивал, кто звонил, и Даша всегда отвечала, что Лариса или Алена. Но Ренат больше ей не верил.

Вдруг, это случилось дней десять назад, все разом прекратилось, как по мановению волшебной палочки. Но не успел Ренат вникнуть в ситуацию, как странности начались вновь, да еще и с удвоенной силой. Теперь Даша, думая, что муж этого не замечает, бегала к ноутбуку каждую свободную минуту, явно ожидая новостей из Интернета с таким нетерпением, с каким в юности ждут свиданий. Ренат предпринял еще несколько попыток поговорить с женой, но ни одна из них успехом не увенчалась.

И тогда он решился. Дождавшись, когда Даша уйдет в детский сад на новогодний утренник, он открыл ее ноутбук и стал подбирать пароль. Попробовал дату ее рождения, даты рождения детей, их имена, потом названия фильмов и сериалов, которые, как он знал, жене нравились. Все мимо. Неужели ничего не получится? Ренат уже готов был сдаться, как тут ему в голову пришла неожиданная мысль. Он набрал свое имя. Ноутбук мигнул приветствием и впустил его на рабочий стол. Кликнув по значку браузера, Ренат открыл Дашину почту.

* * *

Возвращаясь из школы, Тимур чувствовал себя невероятно счастливым. У него все получилось! И даже лучше, чем он мечтал.

Утром, по дороге из дома, он едва слушал мелкого, который, не замолкая, говорил о щенке, радуясь, что родители сдались, оставили его на время и, может быть, все-таки разрешат оставить насовсем. Честно признаться, Тимур тоже радовался, что в доме появилась собака, он давно этого хотел... Но сейчас его мысли были заняты совсем другим. Удалась ли его задумка? Или ничего не вышло и он зазря проторчал вчера в школе чуть не до ночи? А вдруг Софе не понравится его идея, вдруг она сочтет, что это глупо или еще что-то в этом роде?

Войдя в школьные ворота, Руська побежал к своему крыльцу (мелюзга училась в отдельном крыле, и у них был свой вход в здание), а Тимур еще некоторое время бродил по двору, оттягивая момент появления в классе. Может, вовсе не ходить туда сегодня? Нет, нельзя, это трусость. И потом — ну кто его знает, может, все еще пройдет гладко...

Наконец он решился и почти перед самым звонком взбежал на крыльцо. Сбросил куртку, на ходу переобулся в сменные кеды и помчался вверх по лестнице, то и дело здороваясь по дороге с однокашниками и знакомыми ребятами и девчонками из других классов. Софа ему сегодня не встретилась, но сейчас это только к лучшему.

В класс Тимур влетел одновременно со звонком. Урок еще не начался, так что он смог в два прыжка преодолеть весь кабинет и плюхнуться на свой стул. Учительница вошла следом за ним и сразу предупредила, чтобы ученики не расслаблялись — правило «последний день, учиться лень» ее не касается.

Начался обычный урок истории, училка спрашивала по журналу, отвечающие выходили к доске, сидевший рядом с Тимуром Макс недоумевал, зачем это делается — отметки за полугодие наверняка все равно уже проставлены. Но Тимура ничего из этого не интересовало. Он смотрел то на закрытую доску, то на учительницу и мысленно гипнотизировал ее: «Открой доску! Ну пожалуйста! Открой доску!» Но вредная училка и не думала не то что послушаться его внушения, а даже встать из-за своего стола. Время шло, урок катился к завершению. Тимур уже смирился с тем, что сейчас ничего не получится. Как вдруг учительница предупредила, что каникулы каникулами, но задание на праздники она все-таки даст. И не просто задание, а реферат на одну из предложенных тем.

Учительница поднялась, подошла к доске, открыла ее, чтобы написать темы... Сердце Тимура заколотилось так, что готово было выпрыгнуть откуда-то из горла. Класс озадаченно ахнул и зашумел, кто-то хихикал, кто-то смеялся, и все говорили одновременно. Потому что на доске красовалась надпись: «Софа Горбовская — самая классная девчонка в школе!»

На самом деле такая надпись сегодня появилась на каждой доске в каждом классе средней и старшей школы. Именно это и было идеей Тимура, осуществить которую помог школьный охранник. Когда Тимур, поддерживаемый другом Максом, рассказал о своем плане, охранник сперва посмеялся, затем принялся возражать, а потом махнул рукой.

— Да пиши, черт с тобой! — сказал он. — Только придется дождаться, пока учителя разойдутся. А то с нас обоих голову снимут.

После чего Макс убежал домой — у него были занятия английским. А Тимур позвонил маме, наврал про какую-то тренировку по фехтованию, которую выдумал тут же на ходу, и до вечера прятался в комнате охраны, пил чай с печеньем в компании дяди Сереги, слушал его рассказ о первой любви в пионерском лагере и ждал, пока школа опустеет. К счастью, ждать пришлось не очень долго. Учителя тоже живые люди, и им совсем неинтересно долго засиживаться на работе в предпраздничные дни. Когда наконец последняя учительница ушла, дядя Серега сам провел Тимура по этажам, открывая ему кабинеты и закрывая их после того, когда на очередной доске появлялась новая надпись.

К большой перемене новость расползлась по всей школе. Предположения, кто же являлся автором надписи, строились во всех классах. Тимур был доволен собой и оказался просто на седьмом небе, когда на химии вдруг прилетела эсэмэска от Софы: «Как обычно, под лестницей?» Едва дождавшись окончания урока, он со всех ног помчался к месту встречи. Вскоре пришла и Софа — очень красивая, сияющая, даже щеки разрумянились от удовольствия.

Софа всегда была хороша, наверное, поэтому Тимуру она и нравилась. Но сегодня девочка выглядела просто потрясающе. На ней было черное платье и белая рубашка. Вроде и строгая одежда, но в то же время смотрелось как-то легкомысленно. Девочки умеют так одеваться. Черт их знает, как у них это получается.

— Ты правда так считаешь, Тимур? — спросила она. — Что я самая классная?

Ему ничего не оставалось, как кивнуть.

— Это… мило, — призналась она. — У тебя действительно получилось меня удивить. И мне понравилось. Но как ты это сделал? Когда? И как проник в кабинеты — они же заперты?

— Секрет, — фыркнул он. — Не скажу, и не проси. Так что, второе задание выполнено?

На самом деле это было его военной хитростью. Тимур очень надеялся, что Софа примется упрашивать его рассказать, как ему удалось подписать все доски. А он будет отказываться до тех пор, пока она не потребует признания, назначив его третьим заданием. Тогда он типа сдастся, расскажет, как было дело (ну, может, немножко приукрасив действительность) — и в результате получится, что с третьим заданием он тоже справился.

Софа долго смотрела на него, потом вдруг смущенно улыбнулась.

— А третье задание: пригласи меня куда-нибудь, — заявила она, глядя Тимуру в глаза.

Он сначала хотел даже возмутиться, мол, что, вот так просто? Никаких подвохов больше? Он уже открыл было рот, но тут она заговорила снова:

— Подожди, Тимур, это еще не все. Сначала дай мне слово… Что, если вдруг… В общем… В общем, если мы с тобой куда-то пойдем… То что бы там ни случилось… Что бы ни случилось, ты не станешь надо мной смеяться. И никогда никому ничего не расскажешь. Слышишь? Никогда и никому!

Тимур с изумлением уставился на Софу. Странно, но она сейчас волновалась не меньше его. Если не больше. Ох, тут точно что-то было не так… Но отступать уже поздно.

— Пойдешь со мной в кафе? — спросил он.

Софа серьезно кивнула.

— А когда?

— Да хоть завтра… Не в самый Новый год, конечно. Но можно часа в четыре, — предложила Софа.

— Договорились, — просиял Тимур, но она тут же напомнила:

— Подожди, это еще не все! Сначала дай слово. Иначе я никуда не пойду.

Тимур подумал, что раз уж согласился играть по ее правилам, то надо делать это до конца. Для нее это, похоже, очень важно, а ему нетрудно. Чего не сделаешь ради девочки, которая нравится! Тем более если это такая девочка, как Софа.

— Софа, — очень серьезно проговорил Тимур, — я даю тебе честное слово… Что бы завтра ни случилось, я не стану над тобой смеяться. И никому ничего не расскажу.

Наградой ему был такой взгляд, которым Софа еще никогда не одаривала ни одного из своих поклонников. Во всяком случае, Тимуру очень хотелось так думать.

Неудивительно, что весь остаток дня он чувствовал себя на седьмом небе от счастья и домой прилетел как на крыльях. Не успел Тимур войти в квартиру, как тут же наткнулся на Руську. Вид у мелкого был серьезный и весьма таинственный.

— Быстро раздевайся и идем в нашу комнату, — прошептал брат, делая большие глаза. — Папа сейчас скажет нам что-то очень важное...

— Что случилось? — не понял Тимур. — Щенок опять?..

— Не, со щенком все нормально... Пошли, сейчас сам все узнаешь. Только тс-с-с! — Он приложил палец к губам и воровато оглянулся в сторону кухни. — Главное, чтобы не узнала мама...

* * *

Хлопоча на кухне, Даша заметила, что дети с Ренатом о чем-то шушукаются, и улыбнулась: не иначе, готовят ей какой-то новогодний сюрприз... Это было приятно. Предпраздничный день вообще складывался весьма удачно. Утренник в саду у Майки получился довольно милым. Под руководством воспитательниц и родителей детки подготовили много номеров для Деда Мороза и Снегурочки и очень старались показаться с самой лучшей стороны. Но с точки зрения Даши, лучше всех, конечно, выступила Майка. Да и ее костюм имел большой успех. Когда она вошла в зал в голубом наряде и шапочке с бубенчиками, ребятня наперебой закричала: «Фрося, Фрося! Из «Джингликов»!» Майку окружили толпой, и все норовили обязательно позвенеть в колокольчики на шапке. Хорошо, что Ренат заранее предусмотрел этот момент и придумал, как закрепить бубенчики так, чтобы они продержались до конца утренника.

Не подошла к Майке одна только Алиса. Она надулась, села одна в углу, и Даше стало ее жаль. Платье Алисы действительно было очень красивым, пожалуй, даже лучше того Майкиного, которое порвал щенок. Но в этот раз соперница затмила ее, потому что Алиса была всего лишь девочкой в нарядном платье, а Майка — персонажем всеми любимого сериала. И Алиса обиделась, причем настолько, что отказалась выступить, когда настал ее черед. Но тут Майка сделала такое, что заставило Дашу тихонько ахнуть от изумления. Она подбежала к заклятой подруге и со словами: «Ну, давай, давай, что ты! Ты же так готовилась! Я знаю! У тебя получится, вот увидишь!» — все же уговорила ее выйти на сцену. Алиса спела свою песенку, получила от Деда Мороза заслуженный подарок и остаток праздника веселилась вместе со всеми детьми. А Даша наблюдала за всем этим и гордилась своей дочерью.

К тому же, что последнее время редко случалось, Ренат почти весь день пробыл дома. Он ушел, когда мальчики пришли из школы, а вернулся всего через несколько часов и все время провел с детьми и щенком. В результате Даша, которую в кои веки никто не отвлекал, быстро управилась со всеми делами и приготовила ужин пораньше, так что они еще и успели все вместе посмотреть перед сном новую рождественскую семейную комедию. А когда дети наконец-то были уложены, она заглянула на сайт конкурса и не поверила свои глазам.

Шесть тысяч четыреста восемьдесят два голоса. За сутки ее рейтинг вырос невероятным образом. И теперь Даша занимала уже второе место. Причем отставала от лидера всего на каких-то три сотни голосов.

Глава 19.
Лара. Точки над «i»

31 декабря Лара проснулась поздно, уже за полдень. И удивляться тут было нечему — вчерашние посиделки с разговорами по душам затянулись до глубокой ночи. Давно не встречался Ларисе такой прекрасный собеседник, который умел бы слушать, понимал бы с полуслова и выдавал в ответ именно такую реакцию, какая ей требовалась. Лара и сама не заметила, как рассказала Саше почти всю свою жизнь — как ждала все детство возвращения отца, который впоследствии оказался чуть ли не мифическим существом, как росла «ботаншей» и «книжной девочкой», терпя отчуждение, а порой и насмешки одноклассников, как мечтала в юности поступить в питерский вуз и уехать из родного города, как искала работу и с каким трудом ее все-таки нашла, как совершенствовалась профессионально, и как не везло ей при этом в личной жизни. Однажды Лара даже заплакала — когда речь зашла о маминой смерти. Боль потери оказалась еще слишком сильной, а душевная рана слишком свежей, чтобы успеть затянуться. И когда из ее глаз покатились слезы, Саша поступил именно так, как нужно было в тот момент Ларе — просто сел рядом на диван, обнял ее и молча гладил по голове и спине, пока она не успокоилась. В эти мгновения у Ларисы возникло такое чувство, что они знакомы много лет и что у нее нет человека ближе и роднее. Просто они

какое-то время не виделись, но теперь встретились, и отныне все пойдет хорошо…

Больше всего на свете ей хотелось навсегда остаться в его объятиях… Причем отнюдь не платонических. Но Саша не делал никаких попыток к физическому сближению, и Лариса в какой-то мере даже была благодарна ему за это. Пусть все ее существо и рвалось к нему навстречу, разум упорно продолжал твердить, что необходимо держать себя в руках. Все равно она не сможет расслабиться и насладиться моментом, а постоянно станет думать о его жене и детях, ощущать чувство вины и считать себя воровкой, пытающейся украдкой стащить кусочек чужого счастья. Уж так она, Лариса, устроена, и ничего тут не попишешь.

И все-таки, несмотря на то что в эти вечер и ночь они даже ни разу не поцеловались, не говоря уже о чем-то большем, Лара была уверена, что это самое лучшее свидание в ее жизни. Его не отравляла даже мысль, что время, когда явится горничная и приложит к замку снаружи пластиковую карту, неумолимо приближается. Еще сутки, максимум двое — и сказка закончится. Вспоминая об этом, Лариса чувствовала себя Золушкой на балу, которая видит, как истекают часы, отведенные ей крестной-феей. Но даже близость превращения кареты обратно в тыкву, а нарядного платья — в лохмотья не испортили ей вчера свидания с принцем.

Утром, умываясь и приводя себя в порядок, Лара невольно снова задумалась о том, что же будет дальше. Интересно, Саша ведет себя с ней так просто по привычке или потому, что она все-таки ему понравилась? И если допустить на минуту, что понравилась, то будет ли какое-то продолжение их знакомства?

Позвонит ли он ей когда-нибудь? Может, они даже встретятся, когда она в следующий раз окажется в Москве или он в Питере... Или Саша просто забудет о ней и разве только в компании друзей, посмеиваясь, за бутылкой вина или виски, расскажет как-нибудь о своем забавном приключении? В любом случае, ясно одно — теперь Лариса все время будет ждать его звонка. Что поделаешь, мужчины живут моментом, а женщины — ожиданием этих моментов и воспоминаниями о них. И в ее случае это ожидание, скорее всего, ни к чему не приведет. Зачем ему ей звонить, какой смысл продолжать общение, живя в разных городах? К тому же у него семья. Окажись он свободен, можно было бы еще на что-то надеяться, а так...

От вчерашнего хорошего настроения не осталось и следа. Из ванной Лара вышла расстроенной. Не порадовало даже то, что Саша, который и сегодня проснулся гораздо раньше ее, снова приготовил ей завтрак.

— Доброе утро! — воскликнул он. — С наступающим тебя, Лара. Жаль только, что все так по-дурацки складывается и я не могу ничего подарить тебе на Новый год. Но обещаю, когда нас выпустят отсюда, обязательно это исправлю.

— Когда нас выпустят отсюда, ты вернешься к жене, дочке и сыну, — вырвалось у Ларисы. Сказав это, она прикусила язык и мысленно отругала себя: ну зачем, зачем она это ляпнула? Сама же дала себе слово не упоминать о его семье... Вдруг она все испортит одной этой дурацкой фразой? Но ничего исправить уже было нельзя.

Саша смотрел на нее с таким изумлением и недоумением, будто она на его глазах оседлала пресловутый «Харлей» и промчалась на нем по всем комнатам.

— Лара, что ты городишь? С чего ты взяла, что у меня есть жена, да еще сын и дочка? Что за нелепые фантазии?

— Это не фантазии, — ей совершенно не хотелось продолжать этот разговор, но увы — слово не воробей... — Я видела вашу фотку.

— Фотку? Какую еще фотку? — Он растерянно озирался по сторонам с таким видом, будто собирался увидеть свою семейную фотографию где-нибудь на стене квартиры шефа.

И Ларе ничего не оставалось, как признаться:

— У тебя в телефоне. Помнишь, ты показывал мне, как знакомые Александра Михайловича замаскировали пульт? Я случайно пролистнула картинку и увидела твой снимок с женой и детьми. Что такое? Почему ты смеешься?

По Лариному мнению, момент для веселья был совершенно неподходящий. Однако же Саша хохотал так, что даже слезы на глазах выступили.

— Ох, Ларка, ну ты даешь, — проговорил он, наконец отсмеявшись. — Я-то думаю, откуда ты взяла про жену и детей... А вот оно что... Только ты все неправильно поняла. На фото я с сестрой, Аней. И ее детьми, Варькой и Васей. Нас Антоха, Анин муж, сфотографировал в эти выходные у них дома...

В эту минуту Лариса испытала на себе весь смысл выражения «камень упал с души». Действительно, в один миг вдруг стало так легко, что, кажется, она могла бы взлететь. Хотя...

— А почему я должна тебе верить?

— А почему я должен тебе врать? — ответил он вопросом на вопрос. — Подумай сама, ты же человек рассудительный. Будь я женат, вряд ли бы так спокойно относился к тому, что сижу здесь все предпраздничные дни, в то время как моя семья понятия не имеет, где я. И уж конечно, если б у меня была семья, за это время я бы рассказал тебе об этом.

— Ты вообще очень мало о себе рассказывал, — буркнула Лариса, которая, как любой нормальный человек, терпеть не могла признавать свои ошибки. — Говорила в основном я.

— Что ж, если тебе интересна моя персона, можем это исправить, — улыбнулся Саша. — До наступления Нового года у нас еще полно времени. Можешь начать расспросы. Только для начала, думаю, тебе все же стоит поесть. Завтрак уже готов.

— Я что-то не голодна, — возразила Лара, однако все же направилась к столу. — Может, съем пару бутербродов. Ну и, конечно, не откажусь от твоего замечательного кофе.

— Кофе я сейчас сварю, — пообещал Саша, становясь у плиты, — а вот с бутербродами, увы, ничего не получится. Мы вчера доели весь хлеб, так придется намазывать икру прямо на колбасу...

— Правда, хлеба совсем-совсем нет? — огорчилась Лара. — Это плохо…

— Ну, извини, — Саша с комично-виноватым видом развел руками.

— Да нет, что ты! — запоздало спохватилась она. — Это ты меня извини, что я привередничаю… Но это не каприз, просто я так привыкла — есть все с хлебом. Я ж тебе рассказывала вчера о своем детстве. Жили мы с мамой очень скромно, да и времена были непростые. Иногда случалось так, что хлеб оставался основной нашей едой. Ну, вот я и до сих пор…

— Я все понимаю, Лара, — он снял с огня кофе, подсел к ней и накрыл ладонью ее руку. — Просто, к сожалению, поделать ничего не могу.

Его прикосновение точно обожгло. Наверное, если б вместо этого на кожу попали бы капли горячего кофе, ощущения оказались бы слабее. Лариса торопливо отдернула руку и проговорила, стараясь, чтобы вопрос прозвучал шутливо:

— И как же вышло, что такой шикарный мужчина до сих пор не женат?

— Тебе действительно интересно? — усмехнулся Саша, придвигая одну чашку ей, а вторую забирая себе.

— Нет, что ты. Это я просто так, из вежливости спросила, — хмыкнула Лара. — Надо же о чем-то говорить, коротая время до боя курантов.

— Пожалуй, до боя курантов я уложусь, — поддержал игру Саша. — Но начать придется издалека.

— Я готова слушать. — Лара подперла щеку кулаком и всем своим видом изобразила внимание.

— Ладно, только учти, что ты это сама попросила... — Он улыбнулся и начал: — Первый раз я всерьез влюбился на третьем курсе. Она была очень красивой, без преувеличения. Не то чтобы профессиональная модель, но часто снималась в рекламе или для журналов, даже, кажется, в кино пару раз приглашали. Ну и, конечно же, толпа поклонников. Сначала я в этой толпе затерялся, потом, как мне казалось, сумел привлечь к себе внимание. А потом она вдруг сообщила, что выходит замуж за другого, — хотя на тот момент мы уже встречались и я сам собирался вот-вот сделать ей предложение. Я не удержался, задал вопрос «почему он, а не я» и узнал о себе много нового. Оказывается, в отличие от ее жениха, который добился в жизни и того, и другого, и третьего, я ничего собой не представляю.

Я просто избалованный сын богатого папы и останусь таким до конца своих дней.

— Ну уж… — возмущенно начала было Лариса, но Саша жестом остановил ее.

— Конечно, сейчас я бы не придал ее словам такого значения, — продолжал он. — Но мне тогда было немногим больше двадцати. И я очень сильно обиделся. Так обиделся, что дал себе слово обязательно доказать ей, что я не просто папин сыночек, что и сам чего-то могу достичь… Сейчас это смешно вспоминать, но тогда ее слова действительно помогли мне начать двигаться вперед. Я перестал тратить время на ерунду, взялся за ум, стал серьезнее относиться к учебе, хорошо окончил универ, потом получил второе образование, за границей…

Он замолк на минуту, отхлебнул кофе, и Лара решила заполнить паузу.

— Ты сделал карьеру и стал первым помощником своего шефа-олигарха? — предположила она.

— Ну… да, — как-то не слишком уверенно согласился Александр. — В общем, я чего-то достиг. Любовь к той девушке быстро прошла, но привычка двигаться вперед с напором «Харлея» осталась со мной навсегда.

— Но это не объясняет, почему ты не женился. — Лара отодвинула пустую чашку.

— Видишь ли… Долгое время я, точно так же, как и ты, слишком много работал, — пояснил Саша, откидываясь на спинку стула. — И времени на личную жизнь как-то не оставалось. То есть немного оставалось, но это все было несерьезно.

— А потом? — продолжала допытываться Лариса.

— А потом… Потом, когда я… когда я, как ты говоришь, сделал карьеру, то понял, что с каждым годом все труднее найти человека, с которым мне было бы по-настоящему комфортно. Такую девушку, с которой хотелось бы не просто провести вечер или съездить в отпуск, а вообще не расставаться, понимаешь?

— И что же? — как можно более равнодушно поинтересовалась Лара. — Неужели таких не существует?

— Наверняка существуют, — прозвучало в ответ. — Просто я еще не встречал.

«Ну, конечно… — пронеслось у нее в голове. — Все та же песня».

— А может, ты просто привередничаешь? — не удержалась от шпильки Лара. — Как все мужчины? На самом деле вы просто избаловались.

— Это с чего же? — Его удивление выглядело искренним.

— Да с того, что достойных внимания одиноких женщин гораздо больше, чем мужчин! — с возмущением выдала Лариса. — Оглянись вокруг! Все нормальные мужики годам к тридцати — тридцати пяти уже женаты. А если нет — значит, либо пьяница, либо неисправимый бабник, либо уже три семьи с детьми бросил, либо еще что похуже… А у женщин сплошь и рядом бывает, что все при ней — а она одна! Потому что у нас гораздо меньше шансов кого-то встретить. А вы сидите и выбираете: ах, у этой то не так, а у той это не то…

Лариса уже чувствовала, что ее понесло, что не стоило, наверное, всего этого говорить, тем более Саше, — но уже не могла остановиться. И тем неожиданнее прозвучали для нее слова Александра:

— Все и так и не так, Лара. На самом деле в этом вопросе и у мужчин, и у женщин шансы совершенно равны. У каждого из нас в этом мире существует лишь одна-единственная половинка. Которую либо встретишь — либо нет. Все остальные могут быть хоть сто раз хорошими и замечательными — но это не тот человек, понимаешь? Не твоя судьба.

В ответ на это Лара только фыркнула.

— Если следовать этой гипотезе, то получается, что шансов ни у кого нет вообще. Какова вероятность встретить единственного конкретного человека, когда на Земле их больше семи миллиардов?

Саша очаровательно улыбнулся в ответ:

— Но ведь существует еще судьба, правда? И она обычно ведет нас именно туда, куда нужно. Просто мы часто не хотим этого замечать. И упорно норовим свернуть с дороги.

Тут Ларисе оказалось нечего возразить. С тем, что именно судьба привела ее сюда, в Москву, на пятьдесят шестой этаж башни «Федерация», и захлопнула дверь квартиры, спорить было невозможно. Вот только Саша, похоже, настроен искать свою судьбу где-то совершенно в другом месте…

— Спасибо за завтрак и за кофе, — чтобы не выдать своего душевного смятения, Лара поднялась и торопливо стала убирать со стола. — Чем сейчас займемся? Может, посмотрим какую-нибудь рождественскую комедию? Для создания новогоднего настроения?

— Можно, — согласился Саша. — Но чуть позже. А пока у меня для тебя маленький сюрприз. Я тут случайно нашел у шефа одну интересную вещь…

— Даже боюсь предположить, что у твоего эксцентричного шефа еще может здесь обнаружиться, — Лара покосилась на стоящий посередине комнаты байк. — Может быть, гоночный болид?

— Угадала, — кивнул он. — Именно гоночный болид, в натуральную величину. Лежал в ящике письменного стола.

— Ну а серьезно?

— А если серьезно, то я же сказал, что это сюрприз! Так что иди в гостиную, садись и жди.

В гостиной оказалось темновато, но Лариса не стала зажигать свет, а только раздвинула портьеры на всех окнах и включила гирлянду на елке. Да уж, что говорить, такого Нового года у нее никогда в жизни не было… И никогда не будет — хотя она отдала бы все на свете за то, чтобы он повторился.

Чего Лариса точно не ожидала, так это того, что Саша появится в комнате с гитарой. Обычной шестиструнной гитарой, по виду даже и не очень дорогой, не красного дерева и не работы Страдивари или кто там из гитарных дел мастеров должен котироваться у богатеев.

Глядя на изумленное лицо Лары, Саша засмеялся.

— Не ожидала увидеть в этом доме гитару, да? Но даже тем, кого ты так упорно называешь олигархами, не чуждо ничто человеческое…

Присев на краешек кресла, он стал настраивать инструмент по слуху.

— А ты играешь на чем-нибудь, Лара?

Она с сожалением покачала головой.

— Увы. И не играю, и не пою. Ни голоса, ни слуха. Но очень люблю, когда поют другие.

— У меня тоже голос далеко не оперный, — признался со смущенной улыбкой Саша. — Но слух какой-то вроде бы есть… Впрочем, тебе решать.

Взяв пару аккордов, он наконец удовлетворился звучанием настроенного инструмента и тихонько запел старинный романс на стихи Алексея Константиновича Толстого:

Средь шумного бала, случайно,
В тревоге мирской суеты,
Тебя я увидел, но тайна
Твои покрывала черты…

Лара только вздохнула. Откуда он узнал, что ей нравятся романсы и что этот — один из самых любимых? «Совпадение? Или же мы с ним и впрямь на одной волне?» В ее жизни еще ни разу не случалось ничего даже похожего — чтобы мужчина, в которого она была влюблена, пел для нее…

Романс сменила известная бардовская песня, потом композиция из репертуара старой отечественной рок-группы, потом мелодия из кинофильма… Саша пел, а у Ларисы туманилось в глазах от непрошеных слез, когда пронзительные строки проникали прямо в сердце. И она уносилась то в бескрайние степные просторы, где так вольно гуляет ветер и весной цветут тюльпаны, то на берег океана, где кричат чайки и виднеются вдали паруса бригантины, то к ночному костру, горящему на лесной поляне, когда трещат дрова и сноп искр поднимается прямо в темно-синее, усыпанное звездами небо, — туда, где мечты не кажутся несбыточными и всегда верится в лучшее…

Очнулась она от тишины, в которой не хватало гитарного перебора, и взглянула на Сашу, который, подув на руку, продемонстрировал натруженные пальцы.

— Извини, но на сегодня концерт окончен, — объяснил он. — Отвык я от гитары, давно не играл.

Лариса стала благодарить его, попыталась найти слова, чтобы похвалить исполнение — но все звучало как-то неправильно, нарочито, и даже близко не передавало чувств, которые она испытывала. И Саша прервал ее, вдруг предложив:

— Лара, а давай потанцуем?

— С удовольствием, — радостно согласилась она. — Только мне надо переобуться, — на ногах у нее и сегодня были те самые злосчастные безразмерные тапки.

В спальне, сменив «лыжи» на ботильоны, Лариса покрутилась перед зеркалом, оценила синяк, уже начавший менять цвет, и пожалела о косметичке, оставшейся в сумке. «Ничего не поделаешь, — философски вздохнула она. — Какая уж есть». Причесалась, еще раз критически осмотрела себя и присоединилась к Саше. А он, не теряя времени в ожидании, просмотрел диски и выбрал компакт с лирической музыкой.

— Разрешите пригласить вас на вальс, сударыня? — шутливо поклонился он.

Боясь, что Саша услышит, как громко колотится ее сердце, Лара положила руки ему на плечи, он обнял ее за талию и повел в танце. Танцевал он не хуже, чем пел, отлично чувствовал и ритм, и свою партнершу. Сохраняя приемлемую дистанцию, Саша удерживал ее одной рукой, а Лара, улавливая каждое движение партнера, скользила с ним по комнате, плавно покачиваясь в такт звучащей из динамиков мелодии.

За окном начало темнеть. Горизонт впитывал прощальные лучи закатного солнца, и сгущавшиеся сумерки растворяли контуры мебели. Гирлянда на елке сияла разноцветными огоньками, иногда то гасла, то вспыхивала вновь, точно намекала, заговорщицки подмигивая, что знает их тайну, но никому не выдаст. Мир сузился до пятачка у окна, на котором они остановились. Саша полностью откинул портьеру и развернул Лару к стеклу.

— Посмотри, какая красота…

Он не преувеличивал — к вечеру распогодилось, и вид на заснеженный ночной город оказался нереально красив. Предновогодняя Москва светилась тысячами огней: золотистые окна, разноцветная праздничная иллюминация, цепочки фонарей, а вдоль каждой ленты дорог или эстакад с разветвлениями в несколько уровней и кольцами развязок лениво тянулись в противоположных направлениях две змеи, ярко-красная и ослепительно-светлая — фары автомобилей.

Завороженная зрелищем и поборов страх высоты, Лариса припала к окну и парила в космической невесомости… На землю ее вернуло притяжение иного рода. Обняв девушку за плечи, Саша прикасался к ее виску, щеке, шее. Она повернулась и встретилась с его губами. Обвила руками его шею и ответила на поцелуй. Он словно вел ее по тонкому льду, прислушивался, как она отзовется. И она отозвалась всем своим существом, истосковавшимся по мужской ласке, измученным так долго копившейся внутри нежностью, которую не на кого было излить…

Лара никак не ожидала, что после близости уснет. Ей казалось, что она готова бесконечно наслаждаться чудесными мгновениями, которые, возможно, никогда больше и не повторятся. И тем не менее внезапно для самой себя отключилась и проснулась, второй раз за этот день, всего за пару часов до наступления нового года. Саши рядом не оказалось, и это ее огорчило. Так хотелось сейчас его обнять... Впрочем, это можно сделать и вне спальни. Соскочив с кровати, Лариса машинально накинула халат, босиком отправилась искать любимого в недрах этой огромной квартиры и вдруг остановилась, услышав доносящиеся откуда-то голоса. Один был Сашин, теперь Лара узнала бы его из тысячи, да что там — из миллиона других! А вот второй... Второй оказался женским.

И снова, как вчера утром, Лариса, вместо того чтобы спокойно войти в комнату, спряталась за углом. Только на этот раз она не подглядывала, а скорее подслушивала. И услышала, как Саша сказал:

— Спасибо, Гуля, вы меня очень выручили. Еще раз извините, что выдернул вас перед самым праздником, но это действительно важно.

А женщина ответила:

— Да все в порядке, Александр Михайлович. Мне не трудно. Когда мне прийти убираться — завтра или второго?

— Я позвоню, — сказал Саша.

И дальше послышался звук закрывающейся двери.

В первую минуту у Ларисы отлегло от сердца. Ну, слава богу, это домработница, а не жена и не подружка... Только потом до нее начал потихоньку доходить смысл всего произошедшего, и в голове с бешеной скоростью завертелись вопросы.

Как эта женщина вообще оказалась в квартире? Саша вроде бы говорил, что у домработницы есть карточка... Но по его словам выходило, что он сам вызвал ее сюда — а как можно было это сделать без телефона и других способов связи? И потом, она назвала его Александром Михайловичем... У них что, с шефом и отчества одинаковые? Или... Или он сам и есть собственный шеф? Тогда это многое объясняет — и то, как горячо Саша выступил на защиту «Харлея», и то, как беззастенчиво хозяйничал в квартире, и многое другое... Но почему, почему он скрыл это?

Лара решительно шагнула вперед и тут же столкнулась с Сашей. И ему было достаточно только взглянуть на нее, чтобы сразу все понять.

— Ты слышала, — сказал он, и это прозвучало скорее как утверждение, чем как вопрос.

— Да, Александр Михайлович, я все слышала, — с вызовом проговорила Лариса. — И была бы вам очень благодарна, если б вы объяснили, что происходит.

— Мы снова на «вы»? — с грустной улыбкой уточнил он.

— А как мне к вам обращаться, когда я понятия не имею, кто вы такой? — возмущенно парировала Лариса.

Вид у Саши был обреченный и виноватый, как у мальчишки, которого застали врасплох за шалостью.

— Хорошо, я сейчас все тебе объясню, — со вздохом проговорил он. — Только обещай выслушать до конца и не перебивать. И еще — сядь, пожалуйста, это долгий разговор.

Она хмыкнула, но послушалась, опустилась в кресло. Очень старалась принять независимый и строгий вид, но беспокоилась, что в халате и босиком у нее не очень-то это получится...

Сам Александр садиться не стал, прошелся взад и вперед по комнате.

— Все это началось позавчера утром в ресторане... — заметно волнуясь, заговорил он. — Хотя нет, не так. Все началось этой весной на выставке в «Экспоцентре». Я увидел тебя на стенде твоей компании. Ты мне сразу понравилась, и я немного поговорил с тобой, но ты, похоже, меня даже в фокус не собрала...

Лара машинально кивнула — такое вполне могло быть. Так вот почему его лицо при первой встрече показалось ей смутно знакомым... Но на той выставке сновали целые толпы народу. Стоя на стенде своей компании и демонстрируя ее возможности, Лариса, как заведенная, с утра до вечера виделась там со множеством людей, и конечно же, просто не запомнила бы того, с кем сразу не завязался серьезный разговор.

— А вот я тебя собрал в фокус, — продолжал Саша. — В тот же вечер нашел и твои страницы в соцсетях, и твой дневник. Даже в друзья добавился, чтобы его читать. Но у тебя несколько сотен виртуальных друзей, и ты меня среди них не заметила.

На это Ларе тоже нечего было возразить. Действительно, Интернет имеет свои законы. Это в реальности человек — личность с именем, а в Сети он превращается в фантом под ником. Каждый интернет-житель стремится приобрести как можно больше подписчиков на свой Инстаграм или канал на Ютубе, но практически никогда не задумывается о том, кто же именно входит в их число. Это раньше, в далекие, описываемые в старинных романах времена, жизнь характеризовалась словами. Сейчас же — исключительно цифрами. Возрастом, весом, размером зарплаты и жилой площади, номером модели айфона и автомобиля... И числом подписчиков на твою страницу.

— Я долго наблюдал за тобой по Сети, — говорил тем временем Саша, — и ты заинтересовывала меня все больше и больше. Близился Новый год, и я решил не откладывать знакомство с тобой на следующий, тем более что повод имелся — вот эта квартира. Я и выписал тебя из Питера. Конечно, можно было обратиться в какую-нибудь московскую фирму, но меня интересовала не столько охранная система, сколько ты...

— Но почему ты... Зачем вы выдавали себя за какого-то помощника?

Она была возмущена до глубины души. Все теперь представало в новом свете. Он надул ее, притворившись другим человеком... Интересно, и в чем еще он солгал?

— А это вышло как-то само собой. — В глазах Александра вспыхнули веселые искорки. — И благодаря тебе, между прочим. Там, в ресторане, ты почему-то приняла меня за какого-то моего мифического тезку-помощника, которого у меня отродясь не существовало.

— Это все Злата, новая секретарша моего шефа... — пробормотала Лариса. — Она все перепутала...

— Вот я и решил немного подыграть тебе, — на лицо Саши снова вернулась улыбка. — Предположил, что разговаривать с помощником тебе будет проще, чем с... как ты там меня называла? — олигархом.

— Но ты поставил меня этим в неловкое положение!

— Почему? — искренне удивился он. — По-моему, как раз напротив. Знай ты изначально, что оказалась взаперти с хозяином квартиры, а не с его служащим, ты бы чувствовала себя куда более неловко. А так ты все это время общалась со мной как с человеком, а не как со счетом в банке. Я действительно очень хотел познакомиться с тобой. И сама судьба оказалась на моей стороне — когда случайно захлопнулась входная дверь. Так уж мне не хотелось, чтобы ты уходила...

— Все равно это некрасиво! — Лариса резко повернулась, но, заметив, что от этого движения халат внизу распахнулся, поспешила оправить махровые полы на коленях. — Все это время вы мне врали! Говорили, что у вас нет связи — а сами вот только что как-то вызвали домработницу...

— Да, каюсь, тут я действительно тебя обманул, — признался Саша. — На самом деле связь с охраной здания тут, конечно, существует — мало ли что может случиться. И пожарная сигнализация работает, и Интернет есть, и телефон у меня не один. По нему я и вызвал Гулю, чтобы отправить ее за хлебом для тебя. Хотел, чтобы на праздничном столе было все, как тебе нравится. И надеялся, что домработница успеет уйти, пока ты спишь.

— В общем, одно сплошное вранье... — со вздохом произнесла Лариса.

— Нет, Лара, нет! — Он присел перед ней на корточки и взял ее за руку. — Кроме этих пустяков, не было никакого вранья. Все, что я рассказывал о себе или, — он усмехнулся, — о «своем шефе» — чистая правда. Начиная с этого пресловутого «Харлея», который ты почему-то так возненавидела. Но знаешь, если он действительно настолько сильно тебя раздражает, я готов от него избавиться. Только скажи.

Могла ли Лариса продолжать после этого злиться на него? Наверное, немного нашлось бы на свете женщин, которые решили бы расстаться с любимым мужчиной только потому, что он по социальному положению оказался выше, чем она думала.

— И что, если я так скажу, ты действительно его выбросишь? — Она улыбнулась сквозь набежавшие на глаза слезы счастья.

— Да, — серьезно ответил он. — Но только именно ради твоего спокойствия, а не ради того, чтобы освободить место для детской кроватки. Детскую кроватку мы, как я уже говорил, поставим не тут, а в загородном доме.

Тут Лариса уже не смогла удержать слез. Но впервые за долгое время она плакала не от душевной боли, не от горя или от одиночества, а от счастья.

И снова Саша обнял ее и долго утешал со всей нежностью, о которой Лара еще вчера могла только мечтать. А когда оба очнулись, вдруг выяснилось, что до полуночи осталось меньше четверти часа.

— Мы чуть не пропустили с тобой Новый год! — ахнула Лариса.

— Тогда я бегу открывать шампанское, — подскочил Саша и, даже не подумав как следует одеться, поспешил к винному холодильнику, а Лара принялась торопливо собирать на стол.

— И знаешь, Ларка, я должен еще кое в чем тебе признаться... — произнес Саша, сдирая фольгу с бутылки — на этот раз уж точно коллекционной.

Ее сердце ухнуло вниз. Сейчас он скажет, что все-таки женат. Или что-нибудь еще похуже. Хотя что уж тут может быть хуже?

— Ну, говори, не томи! — Она так и замерла с ножом в одной руке и куском свежего хлеба в другой.

— Видишь ли, с этой дверью... — у Саши опять был смущенный вид. — В общем, ты права. После того как дверь захлопнулась, я, набирая код, действительно перепутал цифры. Нарочно.

— Ну ты даешь... — только и смогла сказать Лариса. — Зачем же ты это сделал?

— Как зачем? Чтобы побыть с тобой. — В его ловких руках пробка выскочила почти беззвучно, и золотистое шампанское, весело пенясь, полилось в бокалы. — Конечно, если бы я понял, что тебе неприятно мое общество, сразу же нашел бы способ открыть дверь. Но когда ты сказала о корпоративе и о том, что у тебя назревает служебный роман... Честно скажу — я приревновал. И дал себе слово доказать тебе, что я лучше, чем тот, на встречу с кем ты так рвешься.

— Что ж, у тебя получилось, — засмеялась Лара. — Ой, слышишь? Уже президент говорит...

Они едва успели подскочить к телевизору, как были, полуодетые, растрепанные, с запотевшими бокалами шампанского в руках, как начали бить куранты. Раз, два, три... Лариса и Саша глядели друг на друга и счастливо улыбались. Шесть, семь, восемь... Одиннадцать, двенадцать... Ура!

— С Новым годом!

— С Новым годом!

Одновременно со звоном бокалов где-то за окнами грянул салют. Наверное, отсюда, с высоты пятьдесят шестого этажа, это красивое зрелище. Но Саше и Ларисе сейчас было не до любования салютом — они целовались.

— По-моему, год начался неплохо, как ты считаешь? — спросил Саша, когда они наконец оторвались друг от друга.

Лара на это рассмеялась разом нервно и счастливо. Она никогда не думала, что ее жизнь может выкинуть такой поворот. Впрочем, а о чем она думала? Мы все строим планы на жизнь, но разве судьба станет им следовать? Еще три дня назад, всего-то три дня назад, Лариса думала, что все пойдет крахом, если она не окажется вечером на корпоративе. А теперь жизнь умело доказала ей, что все с точностью да наоборот.

— Год начался отлично, — с улыбкой ответила она.

— Получается, не зря я, пытаясь открыть дверь, набрал единицы вместо нулей?

— Ты набрал код счастья, — тихо проговорила Лариса.

— Что? Какой еще код?

— Долго рассказывать...

— Ничего, время у нас есть, — заверил Саша. — Впереди вся жизнь.

В этот счастливый миг Лара почему-то вспомнила о своих подругах, об Алене и Даше. Что у них происходит? Как проходит их Новый год? Надо им позвонить, теперь же в ее распоряжении есть телефон... А после праздников обязательно встретиться и рассказать им про то, какое значение цифры теперь имеют в ее жизни. Трудно поверить, но Дашкино пожелание сбылось. Вот бы так было у всех трех подруг!..

Глава 20.
Алена.
Как год встретишь...

Утром 31 декабря Алена проснулась со странным чувством и некоторое время не могла понять, в чем дело. Что-то было не так, но что именно? Лишь оглядев комнату, она наконец сообразила, откуда взялось это ощущение. Сквозь неплотно задернутые занавески проглядывало серое зимнее небо. За окном было светло! Впервые за долгое время Алена проснулась после рассвета. И к тому же чувствовала себя бодрой и отдохнувшей. Это было непривычное, особенно для утра ощущение — но при этом весьма приятное.

Вот что значит — хорошо выспаться... Даже на душе стало легче, и мысли о Никите и его уходе из дома уже не вызывали такой бури эмоций. Да, это, безусловно, проблема. Проблема, которую надо решать. Но она с ней справится, в этом Алена не сомневалась. Скоро она увидится с Владом, и они все обсудят. А потом Ник вернется домой встречать Новый год. Сегодня обязательно надо пораньше закончить с работой, чтобы успеть все приготовить. И пока еще есть время, она как раз успеет упаковать подарок сыну и сбегать в магазин докупить кое-что для праздничного ужина. Вот бы еще у них была елка — тогда получился бы настоящий праздник...

Собираясь на встречу с Владом, Алена раскрыла дверцы шкафа, окинула критическим взглядом свою одежду и тут же рассердилась сама на себя: зачем готовиться так, будто она отправляется на свидание? Не хватало еще, чтобы она стала чего-то ждать от этой встречи... Хотя произвести впечатление было бы, конечно, неплохо. Очень хочется показать Владу, что она не подурнела с годами и не пропала без него, а вполне благополучна, все еще привлекательна и может нравиться... Чтобы он взглянул на нее и понял, что шестнадцать лет назад совершил большую ошибку. Так что решено — надо постараться выглядеть как можно лучше.

Алена уже уложила волосы и накладывала легкий дневной макияж, когда позвонила Милена.

— Э, что за дела?! — Она сразу начала разговор на повышенных тонах. — Где тебя носит? Почему до сих пор ко мне не доехала? Ну-ка быстро все бросай и шнуром сюда! Новый год уже на носу, а я до сих пор как лахудра!..

— Извините, Милена, но сейчас я занята, — Алена бросила взгляд на часы. Ей уже пора было выходить из дома. — Освобожусь в лучшем случае после обеда и сразу вам позвоню.

— Да ты что, охренела, что ли? — взвизгнула трубка. — Совсем рамсы попутала? Я тебе что, за просто так бабки плачу? Чтоб сию минуту была у меня, а не то...

— А не то — что? — уточнила Алена, сама удивляясь своей смелости. — Что вы можете мне сделать?

— Да ты это!.. — Судя по тону, Милена совершенно ошалела от ее ответа. Весь лоск светской львицы, которой она так упорно притворялась, слетел с нее, и теперь она голосила как базарная баба. — Не выделывайся там! Кто ты такая вообще?..

И тут Алена не выдержала.

— Да пошла ты, знаешь куда? — буркнула она и нажала на кнопку отбоя.

Еще некоторое время после этого разговора ее слегка потряхивало. А потом Алена вдруг резко успокоилась. И поняла, что никогда, ни при каких обстоятельствах не пожалеет о том, что отказалась от богатой клиентки. Она нанесла последние штрихи макияжа, немного поправила прическу и улыбнулась своему отражению. Зеркало сообщало ей, что все не так уж и плохо.

В этот ранний час кафе на Витебском фактически пустовало, и Алена сразу увидела Влада. И тут же невольно подумала, что даже будь оба празднично украшенных зала кафе набиты до отказа, она все равно быстро нашла бы его и сразу узнала. Слишком глубокий след оставил в ее душе бывший муж, и слишком болезненной оказалась нанесенная им рана. При одном только воспоминании о его предательстве сердце точно кто-то сжимал ледяной рукой. Вчера, когда Алена увидела на экране своего ноутбука его фотографию, по всему телу пробежала дрожь. И сегодня, подходя к столику, за которым сидел Влад, она чувствовала, что ее всю трясет. Но вида Алена, конечно, не подала. Чего другого — а владеть собой она за эти пятнадцать лет отлично научилась...

— Прекрасно выглядишь, — сказал Влад, поднимаясь ей навстречу и помогая снять пальто. И эти банальные слова прозвучали не как дежурный комплимент, а вполне искренне. Или просто Алене очень хотелось, чтоб это было так?

— Спасибо. Ты тоже, — нейтрально ответила она, нисколько, впрочем, не покривив при этом душой. Похоже, Влад относился к тому типу мужчин, чей расцвет приходится на зрелый возраст. Подходя к сорока годам, он стал еще интереснее, чем в молодости. Любопытно, а он подумал ли о ней что-нибудь похожее?

Однако тратить время на подобные размышления Алена не стала. Сейчас ее больше занимало другое — то, что Влад был один. Признаться, Алена до последнего надеялась, что увидит рядом с ним сына. Но нет...

— Как там Никита? — спросила она, присаживаясь на уютный диванчик напротив елки и невольно отмечая, что Влад специально сел не сюда, а на стул, чтобы оставить самое удобное место для нее.

— Прекрасно, — заверил бывший муж. — Когда я уходил из дома, он еще дрыхнул.

— Да уж, он терпеть не может рано вставать, — кивнула Алена. — Типичная «сова».

— Как и я, — Влад улыбнулся.

— Как и ты, — согласилась она. — Но ты всегда спал чутко. А у Ника сон крепкий, хоть из пушки пали — не разбудишь...

— У нас вчера, как я и предполагал, съемки затянулись до позднего вечера, — поделился Влад. — Хотел Никиту пораньше домой спровадить, но куда там! Его из студии и калачом не выманишь. В итоге домой приехали уже за полночь. Я смотрю — ему телевидение по-настоящему нравится. Быстро освоился, разобрался во многом... Серьезно, Ален, если он не передумает, то возьму его к себе на работу сразу после школы.

— Вот еще глупости! — возмутилась Алена. — Ему надо учиться, в институт поступать.

— Так одно другому не мешает, — пожал плечами Влад. — Сейчас все толковые ребята стараются совмещать учебу и работу по специальности. Чтобы не тратить время на зубрежку непонятно чего, а вникать сразу и в теорию и в практику.

Подошедшая официантка вручила им меню, и Влад вопросительно посмотрел на Алену:

— Ты съешь что-нибудь?

Она отрицательно покачала головой:

— Нет, я ж только что из дома. Позавтракала. Вот от кофе не откажусь.

— Ну еще бы. Когда ж ты отказывалась от кофе с сигаретой? — Он снова улыбнулся. — Ты ведь до сих пор еще куришь?

— Курю, и что? — с вызовом поинтересовалась Алена.

— А я вот бросил два года назад. И очень горжусь собой, — шутливо похвалился Влад, но Алена не стала развивать эту тему.

— Объясни мне, как так вышло, что вы с Никитой общаетесь, а я ничего об этом не знаю? — потребовала она, когда официантка, приняв заказ, отошла от их столика.

— Ну, это вопрос не ко мне, — хмыкнул он.

— А что, ко мне, что ли? — мигом ощетинилась Алена, но Влад успокаивающе похлопал ее по руке, и она невольно вздрогнула от его прикосновения.

— Скорее к Никите. Почему-то он не счел нужным с тобой поделиться. Хотя, знаешь, я до последнего был уверен, что ты в курсе. Он же откуда-то узнал мою фамилию... И я считал, что это ты рассказала ему обо мне, потому и он начал меня искать.

— Нет, — она покачала головой. — Я ничего ему о тебе не рассказывала, даже фамилию не называла. Наверное, сам нашел, в документах. Увидел наше свидетельство о разводе и...

— Да, скорее всего, так и есть, — согласился Влад.

— И давно вы общаетесь? — Этот вопрос почему-то казался Алене очень важным.

— С начала осени, — не стал скрывать он. — С сентября где-то. Ник написал мне в соцсеть, сказал, что твой сын. Я прикинул по датам, посмотрел его фото и сразу понял, что к чему... Мы встретились, поговорили... С тех пор и общаемся.

— И как часто вы видитесь? — продолжала расспросы Алена. Ей очень хотелось закурить, но здесь, увы, это было нельзя.

— Ну, пару раз в неделю точно встречаемся. Мы подружились. Должен сказать, что ты, Аленка, вырастила классного парня.

Услышать такие слова было приятно, но если он рассчитывает, что она тут же растает от одного комплимента, то ошибается. Алена уже хотела сказать что-нибудь язвительное насчет того, что растила замечательного сына одна, а его отец даже не соизволил хоть раз за все это время появиться на их горизонте... Но пришлось промолчать, так как к столику подошла официантка, принесшая заказ, а выяснять отношения при посторонних не хотелось.

— Мы с Ником обычно всегда заранее договариваемся о встрече, — рассказал Влад, когда они с Аленой снова остались вдвоем. — Но вчера он свалился как снег на голову, позвонил вечером, спросил, можно ли прийти ночевать. Сначала наврал, что ты его ко мне отпустила. Но я сразу заподозрил, что что-то здесь не так, — он хмыкнул. — Я ж тебя знаю… Стали разговаривать, я и добился от него, что он сбежал из дома. Сказал, что оставил тебе записку или что-то в этом роде, и ушел ко мне. Причем заявил, что если я его не приму, то станет бомжевать, но домой не вернется… — Тут Влад покосился на Алену и торопливо добавил: — Ты уж извини, что я тебе все это рассказываю как есть, не приукрашивая. Тебе наверняка не очень-то приятно это слышать. Но считаю, что тебе лучше знать реальную, а не адаптированную версию событий.

— Ты прав, — признала Алена. — Горькая правда лучше сладкой лжи… Но я не могу понять, почему? Почему Ник так поступил? Что заставило его уйти из дома? Почему он не хочет меня видеть?

— Тише, тише. — Влад снова дотронулся до ее руки, и его прикосновение снова показалось ей ударом тока. — Дело в том, что Никита здорово на тебя обижен. Он считает, что ты им не интересуешься. Ты занята только работой, а до него тебе, по его мнению, и дела нет…

— Ну ничего себе! — возмущенно выдохнула Алена. — Он обижен! Скажите, какая цаца! Как будто я работаю для собственного удовольствия!.. Можно подумать, я сама бы не хотела меньше вкалывать и почаще отдыхать. Но я не могу себе позволить такую роскошь...

— Знаешь, — задумчиво проговорил Влад, отхлебнув кофе, — я давно заметил одну странную вещь: мы слишком часто жертвуем тем, что действительно важно, ради того, что только кажется важным.

— Ты хочешь сказать, что мне только «кажется важным» обеспечивать своего ребенка? — фыркнула Алена. Но Влад не обратил внимания на ее иронию.

— Я сейчас говорю не только о тебе, — задумчиво продолжал он. — Вообще о людях. О себе, в частности. В какой-то степени даже о той глупой истории, из-за которой мы с тобой расстались. Тогда мне казалось важным быть крутым мачо, окруженным толпой девиц, и из-за этого ты от меня ушла. А потом, когда мы разводились, мне казалось важным проявить характер — и в результате я потерял тебя и лишь недавно, по чистой случайности, узнал, что у меня, оказывается, есть такой классный сын.

— Да как же так! — Алена вновь невольно заговорила слишком громко, так, что на них даже обернулась юная парочка, сидевшая у противоположной стены.

— Я же написала тебе письмо, — продолжила она, слегка понизив голос. — Сразу после рождения Никиты. Только не ври, что письмо не дошло. Я его даже не посылала по почте, а своими руками опустила в твой почтовый ящик.

В ответ Влад грустно улыбнулся.

— Как оказалось, дойти-то письмо дошло... Вот только не до меня. Его достал из ящика не я, а мама. И прочитала, она никогда не считала зазорным читать чужие письма. Во всяком случае, мои. А потом порвала, не сказав мне ни слова.

— Ну ничего себе! Вот стерва! — в сердцах выдохнула Алена. А она-то все это время думала, что... Но ответы на вопросы, которые задает нам жизнь, почему-то всегда оказываются вне списка всех наших предполагаемых вариантов.

— Мама призналась во всем только перед смертью, — продолжал Влад. — На тот момент мы уже общались с Никитой.

— Получается, Виктория Анатольевна умерла совсем недавно? — прикинула Алена.

— Да, полтора месяца назад, в ноябре. От рака желудка. К сожалению, его диагностировали слишком поздно.

«Это ее Бог наказал», — промелькнуло в голове у Алены. Впрочем, она тут же устыдилась этой мысли и произнесла вслух:

— Сочувствую тебе.

— Спасибо, — кивнул Влад. — Как ты понимаешь, если бы мама рассказала мне обо всем раньше, все сложилось бы иначе. И тебе не пришлось бы одной растить Никиту.

— Ну что уж теперь говорить о том, что было бы, если бы... — вздохнула Алена.

— Аленка, расскажи мне о себе, — попросил вдруг Влад. — Я ведь почти ничего о тебе не знаю. Даже несмотря на то, что мы с Никитой много о тебе говорим... Но это, как ты понимаешь, не то. Мне хочется знать, как ты живешь...

— А я и не живу, — вдруг призналась Алена. — Я только работаю. И из-за этой проклятой работы уже потеряла контакт с собственным сыном...

— К счастью, не окончательно, — заверил Влад. — Поверь, все еще можно исправить. Никита очень любит тебя, это самое главное. Уверен, он сейчас перебесится, успокоится — и все вернется на круги своя.

— А как живешь ты? — Алена постаралась, чтобы вопрос прозвучал равнодушно-вежливо, не показывая ее заинтересованности.

— Тоже много работаю, — улыбнулся Влад. — У меня своя телестудия.

— Да, это я уже поняла, — она отодвинула пустую чашку. — А семья? Дети у тебя есть?

— Теперь есть. Сын Никита. — Влад продолжал улыбаться, но Алене не хотелось, чтобы этот разговор приобрел шутливый тон.

— Я имела в виду — другие дети.

— Других детей нет, — просто ответил он. — Как нет и жены.

— Что ж ты не женился на Дианочке? — невольно вырвалось у Алены.

— Перестань! — отмахнулся Влад. — После того как... Как ты ушла, я сразу же порвал с Дианкой. И забыл бы о ней на другой же день, если бы не...

— Если бы что? — тут же уточнила Алена.

— Если бы не потерял из-за нее тебя, — Влад поглядел ей прямо в глаза. — Поверь, я до сих пор считаю, что это была самая значительная потеря в моей жизни.

Сердце Алены учащенно забилось, и чтобы не выдать своего волнения, она с иронией произнесла:

— Вот только не надо мне врать, что у тебя больше никого не было.

— Зачем мне тебе врать? — искренне удивился Влад. — Были, разумеется. Однажды я даже женился. И прожил целых три года в более или менее счастливом браке.

— А потом?

— А потом у жены появилась идея фикс любой ценой перебраться в Европу.

— И что же? — заинтересовалась Алена.

— Видишь ли... — Влад допил последний глоток кофе. — По-моему, мне там нечего делать. Я по натуре петербуржец, а не космополит. Я с удовольствием куда-то езжу, мне интересно посмотреть мир... Но я всегда хочу вернуться домой, «в свой город, знакомый до слез». И жить именно в нем, а не где-то еще. Я объяснил это жене, мы долго спорили, но каждый остался при своем мнении. Так что она сейчас в Австралии, замужем за фермером, который разводит то ли страусов, то ли кенгуру, то ли утконосов. А я здесь.

Будь на то воля Алены, она бы еще очень долго сидела тут, в кафе, и продолжала этот разговор. Но время неумолимо приближалось к двум часам — времени прихода очередной клиентки.

— Так что будем делать с Никитой, Влад? — спросила Алена, осознав, что ей уже пора собираться.

— Давай пока просто дадим ему время, — предложил Влад. — Пусть на каникулах поживет у меня. Это и ему в радость, и я с удовольствием с ним пообщаюсь. Да и ты немного отдохнешь от домашних забот.

— Ну хорошо, а потом?

— А потом решим. Думаю, за это время я сумею повлиять на него — чтобы он изменил свое отношение к тебе.

Еще вчера Алена наверняка начала бы спорить, настаивать, доказывать свою правоту, требовать, чтобы Влад немедленно отвез ее к сыну, и заставила бы Ника вернуться домой. Но сегодня... Сегодня она вдруг поняла, что все это оказалось бы неправильно. Что каждый человек имеет право поступать так, как считает нужным. А не так, как считаешь правильным *ты*.

— Что ж, если это лучше для Ника, то пусть так и будет. Только держи меня в курсе, как он, ладно? — Алена снова взглянула на часы и поднялась. — Извини, но мне пора бежать, я уже опаздываю. Спасибо за кофе.

— Могу я тебя проводить? — спросил Влад, но Алена решила, что это ни к чему. Лучше распрощаться сейчас. То, что однажды разбито, уже не склеишь, как бы этого ни хотелось... У каждого из них эти пятнадцать лет была своя жизнь, и лучшее, что она сейчас может сделать — это поскорее вернуться в привычную колею собственной.

— Лучше просто позвоните мне вечером.

Возвращаясь домой под разыгравшимся снегопадом, Алена думала о Владе и о том, как счастливо могла бы сложиться ее жизнь... их жизнь, если бы они до сих пор остались вместе. Но судьба распорядилась иначе. И Алена осталась без мужчины, которого, как это только что стало ясно, до сих пор любит. А позавчера от нее ушел еще и сын. Пусть не навсегда, пусть осталась надежда, и далеко не призрачная, что сын еще вернется. Но на какое-то время ей придется научиться жить без Никиты. И сегодня, впервые за много лет, встретить Новый год без него. Ну что ж, она справится и с этим. Она сильная, Дашка с Ларой никогда не устают это повторять...

Войдя в квартиру, Алена едва успела снять пальто, а в домофон уже позвонила клиентка. И снова завертелась работа, защелкали ножницы, зажужжал фен, зашуршала фольга для мелирования... Оставив клиентку ждать действия краски, Алена по традиции пошла в кухню перекурить и выпить кофе и заодно попробовала рождественское печенье, которое ей принесла вчера Лиза. Печенье оказалось очень вкусным, и Алена позвонила Лизе, чтобы поблагодарить за угощение.

— Ой, я так рада, что понравилось! — Сегодня Лиза говорила столь счастливым голосом, что в первую минуту Алена усомнилась, не ошиблась ли номером. — Спасибо тебе большое!

— Да это тебе спасибо за печенье, — улыбнулась Алена.

— А тебе за твои советы! Ты ведь оказалась совершенно права, — радостно щебетала Лиза. — Эта девушка... Ну, про которую я тебе говорила, помнишь? Она действительно оказалась Пашиной двоюродной сестрой! Он специально привел ее к нам, чтобы попробовать, как он сказал, «самую вкусную выпечку в городе». А еще он пригласил меня на свидание! Представляешь?

— Да неужели? Я очень рада за тебя, Лизка! — искренне отозвалась Алена.

— Ох, а я-то как за себя рада... А все благодаря тебе. Если бы не ты... В общем, огромное тебе спасибо! Я потом позвоню, расскажу, как все прошло, ладно? А сейчас нужно бежать, у нас тут такая очередь... С наступающим тебя!

Ну вот, хоть у кого-то в жизни случилось что-то хорошее... Алена отложила телефон, но, едва оказавшись на столе, он снова подал признаки жизни. На этот раз звонил Петя.

— Привет, с наступающим! — Судя по голосу, он, как и Лиза, тоже был в весьма приподнятом настроении. Впрочем, ничего удивительного — праздник же. — Я тут неподалеку от тебя... Можно заскочу на минутку за своей читалкой?

— Конечно, можно, — разрешила Алена.

И вскоре Петя уже звонил в дверь ее квартиры. Когда Алена открыла ему, он протянул ей бутылку итальянского шампанского.

— А это тебе! С Новым годом!

— Ой, Петя, что ты... Да не стоило... — засмущалась она.

— Стоило, стоило! — заверил Петя. — Ты не представляешь, какой у меня повод!

— С женой, что ли, помирился? — улыбнулась Алена.

— И это тоже! — Петя и впрямь весь светился от счастья. — Оказывается, знаешь, из-за чего мы поссорились?

— Понятия не имею, — Алена переступила с ноги на ногу.

— А ты угадай!

— Я правда не знаю, Петя! — Она уже начала немного нервничать — в комнате дожидалась недостриженная клиентка.

— Нет, ну ты попробуй, отгадай! — настаивал Петр.

— Я сразу сдаюсь, — не выдержала Алена. — Ни одной идеи. Так что же произошло?

— У нас будет ребенок! — радостно возвестил Петя.

— О-о... поздравляю!

— Ты просто не представляешь, как я рад! Мы так давно мечтали о ребенке, но никак не получалось...

— Подожди, а поругались-то вы из-за чего?

— Гормоны, — с видом знатока объяснил Петр. — Оля просто не знала, как мне сказать, что беременна. Намекала, намекала, а я весь такой недогадливый... Ничего не понял! Вот она и рассердилась.

— Понятно, — невольно рассмеялась Алена.

Петя готов был еще долго рассказывать о самочувствии Оли, о том, кого они больше хотят — сына или дочку, и о своих планах на воспитание ребенка, но Алена не могла заставлять клиентку ждать. Она поскорее спровадила счастливого будущего отца и вернулась к работе. Но едва клиентка встала с кресла и с удовольствием осмотрела в зеркале свою новую прическу, как в дверь опять позвонили. Но этот раз на пороге стояла Антонина Николаевна. И она тоже, как и Петя, светилась улыбкой.

— Аленка, а у меня радость! — сообщила соседка. — Леню сегодня домой отпустят.

— Неужели так быстро выписали? — удивилась Алена.

— Выписать пока не выписали, но ему гораздо лучше, — делилась Антонина. — Так что отпускают на праздники. Обещал, что к вечеру приедет, такси возьмет. Новый год вместе встретим! Я уже все приготовила, даже мандаринов купила. Вот, заодно и тебе подарочек принесла, — она вручила Алене прозрачный пакет с жизнерадостно-оранжевыми фруктами. — С праздничком.

— Спасибо, неудобно даже как-то... Можно я вам деньги отдам?

— Нет-нет, что ты, это мой тебе подарок. Сама поешь, сыночка угостишь...

При упоминании о Никите у Алены больно кольнуло сердце, но соседка ничего не заметила.

— Аленка, ты уж прости, что я без звонка... — продолжала она. — Но можешь мои лохмы завить по-быстрому? Хочу красивой Новый год с Леночкой встретить.

— Конечно, не вопрос! — тут же согласилась Алена. — Только подождите немного, ладно? Сейчас я отпущу клиентку и займусь вами. Пусть это будет мой вам новогодний подарок.

Не взяв с соседки ни копейки в честь праздника, Алена уложила ей волосы, потом обслужила следующую клиентку, потом еще одну… Последняя ушла уже в десятом часу, и, закрыв за ней дверь, Алена устало опустилась на диван. До боя курантов оставалось совсем немного времени. Ну что ж, сейчас она чуть-чуть передохнет и встретит Новый год перед телевизором, в компании президента и эстрадных звезд. Готовить праздничный ужин не будет — нет ни сил, ни желания, ни необходимости. Зачем это, когда она одна? У нее и так все есть — шампанское, мандарины, рождественское печенье. Нет только елки. И праздничного настроения. Интересно, Никита хотя бы поздравит ее с Новым годом? Алена включила ноутбук, заглянула в соцсеть… Нет, ничего. Ник офф-лайн уже с самого утра. Что ж, настало время привыкать к тому, что сын не всегда будет с ней. Еще год, максимум два, и он перестанет проводить праздники с матерью, у него появится компания друзей, девушки… А потом и своя семья. Однажды он встретит ту, которую сочтет единственной, влюбится и сделает ей предложение…

Алена невольно вздохнула, вспомнив, как красиво сделал ей предложение Влад. Как-то раз она случайно проговорилась, что хотела бы иметь плеер, и на следующий же день Влад позвонил и сказал, что купил ей подарок, но не сможет его принести, так как ему сегодня обязательно нужно быть в институте. Пусть она сама зайдет в магазин, где работает его одноклассник, назовет свое имя, и ей отдадут плеер. Алена сделала все, как он сказал, пришла и получила подарочную коробку, но когда открыла ее, то увидела внутри не плеер, а еще одну маленькую бархатную коробочку, в которой оказалось кольцо с бриллиантом. В этот момент во всем зале внезапно включились все телевизоры, и со всех экранов на нее смотрел улыбающийся Влад.

«Аленушка, — донеслось одновременно из всех динамиков, — я люблю тебя и хочу, чтоб ты стала моей женой!» И она сперва потеряла дар речи от неожиданного счастья. А потом оглянулась по сторонам и увидела, что Влад стоит у нее за спиной…

И тут Алена наконец поняла, что за пин-код был в ее первом телефоне. Ну, конечно же, двенадцатое октября, дата того самого дня, когда вот таким необычным образом Влад сделал ей предложение! Именно этот день был самым счастливым в ее жизни, и тогда казалось, что счастливее дня уже не случится… Впрочем, так и вышло, — вздохнула Алена. Счастливее, чем с Владом, она не была никогда. И уже никогда не бу…

Ее воспоминания прервал оглушительный трезвон в дверь. Кого это еще принесло? У нее на сегодня точно нет больше клиенток, никто не записан.

Алена распахнула дверь — и не поверила своим глазам. На пороге стояли улыбающиеся муж и сын. И Ник держал на плече, как солдат ружье, елку — живую, ароматную, пахнущую хвоей, морозом, праздником и счастьем. А в руках у Влада был огромный букет роз. Ярко-алых. Точно таких, какие он подарил ей первый раз, шестнадцать лет назад, когда ждал ее со смены.

— Ох, — только и вздохнула Алена.

Теперь ей предстояло заново подобрать свой код счастья. И она еще не знала, каким он будет, но уже понимала, что находится на верном пути.

Глава 21.
Даша.
Десять тысяч тридцать пять

Предпраздничные хлопоты всегда доставляли Даше радость, а уж в Новый год — тем более. Сегодня с самого утра все казалось каким-то особенным, точно в воздухе и впрямь витало волшебство. В доме пахло елкой и мандаринами. А скоро должно еще было запахнуть свежей выпечкой, потому что Даша собиралась испечь свой фирменный торт.

До окончания голосования на конкурсе оставалось еще около двенадцати часов, но результаты уже, пожалуй, были ясны. Число голосов, неуклонно увеличивавшееся в предыдущие дни, сегодня росло еле-еле. Видимо, все, кого интересовала эта тема, уже проголосовали и теперь тоже готовились к Новому году, а не сидели в Интернете. И по итогам конкурса за Дашей прочно закрепилось второе место. Лидер под ником Зайка-знайка обходила ее примерно на полтысячи голосов, а остальные значительно отставали. Проиграть было, конечно, обидно — но все же не настолько, чтобы испортить себе праздник. С этой мыслью Даша подошла к музыкальному центру, которым они довольно давно не пользовались, включила подборку рождественских и новогодних треков и отправилась на кухню. В конце концов, второе место в таком серьезном конкурсе для непрофессионала — это тоже совсем и совсем неплохо.

К ее приятному удивлению, Ренат сегодня снова остался дома.

— Ничего, парни прекрасно справятся, — ответил он на Дашины недоуменные расспросы. — Я предлагал совсем закрыться, но они хотят немного подзаработать в праздники. Что ж, пускай, это их дело. Они оба молодые, холостые. А у меня семья, и я хочу провести время с тобой и детьми.

Конечно, Даша была этому только рада — и дети, и щенок снова оказались под надежным присмотром. А у Тимура, судя по всему, даже состоялся с Ренатом какой-то важный мужской разговор. Во всяком случае, ее, как выражалась Даша, «старшие мужчины» на некоторое время закрылись в спальне и долго о чем-то совещались.

* * *

Это было первое свидание Тимура, и накануне он здорово нервничал, поскольку понятия не имел, что делать в такой вот ситуации, наедине с девочкой. То есть не то чтобы он не знал, что делают люди на свиданиях. Знал, конечно, прекрасно знал, он же не маленький. Вот только собственного опыта не имел. Хотя у них в классе уже многие ребята целовались с девчонками, а некоторые рассказывали, что и не только целовались, но, по мнению Тимура, это все больше было враньем. Во всяком случае, ни один из его приятелей не смог бы толком ответить на вопрос, о чем говорить с девочкой и как себя вести, чтобы первое свидание не стало последним. Друг Макс, увы, в этом вопросе мало чем мог помочь. Но, по счастью, отец оказался дома в предпраздничный день и поддержал Тимура, сказав:

— Поверь, эта девочка… Как ее зовут, Софа? Софа будет волноваться не меньше, а может, даже больше, чем ты. Так что ты думай о ней, а не о себе. И сразу все станет проще.

— Легко сказать... — почесал в затылке Тимур. — А о чем говорить-то с ней?

— О том, что ей интересно, — посоветовал отец. — О школе, ребятах, учителях. Спроси, какие фильмы и сериалы она смотрит, чем занимается в свободное время, что ей нравится. Расскажи о том, что нравится тебе, что у тебя в жизни происходит. Про щенка нашего на испытательном сроке обязательно расскажи, как он у нас завелся. Спроси совета, как его назвать — он же у нас до сих пор без имени, а это непорядок.

— А это идея! — обрадовался Тимур.

После разговора с папой он воспрянул духом. Теперь, когда стало понятно, что делать и о чем говорить, Тимур чувствовал себя так, словно был готов к трудному уроку, на котором его обязательно должны были спросить.

Предпраздничная погода не радовала — снова плюс два и мокрый снег — поэтому о прогулке с Софой где-нибудь в парке не шло и речи. Придется идти в кафе, но Тимур был к этому готов. У него и деньги имелись на такой случай — специально экономил, готовясь к свиданию с Софой. Да и отец подкинул, подчеркнув, что платить всегда должен мужчина. Тимур вспомнил, как недавно на уроке обществознания они обсуждали мужские и женские профессии — существует ли еще такое разделение в современном обществе? Эта тема медленно перешла в обсуждение феминизма, а значит, и того, должен ли человек что-то делать или не делать только потому, что он парень или девочка. Большинство девчонок заняли довольно странную позицию, считали, что сами они никому ничего не должны, могут делать что хотят, работать кем угодно, и так далее — но при этом неплохо, чтобы мальчики вели себя с ними по-рыцарски, платили за них в кафе, дарили бы цветы и подарки, и уж точно не смели поднять на них руку. Ярой феминисткой в классе оказалась одна только Галка Самохвалова, отличница и зануда. Добрых пол-урока она уверяла всех, что пресловутое рыцарское поведение — это пережиток прошлого, которое на самом деле только унижает женщину, указывая ей на то, что она слабее мужчины, то есть, по сути, существо второго сорта. С Галкой все спорили, даже учительница. Наверное, в другой ситуации Самохвалову просто бы заткнули, но когда отличница, по сути, срывает урок — это весело. Ребята хохотали, а Тимуру было даже немного жаль Самохвалову. Она такая некрасивая, что вряд ли кому-то из парней захочется пригласить ее в кафе — даже если Галка, как уверяла, заплатила бы за себя сама.

Конечно же, Софа была не Галка Самохвалова. Такой девочке, как она, никто никогда не предложил бы платить за себя самой. И она заслуживала исключительно одного только рыцарского обращения. Во всяком случае, Тимур был в этом уверен.

Он пришел чуть раньше назначенного времени и порадовался, что в этот час в кафе-кондитерской еще не слишком много народу. Выбрав столик поудобнее, Тимур уселся за него и принял независимый вид, так как первый раз находился в подобном месте один, без взрослых, и опасался, что официанты не воспримут его всерьез. Но, похоже, девушке в фартуке с фирменным логотипом было совершенно все равно, сколько ему лет. Она вежливо поздоровалась и подала меню, которое Тимур тут же принялся внимательно изучать. После чего вздохнул с облегчением — если Софа закажет не все пирожные и десерты, какие тут есть, то денег у него хватит...

— Привет! — услышал он рядом с собой звонкий голосок, от которого даже вздрогнул. Софа опустилась на стул рядом с ним, но не успел Тимур поздороваться в ответ, как увидел, что к ним за столик садится еще и пожилая женщина.

— Так это ты пригласил Софочку? — строго и даже с каким-то подозрением спросила она.

— Эм...Что? — Тимур совершенно растерялся.

— Это, — пояснила Софа, отчаянно краснея и запинаясь, — моя бабушка...

— Раиса Марковна, — представилась пожилая женщина. В отличие от внучки она совсем не чувствовала себя смущенной, держалась, будто все шло именно так, как и должно идти. — А ты, значит, тот самый Тимур Файзуллин из параллельного класса?

— Да... — все еще не придя в себя от шока, пробормотал он. Такого поворота событий Тимур никак не ожидал. Можно было придумать много вариантов неудачного свидания, но присутствие бабушки — это уже совсем за гранью...

Спохватившись, он подумал, что с бабушкой девушки, которая ему нравится, нужно быть вежливым, и добавил:

— Очень приятно.

— Значит, Тимур Файзуллин... — проговорила Раиса Марковна, беззастенчиво рассматривая его. — Послушай, а Даша... Дарья Владимировна, кажется, такая невысокая блондинка — это, случайно, не твоя мама?

— Моя, — признался Тимур.

— А, так она тоже в родительском комитете, — судя по интонации бабушки, это было, наверное, все-таки хорошо.

Софа не поднимала глаз и теребила уголок скатерти. Ее лицо то и дело меняло оттенки от розового до малинового и обратно. Тимур тоже сидел как на иголках. И одна только Раиса Марковна чувствовала себя вполне нормально.

— Что будете заказывать? — спросила, подойдя, официантка.

— Нам с Софочкой, пожалуйста, чай и по малиновому пирожному, — распорядилась бабушка.

— А мне только чай, — попросил Тимур, и Раиса Марковна тут же заинтересовалась его выбором:

— А почему ты пирожное не берешь? У тебя с собой мало денег?

— Нет, просто не люблю сладкое, — сдержанно ответил Тимур. Он понимал, что может просто встать и уйти, но не собирался этого делать. Вспомнились папины слова, что Софа будет на свидании волноваться не меньше него. Да уж, тут отец как в воду глядел!.. Софе явно сейчас было куда хуже, чем Тимуру, и он просто не мог бросить ее одну. Так что Тимур покорно сидел вместе с ними до тех пор, пока чашки не опустели, а пирожные не были съедены, и терпеливо отвечал на расспросы, как он учится, чем увлекается, кем хочет стать и кто по профессии его родители.

Наконец бабушка глянула на часы и сообщила:

— Софочка, нам пора.

И подозвала официантку. Когда та принесла счет, то подала его Раисе Марковне, и Тимур решился:

— Позвольте, я заплачу. Ведь это я пригласил Софу в кафе.

— Но меня-то ты не приглашал, — усмехнулась бабушка, и Тимур невольно подумал, что она могла бы сообразить это и раньше. А не портить их с Софой свидание…

В итоге договорились так, как предлагала на обществознании Галка Самохвалова — каждый платит за себя. И вышли на улицу. Некоторое время им было по дороге, так что Софа и Тимур наконец-то остались вдвоём — они шли впереди, а Раиса Марковна чуть сзади. Правда, она наверняка слушала, о чём они говорят, поэтому ребята понизили голоса как только могли.

— Так вот что я не должен никому рассказывать, — запоздало сообразил Тимур, который совсем было забыл о третьем условии. — Ты поэтому никогда ни с кем не соглашаешься на свидания ходить?

— Ну да… — Софа чуть не плакала. — Бабушка постоянно за мной следит. Шагу без неё ступить нельзя. Говорит, что волнуется за меня. Я так надеялась, что она отпустит меня к тебе одну — но нет… Так обидно…

— Обидно, — согласился Тимур. — Я о стольких вещах хотел с тобой поговорить… И ничего не получилось.

— А о чём ты хотел со мной поговорить? — тут же оживилась Софа.

— Хотел с тобой посоветоваться, как назвать щенка.

Судя по разочарованному выражению лица, Софа ждала от него какого-то другого ответа. И потому только пожала плечами:

— Ну как я могу что-то посоветовать, если я вашего щенка никогда не видела? Вот если бы взглянуть на него…

Тимур не поверил своим ушам.

— Да нет проблем! — воскликнул он. — Приходи хоть завтра. Если, конечно, твоя бабушка не будет против.

— Приду… Но ты никому не расскажешь про мою бабушку? Ты дал слово, — напомнила Софа.

— С одним условием, — неожиданно для себя ответил Тимур.

— Условием? — удивилась девочка.

— Да. У тебя же много друзей в социальных сетях... Так что у меня будет к тебе одна просьба...

Софа посмотрела на него с подозрением, но когда Тимур рассказал, в чем дело, она рассмеялась.

— Круто! Это вы здорово придумали. Конечно, я с удовольствием помогу!

* * *

Весь день у Даши прошел в приятных хлопотах. И если сыновей она почти не видела — Тимур после обеда куда-то ушел, а Руська целый день возился со щенком, — то Майя то и дело забегала на кухню, интересовалась, что готовится, все пробовала и всячески рвалась принять участие в кулинарном процессе.

— А можно я сама украшу торт? Можно? — настаивала она, когда готовые шоколадные коржи появились на столе.

— Давай сделаем это вместе, — предложила Даша.

— Нет, я сама хочу!

— Хорошо, ты будешь украшать сама. Я только помогу тебе, совсем чуть-чуть, — заверила Даша, и на такой вариант Майя, к счастью, согласилась.

В итоге у них получился чудесный торт, украшенный елочками и чем-то отдаленно напоминающим снеговика. В какой-то момент Майя едва не смахнула торт со стола, но Даша успела его поймать и сразу же предусмотрительно спрятала в холодильник. После чего, воспользовавшись свободной минуткой, не удержалась и все-таки заглянула на сайт с конкурсом.

Но там ничего особенно не изменилось. С утра у нее прибавилось всего лишь двадцать четыре голоса. Правда, у Зайки-знайки прибавилось на пять голосов меньше, но общую картину это не изменило.

В этот чудесный вечер у них даже нашлось время поиграть в настольную игру, чего не получалось уже очень давно. И в какой-то момент Даша поймала себя на том, что, задумавшись, выкладывает из своих фишек код «10035».

«Все, хватит, возьми себя в руки! — приказала себе Даша. — То, что победить мне не удастся, было ясно с самого начала. И я на это и не настраивалась... В конце концов, это моя судьба такая — никогда не побеждать ни в играх, ни в конкурсах».

Насчет игры Даша точно не ошиблась. Победил, как это у них нередко случалось, Руська. И Майка, к счастью, расстроилась из-за этого совсем не сильно. Даже раздумала плакать после того, как Ренат напомнил, что сегодня ей разрешат досидеть со всеми за столом до двенадцати и посмотреть по телевизору, как бьют самые большие в стране часы.

Пора было готовиться к праздничному ужину. Даша отправилась на кухню, но, перед тем как включить прогреваться духовку, открыла лежавший на подоконнике ноутбук, зашла на сайт и не поверила своим глазам.

Десять тысяч одиннадцать. Всего за несколько часов она не только добрала почти пять сотен баллов, но еще и вырвалась на первое место, обогнав Зайку-знайку, у которой число голосов еще не дошло до пятизначной цифры.

Этого не может быть! Даша в буквальном смысле протерла глаза. Может, ей померещилось? Может, она что-то перепутала? Но нет, все цифры остались на месте.

— Ну что, мам, сколько? — нетерпеливо спросил Тимур, заглядывая в кухню.

— Десять тысяч одиннадцать! — радостно поделилась Даша. — Ума не приложу, как так…

Тут она замолкла на полуслове и удивленно посмотрела на сына.

— Подожди, а откуда ты… Ты о чем вообще спрашивал?

— Мамочка, а мы все знаем! — пискнула за спиной Майка.

Даша оглянулась и увидела, что в кухне собралась вся семья. Включая щенка, которого Руська из предосторожности держал на руках и правильно делал, поскольку любопытный нос с явным интересом тянулся к расставленным повсюду блюдам, мискам и кастрюлям.

— Я за тебя проголосовал, — важно сообщил Руська. — И всех друзей попросил.

— Не только ты, — тут же подхватил Тимур. — Еще и Софа, моя… в общем, одна девочка из параллельного класса. А у нее знаешь сколько друзей в соцсетях!..

— А я отправил сообщение всем своим постоянным клиентам, — добавил Ренат. — Что всем, кто за тебя проголосует, в наступающем году будет скидка на услуги нашей автомастерской.

— А я, а я… — Майка явно не знала, что сказать, но все же нашлась: — А я очень переживала за тебя, мамочка!

Неожиданно для себя Даша всхлипнула. Она была тронута до глубины души.

— Спасибо... Спасибо, мои родные!..

И кинулась обнимать их всех, включая щенка.

А потом, уже ни от кого не таясь, снова заглянула на сайт... И сердце упало. Зайка-знайка добрала недостающие баллы и снова вышла вперед, опережая теперь Дашу на четыре голоса.

— Блин! — выругался Тимур, и в этот раз ему за это не попало.

— А можно второй раз проголосовать? — предложил Руська.

— Бесполезно... — покачал головой Тимур. — Я уже пробовал.

— Пойду-ка я родне позвоню, — догадался Ренат. — Заодно и поздравлю с Новым годом.

Оставшееся до полуночи время прошло в каком-то тумане. Даша старательно готовила праздничный ужин и даже не подходила к компьютеру, но в этом не было никакой необходимости — теперь за ходом голосования следили ее домашние. Они докладывали о каждом изменении в числе баллов, а в перерывах обсуждали, кто еще из знакомых остался неохваченным, и тут же мчались ему звонить. На улице уже бахали фейерверки, по телевизору начался новогодний концерт. Даша предложила сесть за стол, но все дружно отказались, сославшись на то, что до двенадцати никому все равно кусок в горло не полезет.

До Нового года оставалось семь минут, когда баллы Даши и Зайки-знайки сравнялись. У обеих насчитывалось по тысяча тридцать четыре голоса. Интересно, а как в этом случае поступят устроители конкурса?

Внезапно зазвонил телефон, и Даша увидела на дисплее имя Алены.

— Привет, Дашка! — закричала в трубку подруга, и Даша невольно отметила, что давно не слышала, чтобы голос Алены звучал так весело и радостно. Выпила она, что ли? — С Новым годом тебя! Счастья, успехов, любви, денег и всего-всего!

— Спасибо, и тебя тоже с Новым годом, — начала было Даша, но Алена ее не слушала.

— Дашунчик, я должна рассказать тебе это прямо сейчас! — затараторила Алена. — А то просто лопну. Мы с Владом помирились!

— Что? Как это? — Даша настолько удивилась, что на секунду даже забыла о голосовании.

— Долгая история, — счастливо рассмеялась Алена. — Я потом расскажу подробности. Но вот так... встречаем Новый год вместе. Ну ладно, это потом... Как там твой конкурс?

До Нового года оставалось всего пять минут.

— Аленка! — вдруг озарило Дашу. — А можно попросить Влада проголосовать за меня? А то мне как раз одного голоса не хватает.

— Ладно, сейчас попробуем...

Четыре минуты до Нового года. Три. Две... Одна минута.

Даша обновила страницу под бой курантов, а все домашние стояли у нее за спиной и, кажется, даже не дышали.

Десять тысяч тридцать пять.

На один голос больше, чем у Зайки-знайки.

Победа!

Даша так и стояла, прижимая к себе ноутбук, а все члены ее семьи крепко обнимали ее, целовали и поздравляли. Цифры оказались волшебными. Код счастья сработал.

■ 7 марта

Эпилог

Когда ты счастлив, жизнь летит особенно быстро. Дни проносятся как секунды, а месяцы — как дни.

Казалось, что Ларино новоселье, на котором подруги провозгласили тост за «код счастья», было только позавчера. И уж точно будто вчера они все вместе увиделись под Рождество, на праздновании годовщины свадьбы Алены и Влада. Пусть дата не круглая, «зато эпохальная», как шутил Влад. Он настоял, чтобы Алена пригласила на «неюбилей» Ларису с Сашей и Дашу со всей семьей — конечно, уже не в Юсуповский дворец, просто в хороший ресторан на Почтамтской, — но все равно праздник удался на славу. Избранник Лары очаровал всех, включая детей Даши и Рената. Тимур и Руська были в восторге от того, что у него посреди квартиры стоит крутой байк, пусть и не настоящий. А Майка, наряженная, разумеется, в платье Фроси из «Джингликов», так и вовсе чуть ли не влюбилась в «дядю Сашу» и не отходила от него весь вечер.

В начале марта Саша и Лариса снова приехали в Петербург, Ларе требовалось уладить кое-какие дела и с квартирой, и с бывшей работой. В офисе своей фирмы она после новогодних каникул так больше и не появлялась, все возникающие вопросы решала дистанционно. А вот квартира пока оставалась за ней, но теперь уже казалась совсем нежилой и неуютной, ведь туда крайне редко кто-то заглядывал, а все Ларины многочисленные цветы доставили почтовой службой в «Башню «Федерация».

— Вот мы и в твоем любимом Питере, — улыбнулся Саша, когда они сошли с поезда. — Холодновато тут, ты не находишь? И сыро. Хотя небо красивое.

Лариса запрокинула голову, вдыхая запах вокзала. Этот запах она все еще любила, тут в ее жизни ничего не поменялось. Хотя иногда ей казалось, что это одна из немногих вещей, что осталась неизменной.

— Тут не только небо красивое, — возразила она. — Тут все красивое.

Саша негромко вздохнул.

— Ларка, но мы же с тобой сколько раз уже говорили... Если тебе так трудно расстаться с Питером, мы можем перебраться сюда, это вполне реально устроить.

В ответ Лариса прижалась к нему и склонила голову на его плечо.

— Нет, милый, мы же уже все решили...

Они и впрямь уже все решили, даже присмотрели участок для будущего загородного дома и выбрали фирму, которая будет его строить.

День поглотили заботы, а ближе к вечеру Лара договорилась встретиться с девочками, на этот раз в кафе на Невском.

— Ты не обижаешься, что я бросаю тебя одного? — поинтересовалась она у Саши.

— Нет, что ты, — улыбнулся он. — Нафиг я вам там нужен? Вы же весь вечер сплетничать будете.

— Конечно, — согласилась, засмеявшись, Лара. — Зачем еще встречаться с подружками?

Он проводил ее до двери кафе. Лариса поцеловала его на прощание и заскочила внутрь. Девочки уже ее ждали.

— Привет! — помахала она им, подходя к столику.

Лара и не догадывалась, что Саша еще не ушел, а задержался на улице и наблюдает за ней снаружи через окно. И вспоминает тот день, когда впервые увидел ее на выставке, и те предновогодние дни, которые Лариса, тогда еще против своей воли, провела с ним в его запертой квартире. Сейчас, по прошествии времени, он полностью осознал, насколько мальчишеской и, в общем-то, глупой выходкой была его затея с их, мягко говоря, оригинальным знакомством. И все-таки ни разу не пожалел о том, что сделал. Даже несмотря на то, что Лара до сих пор никогда не упускала случая поддразнить его этим...

А тем временем три молодые женщины, сидя за столиком в углу, говорили и говорили, не замолкая. У каждой из них имелся в запасе целый ворох новостей, которым требовалось незамедлительно поделиться с подругами.

Первой, как обычно, начала рассказывать Дашка. После победы в конкурсе ее жизнь изменилась кардинально. Теперь Даша была не только матерью трех детей, но еще и сотрудником популярного портала, одним из самых любимых читателями авторов. И при этом, к невероятному удивлению Лары и особенно Алены, так же, как и раньше, ухитрялась со всем справляться. За два месяца, прошедших с того дня, как подружки виделись последний раз, Даша успела не только побывать с семьей в Чехии, но еще и получить предложение от известного издательского дома. Буквально несколько дней назад ей пришло письмо за подписью главного редактора с предложением выпустить книгу психологических эссе. Издательство отмечало, что Даше удается совмещать актуальность и востребованность тем с легкостью стиля и юмором. И это, по мнению редакторов, повышало шансы на успех книги.

Предложение одновременно и польстило Даше, и смутило ее, она была и обрадована, и в то же время немного напугана.

— Как вы думаете, стоит пробовать? — взволнованно спрашивала она у подруг, и Лара с Аленой наперебой уверяли ее, что стоит, обязательно стоит! Более того, они не сомневаются, что у нее все получится.

— Ой, ну вы меня совсем захвалили… — Даша залилась ярким румянцем и потупилась.

— Слушай, Даш, — спохватилась Лара. — Все забываю тебя спросить… А что со щенком-то? Вы его оставили?

— Оставили… — улыбнулась Даша. — Но, надо отдать должное ребятам, они молодцы. Хорошо за ним ухаживают, хотя это и непросто. Он такой озорник…

— А как вы его назвали?

— Бедокур. Это Майка предложила — как персонажа из «Джингликов». Надо сказать, ему очень это имя подходит…

Даша замолкла, но вдруг подняла глаза и внимательно посмотрела на Ларису.

— Слушай, Ларка, а скажи-ка… Мне кажется или ты беременна?

Теперь настала очередь Ларисы слегка порозоветь. Но это было не от смущения, а скорее от радости.

— Ничего-то от тебя, Дашка, не скроешь. Да. Да, да, да! Девочки, я жду ребенка.

На визг, который издали подруги, кинувшиеся целовать ее и поздравлять, обернулись чуть не все посетители кафе.

— Тихо, тихо! — смущенно зашикала на них Лара. — Срок всего семь недель. Я никому еще не говорю, даже Саше пока не сказала. Боюсь сглазить...

— Не бойся. Увидишь, все будет хорошо, — заверила ее Алена.

Сегодня она выглядела просто потрясающе. Впрочем, почему сегодня? Наверняка и в другие дни тоже. У Алены словно началась вторая юность, и это проявлялось во всем. С ее лица не сходила сияющая улыбка. Мужчины не отводили от нее взглядов, а молодой смазливый официант незаметно подсунул ей карточку со своим номером телефона. Наверное, даже не понял, сколько ей лет.

— И как теперь у Ника с переходным возрастом? — осведомилась у нее Лара.

— Пропал, как и не было! — улыбнулась Алена. — С тех пор как мы с Владом съехались, парня как подменили. Никаких выходок, никакой грубости. Правда, дома он по-прежнему бывает редко, но зато теперь я знаю, где он пропадает — у Влада на студии. И да, девочки, у меня же еще одна новость! Я решила все-таки пойти учиться на дизайнера одежды.

— За это надо выпить! — радостно воскликнула Даша, и молоденький официант, не дожидаясь приглашения, тут же подлетел к их столику и освежил им напитки, выразительно поглядывая на Алену.

— Девочки, а помните, как мы на Ларкином новоселье пили за то, чтобы найти свой код счастья? — спросила Даша, когда они снова остались втроем. — Не знаю, как вы, а я постоянно об этом вспоминаю. Ведь у меня все изменилось именно с того момента, как я придумала себе число голосов, нужных для победы в конкурсе. И — вы не поверите — число полностью совпало!

— Да уж, такое разве забудешь! — засмеялась Лариса. — Все дни, которые мы с Сашей провели запертыми в его квартире, я только и думала, что о коде от замка. И о твоей, Дашка, идее насчет «кода счастья». Ух, и ругала я тебя тогда!.. Тебе не икалось, случаем?

Алена на это только загадочно улыбнулась. Ей делиться своим кодом счастья почему-то не захотелось, хотя она прекрасно знала, что он сыграл свою роль и в ее истории. И это даже не были конкретные цифры в пин-коде ее старого телефона... Эти цифры стали кодом от ее кладовой воспоминаний. Она не побоялась ее отпереть и выпустила наружу давно поджидавшее там счастье.

— А может... — начала было Даша. — Может, снова пообещаем что-нибудь друг другу? Чтобы и это сбылось?

Она наморщила нос, задумавшись, что бы такое предложить, но Алена только отмахнулась:

— Да ну тебя, Дашка! И так все хорошо. Еще спугнем счастье...

— Тогда давайте пообещаем друг другу и дальше продолжать в том же духе, — проговорила Лара.

И ее предложение было принято с энтузиазмом. Ведь нет ничего приятнее, чем обещать себе всегда быть такой же счастливой. Что бы там дальше ни происходило...

■ Содержание

Литературно-художественное издание

Рой Олег

КОД ЛИЧНОГО СЧАСТЬЯ

Ответственный редактор *Е. Неволина*
Младший редактор *М. Мамонтова*
Художественный редактор *С. Груздев*
Технический редактор *О. Лёвкин*
Компьютерная верстка *В. Андриановой*
Корректор *В. Соловьева*

В коллаже на обложке использованы фото:
Aleshyn_Andrei, Evannovostro / Shutterstock.com
Используется по лицензии от Shutterstock.com

ООО «Издательство «Э»
123308, Москва, ул. Зорге, д. 1. Тел.: 8 (495) 411-68-86.
Өндіруші: «Э» АҚБ Баспасы, 123308, Мәскеу, Ресей, Зорге көшесі, 1 үй.
Тел.: 8 (495) 411-68-86.
Тауар белгісі: «Э»
Қазақстан Республикасында дистрибьютор және өнім бойынша арыз-талаптарды қабылдаушының
өкілі «РДЦ-Алматы» ЖШС, Алматы қ., Домбровский көш., 3«а», литер Б, офис 1.
Тел.: 8 (727) 251-59-89/90/91/92, факс: 8 (727) 251 58 12 вн. 107.
Өнімнің жарамдылық мерзімі шектелмеген.
Сертификация туралы ақпарат сайтта Өндіруші «Э»

Сведения о подтверждении соответствия издания согласно законодательству РФ
о техническом регулировании можно получить на сайте Издательства «Э»

Өндірген мемлекет: Ресей
Сертификация қарастырылмаған

Подписано в печать 29.09.2017. Формат 80x108$^1/_{32}$.
Гарнитура «HeliosCond» . Печать офсетная. Усл. печ. л. 17,6.
Тираж 15 000 экз. Заказ 3594.

Отпечатано в ООО «Тульская типография».
300026, г. Тула, пр. Ленина, 109.

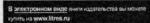

ISBN 978-5-04-088566-4

9 785040 885664 >

16+